어휘가 문해력이다

초등 3학년 1학기

교과서 어휘

교과서 내용을 이해하지 못하는 우리 아이?
평생을 살아가는 힘, '문해력'을 키워 주세요!

'어휘가 문해력이다'
어휘 학습으로 문해력 키우기

1

교과서 학습 진도에 따라
과목별(국어/사회/수학/과학) · 학기별(1학기/2학기)로 어휘 학습이 가능합니다.

교과 학습을 위한 필수 개념어를 단원별로 선별하여 단원의 핵심 내용을 이해하도록 구성하였습니다.
교과 학습 전 예습 교재로, 교과 학습 후 복습 교재로 활용할 수 있도록 필수 개념어를 엄선하여 수록하였습니다.

2

교과 어휘를 학년별 2권, 한 학기별 4주 학습으로
단기간에 어휘 학습이 가능합니다.

한 학기에 310여 개의 중요 단어를 공부할 수 있습니다.
쉬운 뜻풀이와 교과서 내용을 담은 다양한 예문을 수록하여 학교 공부에 직접적으로 도움을 주고자 하였습니다.
해당 학기에 학습해야 할 중요 단어를 모두 모아 한 번에 살펴볼 수 있고, 국어사전에서 단어를 찾는 시간과 노력을 줄일 수 있습니다.

3

관용어, 속담, 한자 성어, 한자 어휘 학습까지 가능합니다.

글의 맥락을 이해하고 응용하는 데 도움이 되는 관용어, 속담, 한자 성어뿐만 아니라 초등에서 중학 교육용 필수 한자 어휘 학습까지 놓치지 않도록 구성하였습니다.

4

확인 문제와 주간 어휘력 테스트를 통해 학습한 어휘를 점검할 수 있습니다.

뜻풀이와 예문을 통해 학습한 어휘를 교과 어휘별로 바로바로 점검할 수 있도록 다양한 유형의 확인 문제를 수록하였습니다.
한 주 동안 학습한 어휘를 종합적으로 점검할 수 있는 주간 어휘력 테스트를 수록하였습니다.

5

효율적인 교재 구성으로 자학자습 및 가정 학습이 가능합니다.

학습한 어휘를 해당 교재에서 쉽게 찾아볼 수 있도록 과목별로 '찾아보기' 코너를 구성하였습니다.
'정답과 해설'은 축소한 본교재에 정답과 자세한 해설을 실어 스스로 공부할 수 있도록 하였습니다.

EBS 〈당신의 문해력〉 교재 시리즈는 약속합니다.

교과서를 잘 읽고 더 나아가 많은 책과 온갖 글을 읽는 능력을 갖출 수 있도록
문해력을 이루는 핵심 분야별, 학습 단계별 교재를 준비하였습니다.
한 권 5회×4주 학습으로 아이의 공부하는 힘,
평생을 살아가는 힘을 EBS와 함께 키울 수 있습니다.

어휘가 문해력이다

어휘 실력이 교과서를 읽고 이해할 수 있는지를 결정하는 척도입니다.
〈어휘가 문해력이다〉는 교과서 진도를 나가기 전에 꼭 예습해야 하는 교재입니다.
20일이면 한 학기 교과서 필수 어휘를 완성할 수 있습니다.
교과서 수록 필수 어휘들을 교과서 진도에 맞춰
날짜별, 과목별로 공부하세요.

쓰기가 문해력이다

쓰기는 자기 생각을 표현하는 미래 역량입니다.
서술형, 논술형 평가의 비중은 점점 커지고 있습니다.
객관식과 단답형만으로는 아이들의 생각과 미래를 살펴볼 수 없기 때문입니다.
막막한 쓰기 공부. 이제 단어와 문장부터 하나씩 써 보며 차근차근 학습하는
〈쓰기가 문해력이다〉와 함께 쓰기 지구력을 키워 보세요.

ERI 독해가 문해력이다

독해를 잘하려면 체계적이고 객관적인 단계별 공부가 필수입니다.
기계적으로 읽고 문제만 푸는 독해 학습은 체격만 키우고 체력은 미달인 아이를 만듭니다.
〈ERI 독해가 문해력이다〉는 특허받은 독해 지수 산출 프로그램을 적용하여 글의 난이도를 체계화하였습니다.
단어 · 문장 · 배경지식 수준에 따라 설계된 단계별 독해 학습을 시작하세요.

배경지식이 문해력이다

배경지식은 문해력의 중요한 뿌리입니다.
하루 두 장, 교과서의 핵심 개념을 글과 재미있는 삽화로 익히고 한눈에 정리할 수 있습니다.
시간이 부족하여 다양한 책을 읽지 못하더라도 교과서의 중요 지식만큼은 놓치지 않도록
〈배경지식이 문해력이다〉로 학습하세요.

디지털독해가 문해력이다

디지털독해력은 다양한 디지털 매체 속 정보를 읽어 내는 힘입니다.
아이들이 접하는 디지털 매체는 매일 수많은 정보를 만들어 내기 때문에
디지털 매체의 정보를 판단하는 문해력은 현대 사회의 필수 능력입니다.
〈디지털독해가 문해력이다〉로 교과서 내용을 중심으로 디지털 매체 속 정보를 확인하고
다양한 과제를 해결해 보세요.

이 책의 구성과 특징

1

교과서 어휘 국어/사회/수학/과학

교과목 · 단원별로 교과서 속 중요 개념 어휘와 관련 어휘로 교과 어휘 강화!

한자 어휘

초등 · 중학 교육용 필수 한자, 연관 한자어로 한자 어휘 강화!

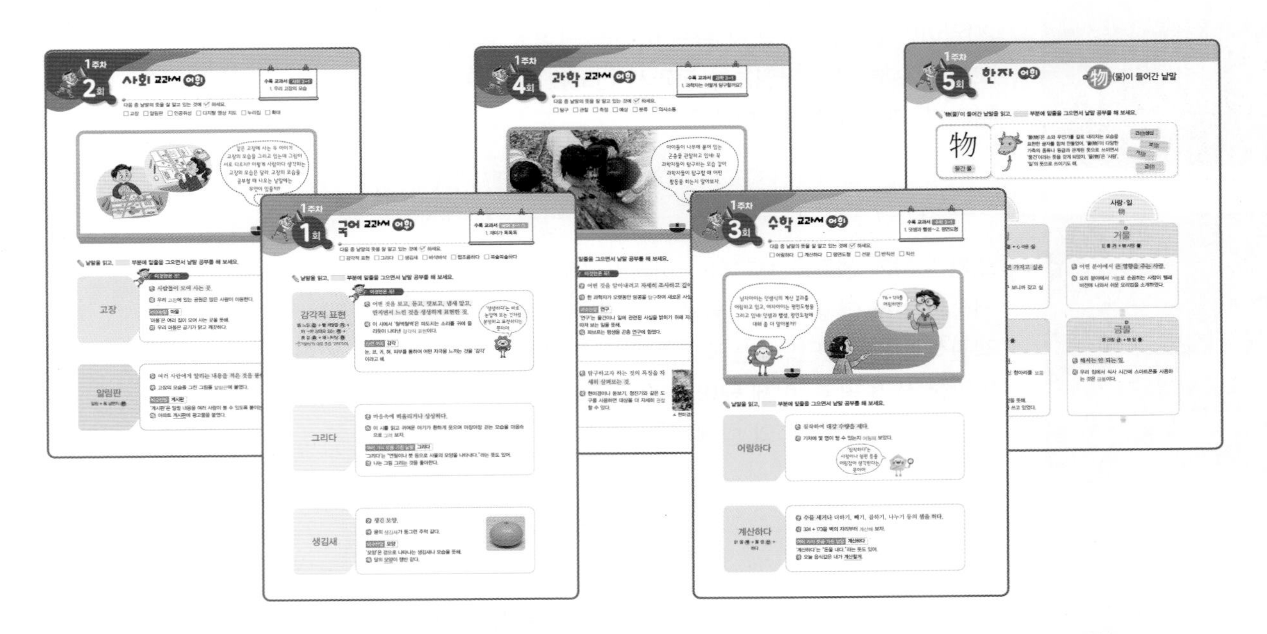

- 교과서 속 핵심 어휘를 엄선하여 교과목 특성에 맞게 뜻과 예문을 이해하기 쉽게 제시했어요.
- 어휘를 이해하는 데 도움이 되는 그림 및 사진 자료를 제시했어요.
- 대표 한자 어휘와 연관된 한자 성어, 초등 수준에서 꼭 알아야 할 속담, 관용어를 제시했어요.

2

확인 문제

교과서(국어/사회/수학/과학) 어휘, 한자 어휘 학습을 점검할 수 있는 다양한 유형의 확인 문제 수록!

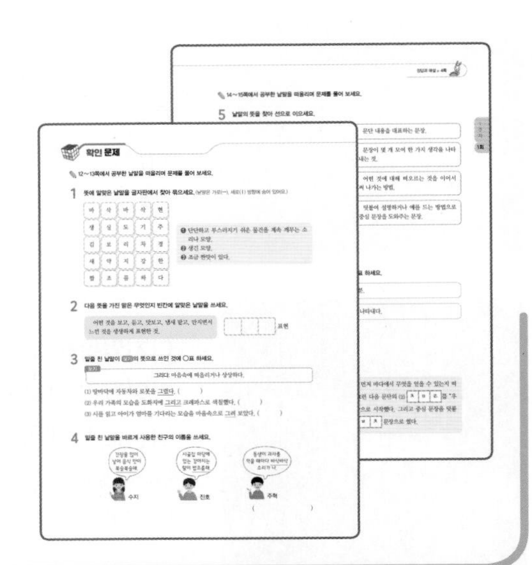

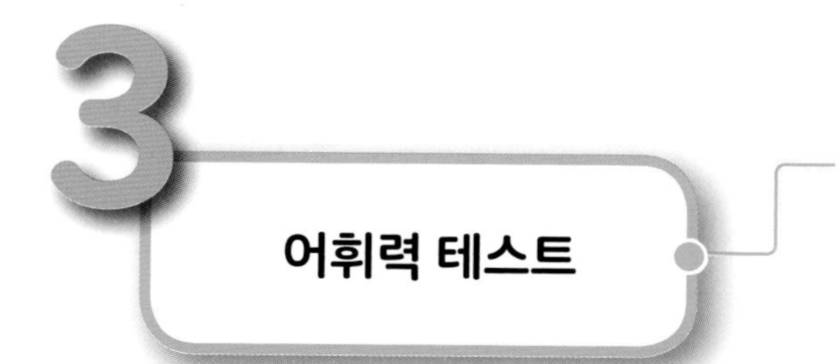

한 주 동안 학습한 교과서 어휘, 한자 어휘를 종합적으로 점검할 수 있는 어휘력 테스트 수록!

1주차 어휘력 테스트

앞에서 공부한 낱말을 떠올리며 문제를 풀어 보세요.

1 낱말과 그 뜻이 바르게 짝 지어진 것은 무엇인가요? (　　　)

① 거짓 – 해서는 안 되는 일.
② 백지도 – 산, 강, 큰길 등의 밑그림만 그려져 있는 지도.
③ 선분 – 한 점에서 시작하여 한쪽으로 끝없이 늘인 곧은 선.
④ 유원지 – 사람들이 인터넷에 연결해서 볼 수 있도록 만든 문서.
⑤ 의사소통 – 어떤 것을 만들려고 계획을 세우거나 그 계획을 그림으로 나타내는 것.

2 ~ 3 낱말의 뜻에 맞게 (　　) 안에서 알맞은 말을 골라 ○표 하세요.

2 알림판 | 여러 사람에게 (알리는 , 뿌리는) 내용을 적은 것을 붙이는 판.

3 관찰 | 탐구하고자 하는 것의 특징을 자세히 (살펴보는 , 상상하는) 것.

4 다음 중 가장 짠맛을 나타내는 우리말에 ○표 하세요.

짭짤하다　짜디짜다　짭조름하다

5 비슷한말끼리 짝 지어진 것을 두 가지 고르세요. (　　　)

① 고장 – 마을　② 확대 – 축소　③ 물체 – 물질
④ 생김새 – 모양　⑤ 첫머리 – 끝머리

정답과 해설 ▸ 16쪽

6 밑줄 친 '그리다'의 뜻을 찾아 선으로 이으세요.

(1) 종이에 연필로 동그라미를 그렸다. •　　• 마음속에 떠올리거나 상상하다.
(2) 미래의 나의 모습을 마음속으로 그려 보았다. •　　• 연필이나 붓 등으로 사물의 모양을 나타내다.

7 (　　) 안에서 알맞은 낱말을 골라 ○표 하세요.

(1) 부부는 (견물생심 , 일심동체)(이)라더니 엄마는 계속 아빠 편만 드셨다.
(2) 친구의 머리띠를 보니 (견물생심 , 일심동체)(이)라고 나도 갖고 싶은 마음이 들었다.

8 ~ 10 (　　) 안에 들어갈 알맞은 낱말을 [보기]에서 찾아 쓰세요.

[보기] 성질　예상　누리집

8 내일은 비가 올 것으로 (　　　　)이 된다.

9 기름은 물과 섞이지 않는 (　　　　)이 있다.

10 인터넷으로 기상청 (　　　　)에 들어가서 내일 날씨를 확인하였다.

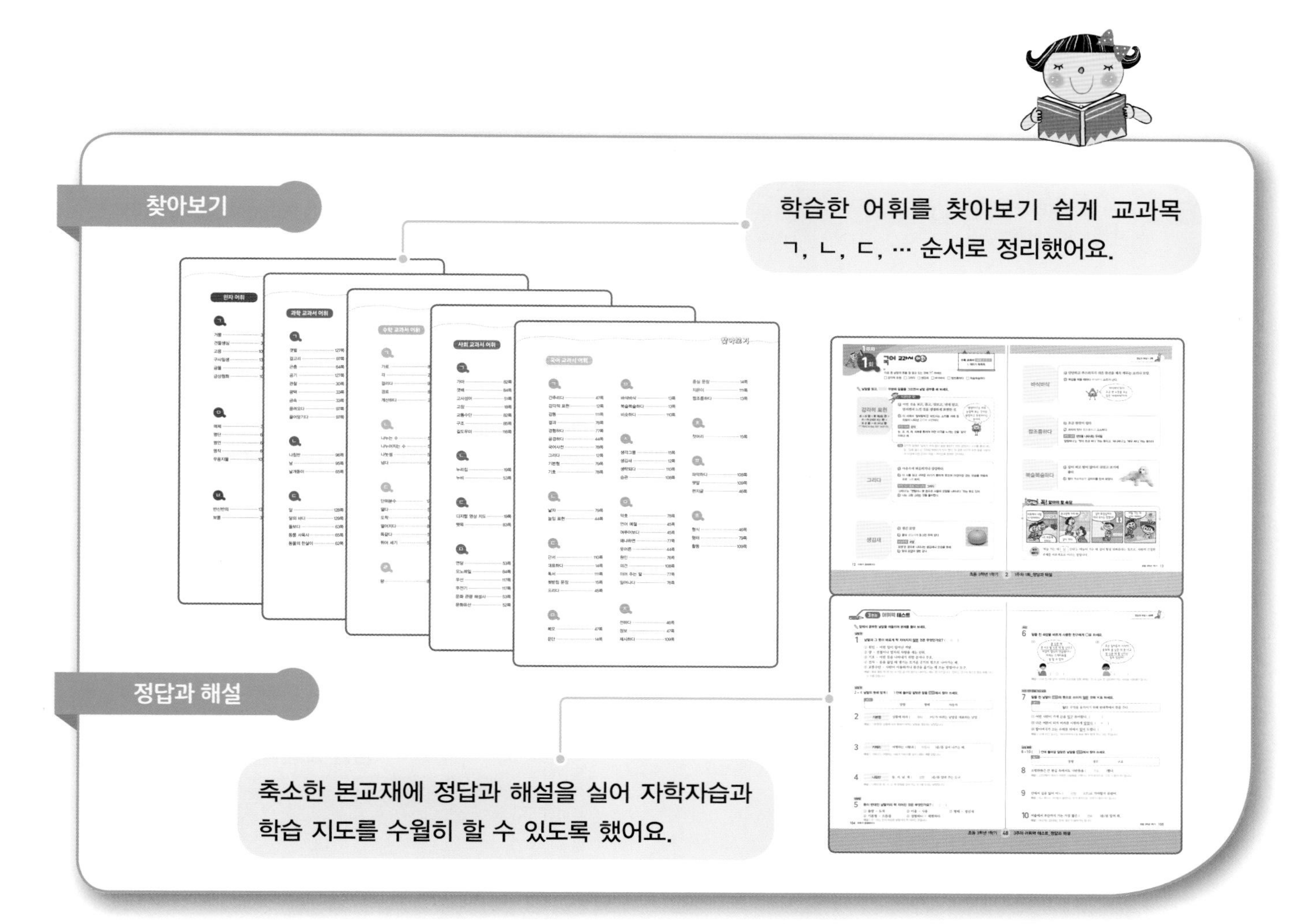

학습한 어휘를 찾아보기 쉽게 교과목 ㄱ, ㄴ, ㄷ, … 순서로 정리했어요.

축소한 본교재에 정답과 해설을 실어 자학자습과 학습 지도를 수월히 할 수 있도록 했어요.

초등 3학년 1학기

교과서 연계 목록

- 『어휘가 문해력이다』 초등 3학년 1학기에 수록된 모든 어휘는 초등학교 3학년 1학기 국어, 사회, 수학, 과학 교과서에 실려 있습니다.
- 교과서 연계 목록을 살펴보면 과목별 교과서의 단원명에 따라 학습할 교재의 쪽을 한눈에 파악할 수 있습니다.
- 교과서 진도 순서에 맞춰 교재에서 해당하는 학습 회를 찾아 효율적으로 공부해 보세요!

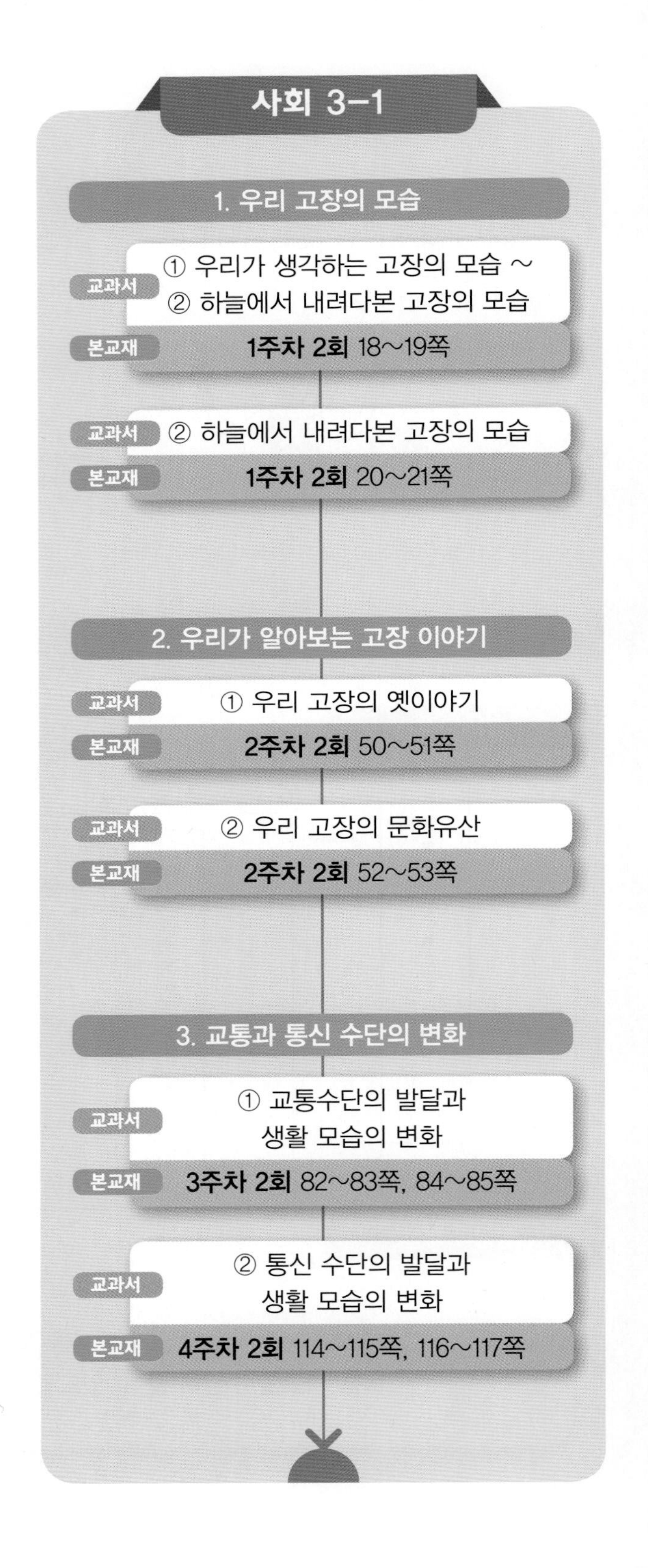

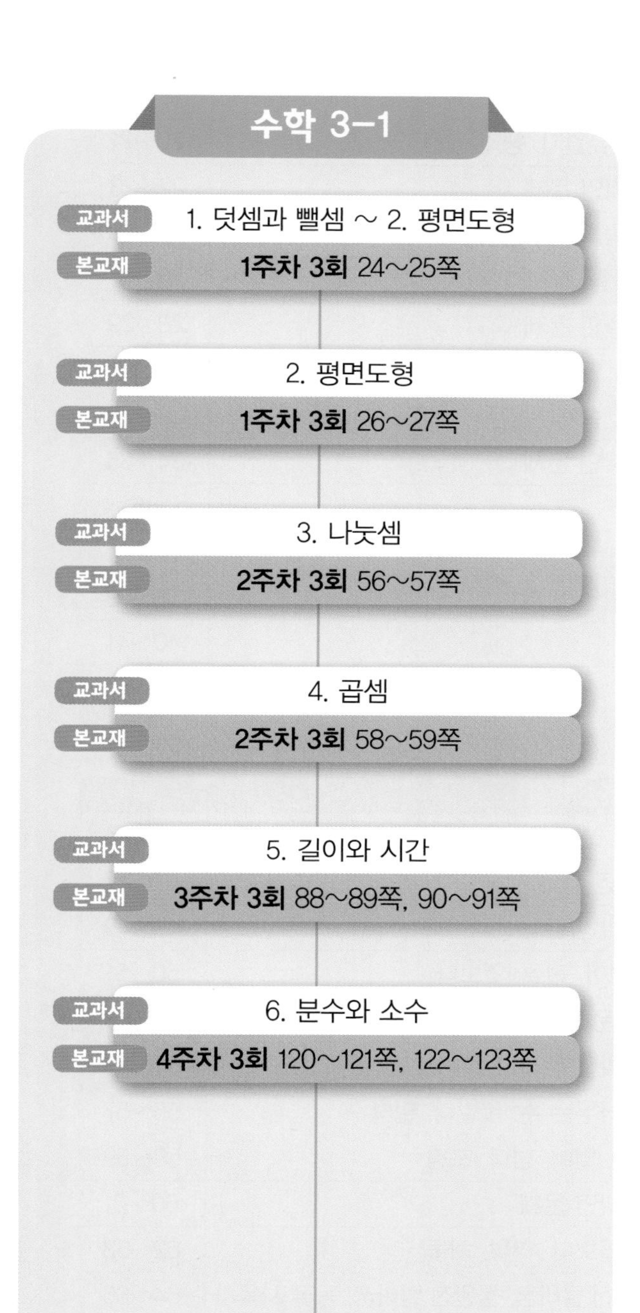

수학 3-1

교과서	본교재
1. 덧셈과 뺄셈 ~ 2. 평면도형	**1주차 3회** 24~25쪽
2. 평면도형	**1주차 3회** 26~27쪽
3. 나눗셈	**2주차 3회** 56~57쪽
4. 곱셈	**2주차 3회** 58~59쪽
5. 길이와 시간	**3주차 3회** 88~89쪽, 90~91쪽
6. 분수와 소수	**4주차 3회** 120~121쪽, 122~123쪽

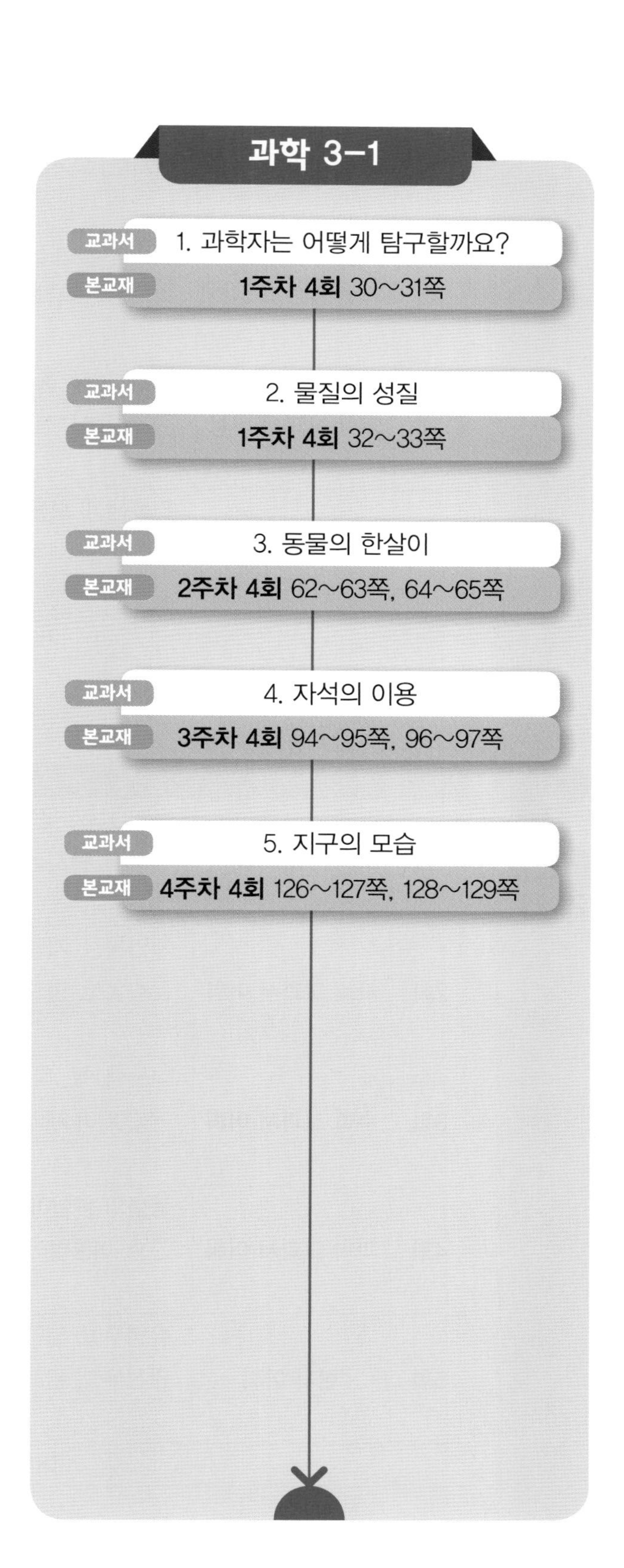

과학 3-1

교과서	본교재
1. 과학자는 어떻게 탐구할까요?	**1주차 4회** 30~31쪽
2. 물질의 성질	**1주차 4회** 32~33쪽
3. 동물의 한살이	**2주차 4회** 62~63쪽, 64~65쪽
4. 자석의 이용	**3주차 4회** 94~95쪽, 96~97쪽
5. 지구의 모습	**4주차 4회** 126~127쪽, 128~129쪽

이 책의 **차례**

1 주차

2 주차

1주차 어휘 미리 보기

한 주 동안
공부할 어휘들이야.
쏙 한번 훑어볼까?

1회 학습 계획일 ( )월 ( )일

국어 교과서 어휘

감각적 표현	문단
그리다	대표하다
생김새	중심 문장
바삭바삭	뒷받침 문장
짭조름하다	첫머리
복슬복슬하다	생각그물

2회 학습 계획일 ( )월 ( )일

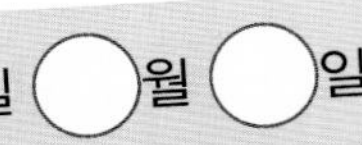

사회 교과서 어휘

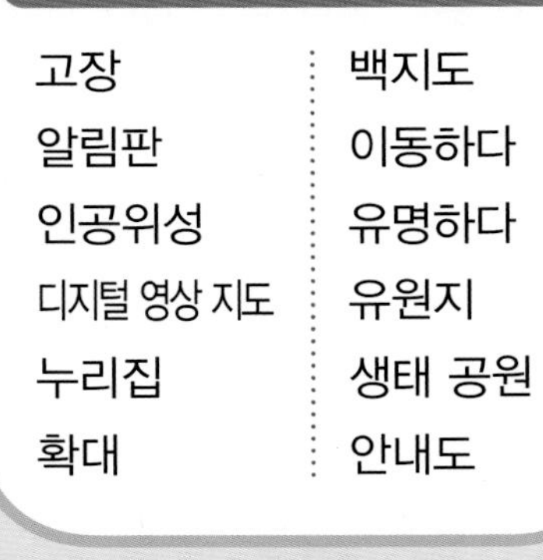

고장	백지도
알림판	이동하다
인공위성	유명하다
디지털 영상 지도	유원지
누리집	생태 공원
확대	안내도

3회 학습 계획일 ( )월 ( )일

수학 교과서 어휘

어림하다	각
계산하다	직각
평면도형	직각삼각형
선분	직사각형
반직선	정사각형
직선	본뜨다

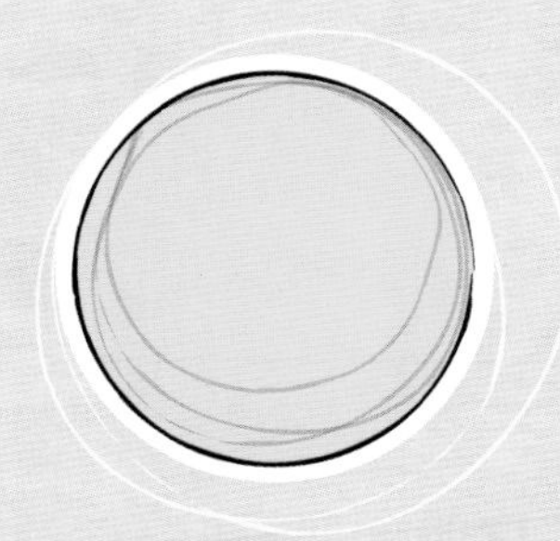

4회 학습 계획일 ( )월 ( )일

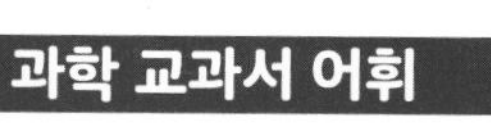

과학 교과서 어휘

탐구	물체
관찰	물질
측정	성질
예상	금속
분류	광택
의사소통	설계

5회 학습 계획일 ( )월 ( )일

한자 어휘

견물생심	일심동체
보물	체육
거물	매체
금물	실체

어휘력 테스트

2주차
어휘 학습으로
가 보자!

국어 교과서 어휘

수록 교과서 국어 3-1 ㉮
1. 재미가 톡톡톡

다음 중 낱말의 뜻을 잘 알고 있는 것에 ✔ 하세요.

□ 감각적 표현 □ 그리다 □ 생김새 □ 바삭바삭 □ 짭조름하다 □ 복슬복슬하다

낱말을 읽고, ▭ 부분에 밑줄을 그으면서 낱말 공부를 해 보세요.

감각적 표현

感 느낄 감 + 覺 깨달을 각 + 的 ~한 상태로 되는 적 + 表 겉 표 + 現 나타날 현

'적(的)'의 대표 뜻은 '과녁'이야.

이것만은 꼭!

뜻 어떤 것을 보고, 듣고, 맛보고, 냄새 맡고, 만지면서 느낀 것을 생생하게 표현한 것.

예 이 시에서 '철썩철썩'은 파도치는 소리를 귀에 들리듯이 나타낸 감각적 표현이다.

'생생하다'는 바로 눈앞에 보는 것처럼 분명하고 또렷하다는 뜻이야.

관련 어휘 **감각**

눈, 코, 귀, 혀, 피부를 통하여 어떤 자극을 느끼는 것을 '감각'이라고 해.

그리다

뜻 마음속에 떠올리거나 상상하다.

예 이 시를 읽고 귀여운 아기가 환하게 웃으며 아장아장 걷는 모습을 마음속으로 그려 보자.

여러 가지 뜻을 가진 낱말 **그리다**

'그리다'는 "연필이나 붓 등으로 사물의 모양을 나타내다."라는 뜻도 있어.

예 나는 그림 그리는 것을 좋아한다.

생김새

뜻 생긴 모양.

예 귤의 생김새가 둥그런 주먹 같다.

비슷한말 **모양**

'모양'은 겉으로 나타나는 생김새나 모습을 뜻해.

예 달의 모양이 쟁반 같다.

바삭바삭

뜻 단단하고 부스러지기 쉬운 물건을 계속 깨무는 소리나 모양.

예 튀김을 먹을 때마다 **바삭바삭** 소리가 난다.

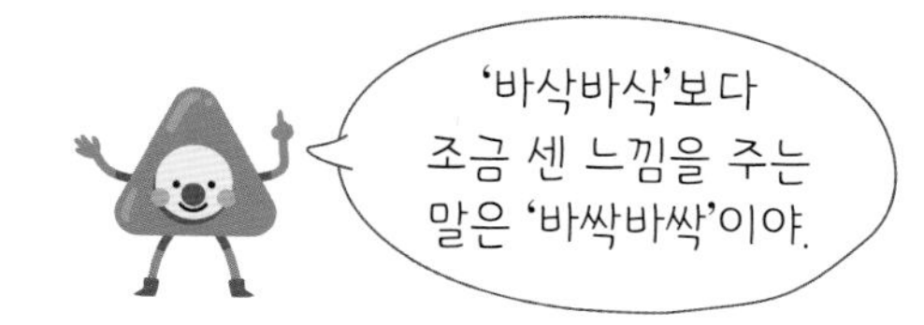
'바삭바삭'보다
조금 센 느낌을 주는
말은 '바싹바싹'이야.

짭조름하다

뜻 조금 짠맛이 있다.

예 과자의 맛이 **짭조름하고** 고소하다.

관련 어휘 짠맛을 나타내는 우리말
'짭짤하다'는 "맛이 조금 짜다."라는 뜻이고, '짜디짜다'는 "매우 짜다."라는 뜻이야.

복슬복슬하다

뜻 살이 찌고 털이 많아서 귀엽고 보기에 좋다.

예 털이 **복슬복슬한** 강아지를 만져 보았다.

꼭! 알아야 할 속담

마트에서 사탕
사 먹어야지!
OO마트
나도 마트에
가야지!

문구점에 가야 해!
문구
같이 가자!

설마 화장실까지
따라 오지는 않겠지?

바늘 가는 데
실이 가야지!

빈칸 채우기 '바늘 가는 데 [ ] 간다'는 바늘이 가는 데 실이 항상 뒤따른다는 뜻으로, 사람의 긴밀한 관계를 비유적으로 이르는 말입니다.

국어 교과서 어휘

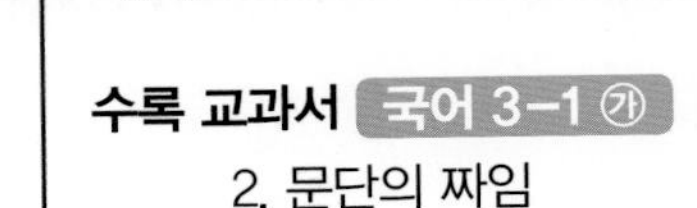

수록 교과서 국어 3-1 ㉮
2. 문단의 짜임

다음 중 낱말의 뜻을 잘 알고 있는 것에 ✓ 하세요.

□ 문단 □ 대표하다 □ 중심 문장 □ 뒷받침 문장 □ 첫머리 □ 생각그물

낱말을 읽고, ▭ 부분에 밑줄을 그으면서 낱말 공부를 해 보세요.

문단

文 글월 문 + 段 구분 단

'단(段)'의 대표 뜻은 '층계'야.

뜻 문장이 몇 개 모여 한 가지 생각을 나타내는 것.

예 이 글은 장승의 역할을 설명한 문단과 장승의 모습을 설명한 문단으로 이루어져 있다.

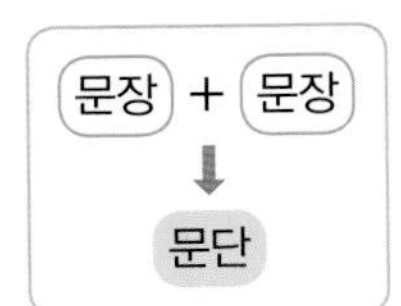

관련 어휘 **문장**

'문장'은 말하고 싶은 내용을 몇 개의 낱말을 사용하여 마무리 지은 글이야.

예 나는 학생이다. / 토끼가 뛰어간다.

대표하다

代 대신할 대 + 表 겉 표 + 하다

뜻 전체를 하나로 잘 나타내다.

예 문단 전체의 내용을 가장 잘 나타낸 문장이 문단을 대표하는 문장이다.

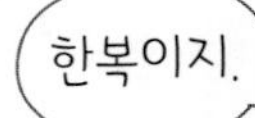

이것만은 꼭!

중심 문장

中 가운데 중 + 心 마음 심 + 文 글월 문 + 章 글 장

뜻 문단 내용을 대표하는 문장.

예 "우리나라는 명절마다 먹는 음식이 다르다."가 문단의 중심 문장이다.

중심 문장 — 우리나라는 명절마다 먹는 음식이 다르다. 설날에는 떡국을 먹는다. 추석에는 송편을 먹는다.

중심 문장은 문단에서 가장 중요한 내용을 담고 있는 문장이야.

뒷받침 문장

뒷받침 +
文 글월 문 + 章 글 장

뜻 덧붙여 설명하거나 예를 드는 방법으로 중심 문장을 도와주는 문장.

예 한 문단은 하나의 중심 문장과 여러 개의 뒷받침 문장으로 이루어진다.

첫머리

뜻 어떤 것이 시작되는 부분.

예 중심 문장이 늘 문단 첫머리에 나오는 것은 아니다.

반대말 끝머리

'끝머리'는 일의 순서나 위치의 끝이 되는 부분을 뜻해.
예 복도 끝머리에 계단이 있다.

생각그물

뜻 어떤 것에 대해 떠오르는 것을 이어서 써 나가는 방법.

예 직업에 대해 글로 쓸 내용을 생각그물로 정리했다.

직업: 선생님, 의사, 소방관, 요리사

꼭! 알아야 할 관용어

제일 용감한 내가
고양이 목에
방울을 달고 오지!

내 목에
방울을 단다고?
도망가자!

휴! 간 떨어질
뻔했네.

○표 하기 '(간 크다 , 간 떨어지다)'는 "몹시 놀라다."라는 뜻입니다.

확인 문제

12~13쪽에서 공부한 낱말을 떠올리며 문제를 풀어 보세요.

1 뜻에 알맞은 낱말을 글자판에서 찾아 묶으세요. (낱말은 가로(—), 세로(|) 방향에 숨어 있어요.)

바	삭	바	삭	현
생	실	도	기	주
김	보	리	차	경
새	약	지	강	한
짭	조	름	하	다

❶ 단단하고 부스러지기 쉬운 물건을 계속 깨무는 소리나 모양.
❷ 생긴 모양.
❸ 조금 짠맛이 있다.

2 다음 뜻을 가진 말은 무엇인지 빈칸에 알맞은 낱말을 쓰세요.

어떤 것을 보고, 듣고, 맛보고, 냄새 맡고, 만지면서 느낀 것을 생생하게 표현한 것.

			표현

3 밑줄 친 낱말이 보기의 뜻으로 쓰인 것에 ○표 하세요.

보기
그리다: 마음속에 떠올리거나 상상하다.

(1) 땅바닥에 자동차와 로봇을 그렸다. (　　　)
(2) 우리 가족의 모습을 도화지에 그리고 크레파스로 색칠했다. (　　　)
(3) 시를 읽고 아이가 엄마를 기다리는 모습을 마음속으로 그려 보았다. (　　　)

4 밑줄 친 낱말을 바르게 사용한 친구의 이름을 쓰세요.

간장을 많이
넣어 음식 맛이
복슬복슬해.
수지

시골집 마당에
있는 강아지는
털이 짭조름해.

동생이 과자를
먹을 때마다 바삭바삭
소리가 나.
주혁

(　　　　　　　　)

14～15쪽에서 공부한 낱말을 떠올리며 문제를 풀어 보세요.

5 낱말의 뜻을 찾아 선으로 이으세요.

(1) 문단 •

(2) 생각그물 •

(3) 중심 문장 •

(4) 뒷받침 문장 •

• 문단 내용을 대표하는 문장.

• 문장이 몇 개 모여 한 가지 생각을 나타내는 것.

• 어떤 것에 대해 떠오르는 것을 이어서 써 나가는 방법.

• 덧붙여 설명하거나 예를 드는 방법으로 중심 문장을 도와주는 문장.

6 낱말의 뜻에 맞게 (　) 안에서 알맞은 말을 골라 ○표 하세요.

(1) 첫머리 | 어떤 것이 (시작되는 , 끝나는) 부분.

(2) 대표하다 | 전체를 (하나로 , 여러 가지로) 잘 나타내다.

7 (1)～(3)에 들어갈 낱말을 완성하세요.

바다에서 얻는 것에 대해 한 문단으로 글을 썼다. 먼저 바다에서 무엇을 얻을 수 있는지 떠오르는 것을 (1) [ㅅ][ㄱ][ㄱ][ㅁ]로 정리했다. 그런 다음 문단의 (2) [ㅊ][ㅁ][ㄹ]를 "우리는 바다에서 많은 것을 얻습니다."라는 중심 문장으로 시작했다. 그리고 중심 문장을 덧붙여 설명하기 위해 바다에서 얻는 것의 예를 (3) [ㄷ][ㅂ][ㅊ] 문장으로 썼다.

사회 교과서 어휘

수록 교과서 사회 3-1
1. 우리 고장의 모습

다음 중 낱말의 뜻을 잘 알고 있는 것에 ✓ 하세요.

□ 고장 □ 알림판 □ 인공위성 □ 디지털 영상 지도 □ 누리집 □ 확대

같은 고장에 사는 두 아이가
고장의 모습을 그리고 있는데 그림이
서로 다르지? 이렇게 사람마다 생각하는
고장의 모습은 달라. 고장의 모습을
공부할 때 나오는 낱말에는
무엇이 있을까?

낱말을 읽고, 　　 부분에 밑줄을 그으면서 낱말 공부를 해 보세요.

이것만은 꼭!

고장

뜻 사람들이 모여 사는 곳.

예 우리 고장에 있는 공원은 많은 사람이 이용한다.

비슷한말 마을

'마을'은 여러 집이 모여 사는 곳을 뜻해.
예 우리 마을은 공기가 맑고 깨끗하다.

알림판

알림 + 板 널빤지 판

뜻 여러 사람에게 알리는 내용을 적은 것을 붙이는 판.

예 고장의 모습을 그린 그림을 알림판에 붙였다.

비슷한말 게시판

'게시판'은 알릴 내용을 여러 사람이 볼 수 있도록 붙이는 판을 뜻해.
예 아파트 게시판에 광고물을 붙였다.

인공위성

人 사람 인 + 工 장인 공 + 衛 지킬 위 + 星 별 성

뜻 지구, 달 등을 돌면서 관찰할 수 있도록 사람들이 만들어 쏘아 올린 물체.

예 인공위성이 지구를 돌면서 찍은 사진을 보았다.

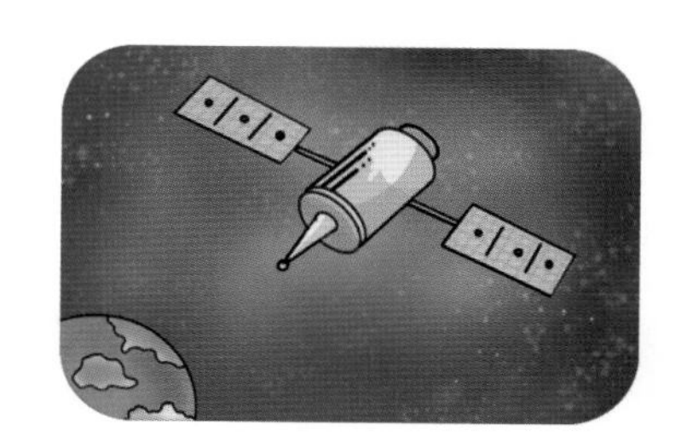

디지털 영상 지도

디지털 + 映 비칠 영 + 像 모양 상 + 地 땅 지 + 圖 그림 도

뜻 인공위성에서 찍은 사진을 이용해 만든 지도.

예 디지털 영상 지도를 보면 고장의 모습을 하늘에서 내려다본 것처럼 살펴볼 수 있다.

누리집

뜻 사람들이 인터넷에 연결해서 볼 수 있도록 만든 문서.

예 인터넷으로 국토 지리 정보원 누리집에 들어가면 다양한 종류의 지도를 볼 수 있다.

'누리집'을 '홈페이지'라고 하기도 해.

확대

擴 넓힐 확 + 大 클 대

뜻 모양이나 크기 등을 원래보다 더 크게 함.

예 디지털 영상 지도를 확대하면 주변을 자세히 볼 수 있다.

반대말 축소

'축소'는 모양이나 크기 등을 줄여서 작게 하는 것을 뜻해.

예 디지털 영상 지도를 축소하면 고장의 전체적인 모습을 볼 수 있다.

사회 교과서 어휘

수록 교과서 사회 3-1
1. 우리 고장의 모습

다음 중 낱말의 뜻을 잘 알고 있는 것에 ✅ 하세요.

☐ 백지도 ☐ 이동하다 ☐ 유명하다 ☐ 유원지 ☐ 생태 공원 ☐ 안내도

왼쪽에 반짝이는 큰 건물은 서울 여의도에 있는 63빌딩이야. 유명한 건물이지. 우리 고장에서 유명한 건물, 장소 등에는 무엇이 있을까 생각하며 관련 있는 낱말들을 공부해 보자.

낱말을 읽고, ▭ 부분에 밑줄을 그으면서 낱말 공부를 해 보세요.

이것만은 꼭!

백지도

白 흰 백 + 地 땅 지 + 圖 그림 도

뜻 산, 강, 큰길 등의 밑그림만 그려져 있는 지도.

예 우리 고장의 주요 장소를 백지도에 나타내 보기로 하였다.

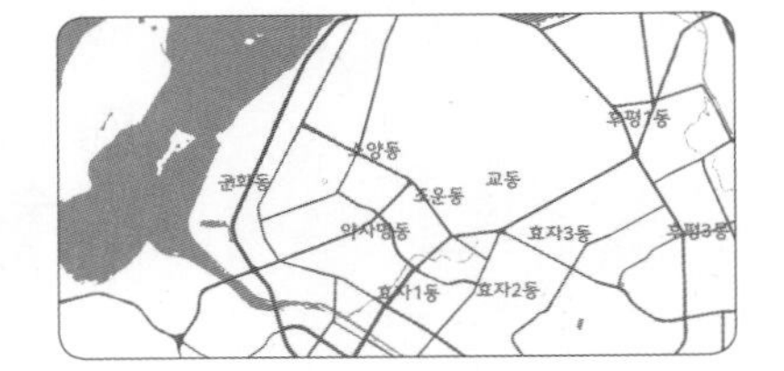

이동하다

移 옮길 이 + 動 움직일 동 + 하다

뜻 움직여서 옮기다.

예 기차역과 시외버스 터미널은 다른 고장으로 이동할 때 이용하는 곳이다.

비슷한말 움직이다

'움직이다'는 "한 곳에서 다른 곳으로 옮겨 가다."라는 뜻이야.

예 직원들이 가게 안에서 바쁘게 움직이고 있었다.

유명하다

有 있을 유 + 名 이름 명 + 하다

뜻 이름이 많이 알려져 있다.

예 춘천에는 닭갈비를 파는 골목이 있는데 너무나 유명해서 사람들이 언제나 많다.

유원지

遊 놀 유 + 園 동산 원 + 地 땅 지

뜻 많은 사람이 구경하거나 놀 수 있게 여러 가지 시설을 만들어 놓은 곳.

예 우리 고장의 유원지에는 강을 바라보며 걸을 수 있는 길이 있다.

비슷한말 **놀이동산**

'놀이동산'은 돌아다니며 구경하거나 놀 수 있도록 여러 가지 시설이나 놀이 기구를 갖추어 놓은 곳이라는 뜻이야.

예 가족과 놀이동산에 놀러 갔다.

생태 공원

生 살 생 + 態 모습 태 + 公 공적인 공 + 園 동산 원

'생(生)'의 대표 뜻은 '나다', '공(公)'의 대표 뜻은 '공평하다'야.

뜻 식물이나 동물이 살아가는 모습을 볼 수 있도록 자연 그대로의 모습을 살려 만든 공원.

예 우리 고장에서는 사라져 가는 식물과 동물을 지키기 위해 생태 공원을 만들었다.

관련 어휘 **생태**

'생태'는 식물이나 동물이 살아가는 모양이나 상태를 말해.

안내도

案 인도할 안 + 內 안 내 + 圖 그림 도

'안(案)'의 대표 뜻은 '책상'이야.

뜻 알려 주려고 하는 내용을 그린 그림.

예 우리 고장의 안내도를 보니 고장의 대표적인 장소가 어디인지 알 수 있었다.

확인 문제

18~19쪽에서 공부한 낱말을 떠올리며 문제를 풀어 보세요.

1 뜻에 알맞은 낱말을 보기에서 찾아 쓰세요.

보기

확대　　누리집　　알림판　　인공위성

(1) (　　　　　　): 모양이나 크기 등을 원래보다 더 크게 함.

(2) (　　　　　　): 여러 사람에게 알리는 내용을 적은 것을 붙이는 판.

(3) (　　　　　　): 사람들이 인터넷에 연결해서 볼 수 있도록 만든 문서.

(4) (　　　　　　): 지구, 달 등을 돌면서 관찰할 수 있도록 사람들이 만들어 쏘아 올린 물체.

2 밑줄 친 낱말과 뜻이 비슷한 낱말에 ○표 하세요.

우리 고장에는 산, 도서관, 전통 시장, 학교 등이 있다.

(집 , 마을 , 고향)

3 빈칸에 들어갈 알맞은 낱말을 글자 카드를 이용하여 만들어 쓰세요.

(1) 지구를 돌고 있는 □□□□은 위치와 날씨 등을 알려 준다.

인　공　별　위　성

(2) 디지털 영상 □□를 이용하면 우리 고장의 위치를 쉽게 알 수 있다.

기　지　사　도　요

(3) 인터넷으로 우리 학교 □□□에 들어가서 학교에 대한 여러 가지 자료를 보았다.

교　누　리　소　집

(4) 고장에 있는 공원을 알리기 위해 카드에 공원을 그리고 설명을 써서 □□□에 붙였다.

알　전　림　기　판

20~21쪽에서 공부한 낱말을 떠올리며 문제를 풀어 보세요.

4 뜻에 알맞은 낱말을 빈칸에 쓰세요.

(1)

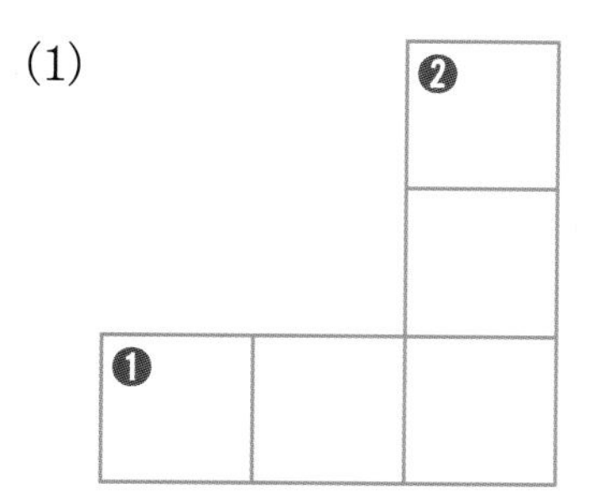

가로 열쇠 ❶ 알려 주려고 하는 내용을 그린 그림.
세로 열쇠 ❷ 산, 강, 큰길 등의 밑그림만 그려져 있는 지도.

(2)

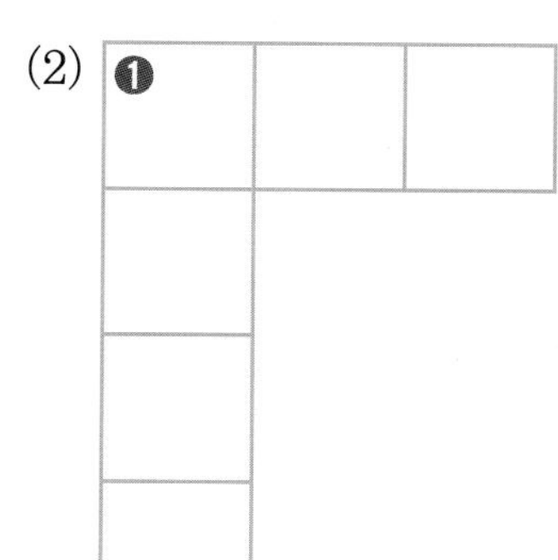

가로 열쇠 ❶ 많은 사람이 구경하거나 놀 수 있게 여러 가지 시설을 만들어 놓은 곳.
세로 열쇠 ❶ 이름이 많이 알려져 있다.

5 두 친구가 설명하는 내용의 빈칸에 공통으로 들어갈 알맞은 낱말은 무엇인가요? (   )

식물이나 동물이 살아가는 모양이나 상태를 ○○(이)라고 해.
그래서 식물이나 동물이 살아가는 모습을 볼 수 있도록 자연 그대로의 모습을 살려 만든 공원을 ○○ 공원이라고 하는구나!

① 숲속 ② 놀이 ③ 바다 ④ 생태 ⑤ 자연

6 밑줄 친 낱말의 쓰임이 알맞으면 ○표, 알맞지 않으면 ×표 하세요.

(1) 다른 고장으로 이동할 때 버스 터미널을 많이 이용한다. (   )

(2) 고장을 소개하는 책에 그 고장의 유명한 장소가 많이 소개되어 있었다. (   )

(3) 우리 모둠은 고장에 있는 대표적인 장소를 유원지에 그려 넣고 그 장소의 이름도 썼다. (   )

수학 교과서 어휘

수록 교과서 수학 3-1
1. 덧셈과 뺄셈~2. 평면도형

다음 중 낱말의 뜻을 잘 알고 있는 것에 ✅ 하세요.

☐ 어림하다 ☐ 계산하다 ☐ 평면도형 ☐ 선분 ☐ 반직선 ☐ 직선

남자아이는 덧셈식의 계산 결과를 어림하고 있고, 여자아이는 평면도형을 그리고 있네! 덧셈과 뺄셈, 평면도형에 대해 좀 더 알아볼까?
116 + 129를 어림하면?

✎ 낱말을 읽고, ▭ 부분에 밑줄을 그으면서 낱말 공부를 해 보세요.

어림하다

뜻 짐작하여 대강 수량을 세다.

예 기차에 몇 명이 탈 수 있는지 **어림해** 보았다.

'짐작하다'는 사정이나 형편 등을 어림잡아 생각한다는 뜻이야.

계산하다

計 셀 계 + 算 셈 산 + 하다

뜻 수를 세거나 더하기, 빼기, 곱하기, 나누기 등의 셈을 하다.

예 324 + 173을 백의 자리부터 **계산해** 보자.

여러 가지 뜻을 가진 낱말 계산하다

'계산하다'는 "돈을 내다."라는 뜻도 있어.

예 오늘 음식값은 내가 계산할게.

이것만은 꼭!

평면도형

平 평평할 평 + 面 표면 면 + 圖 그림 도 + 形 모양 형

'면(面)'의 대표 뜻은 '낯'이야.

뜻 평평한 면에 그려진 도형.

예 놀이 기구에서 평면도형을 찾아보니 미끄럼틀 지붕에 삼각형이 있다.

선분

線 선 선 + 分 나눌 분

뜻 두 점을 곧게 이은 선.

예 자를 대고 점 ㄱ과 점 ㄴ을 잇는 선분을 그렸다.

'곧다'는 "굽거나 비뚤어지지 않고 똑바르다."라는 뜻이야.

반직선

半 반 반 + 直 곧을 직 + 線 선 선

뜻 한 점에서 시작하여 한쪽으로 끝없이 늘인 곧은 선.

예 반직선은 한쪽 방향으로만 늘어난다.

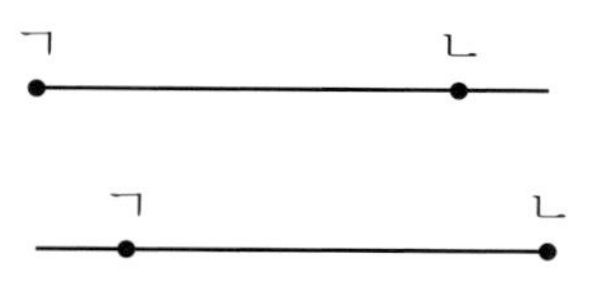

직선

直 곧을 직 + 線 선 선

뜻 선분을 양쪽으로 끝없이 늘인 곧은 선.

예 직선은 양쪽 방향으로 늘어난다.

수학 교과서 어휘

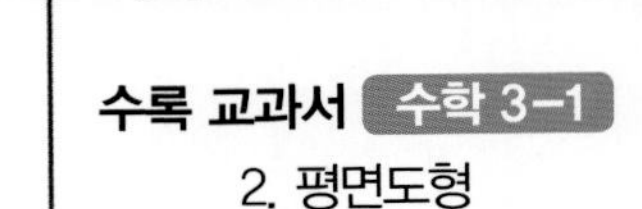

수록 교과서 수학 3-1
2. 평면도형

다음 중 낱말의 뜻을 잘 알고 있는 것에 ✓ 하세요.

□ 각 □ 직각 □ 직각삼각형 □ 직사각형 □ 정사각형 □ 본뜨다

텔레비전은 직사각형, 액자는 정사각형 모양이야. 또 시계의 긴바늘과 짧은바늘은 직각을 이루고 있네. 이번 회에서는 평면도형과 관련된 낱말에 대해 공부해 볼 거야.

낱말을 읽고, ▭ 부분에 밑줄을 그으면서 낱말 공부를 해 보세요.

이것만은 꼭!

각

角 모 각
'각(角)'의 대표 뜻은 '뿔'이야.

뜻 한 점에서 그은 두 반직선으로 이루어진 도형.

예 각 ㄱㄴㄷ을 그려 보자.

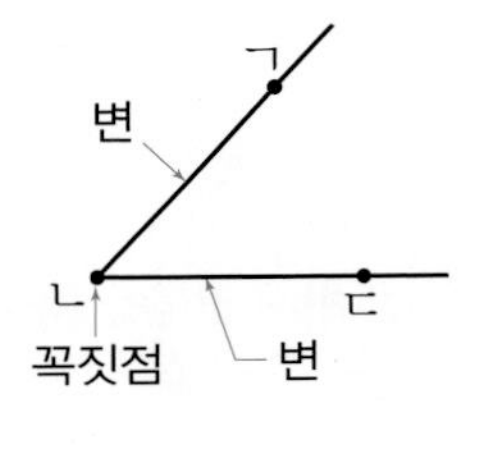

관련 어휘 꼭짓점, 변

- 꼭짓점: 각을 이루는 두 반직선이 만나는 점.
- 변: 도형에서 각을 만드는 직선.

직각

直 곧을 직 + 角 모 각

뜻 종이를 반듯하게 두 번 접었을 때 생기는 각.

예 3시가 되면 시곗바늘의 짧은바늘과 긴바늘이 직각을 이룬다.

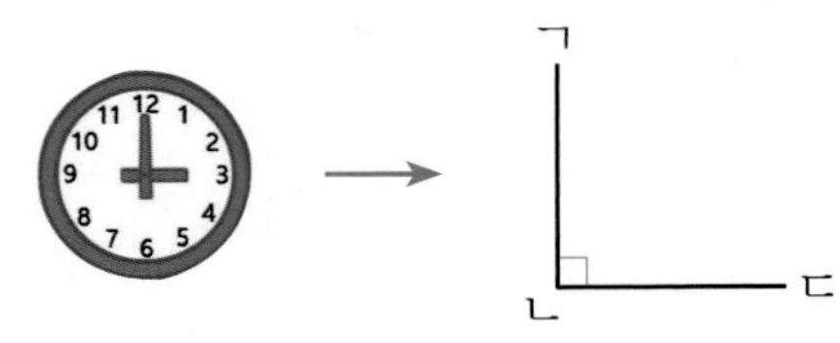

직각삼각형

直 곧을 직 + 角 모 각 + 三 석 삼 + 角 모 각 + 形 모양 형

뜻 한 각이 직각인 삼각형.

예 삼각자는 직각삼각형 모양이다.

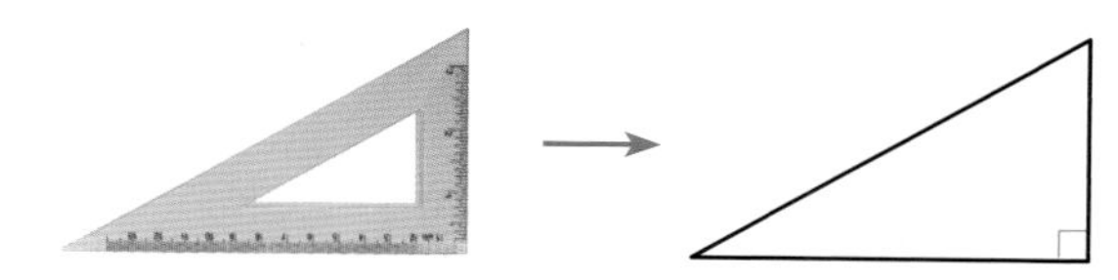

직사각형

直 곧을 직 + 四 넉 사 + 角 모 각 + 形 모양 형

뜻 네 각이 모두 직각인 사각형.

예 색종이를 반으로 접으면 직사각형이 된다.

정사각형

正 바를 정 + 四 넉 사 + 角 모 각 + 形 모양 형

뜻 네 각이 모두 직각이고 네 변의 길이가 모두 같은 사각형.

예 모눈종이에 그려진 한 칸은 정사각형 모양이다.

본뜨다

本 근본 본 + 뜨다

뜻 이미 있는 것을 그대로 따라서 만들다.

예 자를 이용해 만든 여러 가지 각을 종이에 본떠 그렸다.

비슷한말 **모방하다**

'모방하다'는 "다른 것을 본뜨거나 남의 행동을 흉내 내다."라는 뜻이야.

예 거북선은 거북의 딱딱한 등 껍데기를 모방하여 만들었다.

확인 문제

24～25쪽에서 공부한 낱말을 떠올리며 문제를 풀어 보세요.

1 보기에 있는 글자 카드로 뜻에 알맞은 낱말을 만들어 쓰세요.

보기: 림 면 어 계 평 산

(1) 평평한 면에 그려진 도형. → ☐☐도형

(2) 짐작하여 대강 수량을 세다. → ☐☐하다

(3) 수를 세거나 더하기, 빼기, 곱하기, 나누기 등의 셈을 하다. → ☐☐하다

2 낱말의 뜻에 맞게 (   ) 안에서 알맞은 말을 골라 ○표 하세요.

(1) 선분: 두 점을 (곧게 , 둥글게) 이은 선.

(2) 직선: 선분을 (한쪽 , 양쪽)으로 끝없이 늘인 곧은 선.

(3) 반직선: 한 점에서 시작하여 (한쪽 , 양쪽)으로 끝없이 늘인 곧은 선.

3 빈칸에 들어갈 알맞은 낱말을 찾아 선으로 이으세요.

(1) 576−124에서 일의 자리를 ☐하면 2이다. • • 선분

(2) ☐은 양쪽으로 끝이 있는 선이다. • • 계산

(3) ☐은 한쪽으로만 선이 계속 이어진다는 점에서 직선과 다르다. • • 반직선

(4) 우리 주변에 어떤 ☐이 있나 찾아보니 정글짐에 사각형이 있다. • • 평면도형

26~27쪽에서 공부한 낱말을 떠올리며 문제를 풀어 보세요.

4 낱말의 뜻에 맞게 ( ) 안에서 알맞은 말을 골라 ○표 하세요.

(1) 직각삼각형: (한 , 두) 각이 직각인 삼각형.

(2) 각: 한 점에서 그은 두 (꼭짓점 , 반직선)으로 이루어진 도형.

(3) 본뜨다: 이미 있는 것을 (그대로 따라서 , 자유롭게 바꾸어서) 만들다.

(4) 정사각형: 네 각이 모두 직각이고 네 변의 길이가 모두 (같은 , 다른) 사각형.

5 두 친구가 설명하는 '이것'은 무엇인가요? (   )

보라: 이것은 종이를 반듯하게 두 번 접었을 때 생기는 각을 말해.
경민: 짧은 시곗바늘이 3을 가리키고 긴 시곗바늘이 12를 가리킬 때 이것이 만들어져.

① 직선 ② 시각 ③ 직각 ④ 사각형 ⑤ 오각형

6 '본뜨다'와 뜻이 비슷한 낱말에 ○표 하세요.

(1) 만들다 (   )

(2) 모방하다 (   )

(3) 추방하다 (   )

7 빈칸에 들어갈 낱말을 완성하세요.

(1) ㄱ ㄴ ㄷ 점 ㄴ을 | ㄲ | ㅈ | ㅈ | 으로 하는 각 ㄱㄴㄷ을 그렸다.

(2) 철봉의 기둥과 쇠막대가 만나는 곳에 | ㅈ | ㄱ | 이 있다.

(3) 늑목에서는 네 각이 모두 직각인 | ㅈ | ㅅ | ㄱ | ㅎ | 을 찾을 수 있다.

(4) 네 각이 모두 직각이고 네 변의 길이가 모두 같은 | ㅈ | ㅅ | ㄱ | ㅎ | 을 사용해 정글짐을 만들었다.

1주차
4회

과학 교과서 어휘

수록 교과서 과학 3-1
1. 과학자는 어떻게 탐구할까요?

다음 중 낱말의 뜻을 잘 알고 있는 것에 ✓ 하세요.

□ 탐구 □ 관찰 □ 측정 □ 예상 □ 분류 □ 의사소통

아이들이 나무에 붙어 있는
곤충을 관찰하고 있네! 꼭
과학자들이 탐구하는 모습 같아.
과학자들이 탐구할 때 어떤
활동을 하는지 알아보자.

낱말을 읽고, 　　 부분에 밑줄을 그으면서 낱말 공부를 해 보세요.

탐구

探 찾을 탐 + 究 연구할 구

이것만은 꼭!

뜻 어떤 것을 알아내려고 자세히 조사하고 깊이 연구하는 것.

예 한 과학자가 오랫동안 땅콩을 **탐구**하여 새로운 사실들을 발견했다.

비슷한말 **연구**

'연구'는 물건이나 일에 관련된 사실을 밝히기 위해 자세히 조사하고 생각하여 따져 보는 일을 뜻해.

예 파브르는 평생을 곤충 연구에 힘썼다.

관찰

觀 볼 관 + 察 살필 찰

뜻 탐구하고자 하는 것의 특징을 자세히 살펴보는 것.

예 현미경이나 돋보기, 청진기와 같은 도구를 사용하면 대상을 더 자세히 **관찰**할 수 있다.

▲ 현미경으로 대상을 관찰하는 모습

측정

測 잴 측 + 定 정할 정

'측(測)'의 대표 뜻은 '헤아리다'야.

뜻 탐구하고자 하는 것의 길이, 무게, 시간, 온도 등을 재는 것.

예 자로 땅콩의 길이를 측정했다.

측정할 때 사용하는 도구도 각각 달라. 길이는 자, 무게는 저울, 시간은 시계, 온도는 온도계를 사용하지.

예상

豫 미리 예 + 想 생각 상

뜻 앞으로 일어날 수 있는 일을 생각하는 것.

예 쌀과 콩을 통에 함께 넣고 흔들면 어떻게 될지 예상해 보자.

관련 어휘 추리

관찰 결과, 경험, 이미 알고 있는 것 등을 바탕으로 하여 무슨 일이 일어났는지 생각하는 것을 '추리'라고 해.

분류

分 나눌 분 + 類 무리 류

뜻 탐구하고자 하는 것을 같은 점과 다른 점을 바탕으로 나누는 것.

예 공룡을 날개가 있는 것과 날개가 없는 것으로 분류했다.

어법 받침 'ㄴ'을 'ㄹ'로 발음하기

'분류'는 [불류]로 발음해. 받침 'ㄴ'이 뒤 글자의 첫 자음자 'ㄹ'과 만나면 'ㄴ'이 'ㄹ'로 소리 나거든.

예 난로[날로], 전래[절래]

의사소통

意 뜻 의 + 思 생각 사 + 疏 소통할 소 + 通 통할 통

뜻 다른 사람과 생각, 지식이나 자료를 주고받는 것.

예 다른 사람과 의사소통을 할 때 몸짓을 사용하면 내용을 더 정확하게 전달할 수 있다.

1주차 4회

과학 교과서 어휘

수록 교과서 과학 3-1
2. 물질의 성질

다음 중 낱말의 뜻을 잘 알고 있는 것에 ☑ 하세요.

☐ 물체 ☐ 물질 ☐ 성질 ☐ 금속 ☐ 광택 ☐ 설계

우리 주변의 여러 가지 물체
우리 주변에 있는 여러 가지 물체는 다양한 물질로 만들어졌어. 여러 가지 물질에는 어떤 성질이 있는지 생각하며 관련 있는 낱말들도 함께 공부해 보자.

✎ 낱말을 읽고, ▭ 부분에 밑줄을 그으면서 낱말 공부를 해 보세요.

물체
物 물건 물 + 體 몸 체

뜻 모양이 있고 자리를 차지하고 있는 것.

예 우리 주변에는 연필, 의자, 클립, 풍선, 바구니 등 여러 가지 물체가 있다.

비슷한말 물건

'물건'은 모양을 갖춘 모든 것을 뜻하는 낱말이야.

예 바닥에 떨어져 있는 물건은 바로 내 필통이었다.

물질
物 물건 물 + 質 바탕 질

이것만은 꼭!

뜻 물체를 만드는 재료.

예 풍선은 고무라는 물질로 만들어졌다.

'물질'은 [물찔]이라고 발음해.

성질

性 성품 성 + 質 바탕 질

뜻 물건이나 현상이 원래부터 가지고 있는 특징.

예 고무는 쉽게 늘어났다가 다시 돌아오는 성질이 있다.

'현상'은 현재 나타나 보이는 상태를 뜻해.

금속

金 쇠 금 + 屬 무리 속

뜻 쇠, 금, 은처럼 전기와 열을 잘 전달하고 빛이 나는 단단한 물질.

예 클립은 금속으로 만들어졌다.

▲ 금속으로 만든 컵과 클립

광택

光 빛 광 + 澤 윤 택

'택(澤)'의 대표 뜻은 '못'이야.

뜻 물체가 빛을 받아 반짝거리는 것.

예 미끄럼틀은 금속으로 만들어 햇빛을 받으면 반짝반짝 광택이 난다.

비슷한말 광

'광'은 물체가 빛을 받아 매끈거리며 반짝이는 것을 뜻해.

예 구두를 닦았더니 반짝반짝 광이 났다.

설계

設 세울 설 + 計 계획할 계

'설(設)'의 대표 뜻은 '베풀다', '계(計)'의 대표 뜻은 '(수를) 세다'야.

뜻 어떤 것을 만들려고 계획을 세우거나 그 계획을 그림으로 나타내는 것.

예 연필꽂이를 만들려고 연필꽂이를 설계한 것을 그림으로 그렸다.

확인 문제

30～31쪽에서 공부한 낱말을 떠올리며 문제를 풀어 보세요.

1 뜻에 알맞은 낱말을 보기에서 찾아 쓰세요.

보기

관찰 분류 예상 측정 탐구

(1) 앞으로 일어날 수 있는 일을 생각하는 것. [|]

(2) 탐구하고자 하는 것의 특징을 자세히 살펴보는 것. [|]

(3) 어떤 것을 알아내려고 자세히 조사하고 깊이 연구하는 것. [|]

(4) 탐구하고자 하는 것의 길이, 무게, 시간, 온도 등을 재는 것. [|]

(5) 탐구하고자 하는 것을 같은 점과 다른 점을 바탕으로 나누는 것. [|]

2 받침 'ㄴ'이 [ ] 안의 낱말처럼 발음되지 않는 것에 ×표 하세요.

분류[불류]

(1) 난로 ( ) (2) 만남 ( ) (3) 전래 ( )

3 밑줄 친 낱말을 문장의 내용에 맞게 고치려고 합니다. 알맞은 낱말에 ○표 하세요.

(1) 온도를 <u>분류</u>할 때에는 온도계를 사용한다.

→ (예상 , 측정)

(2) 겨울잠을 자는 동물과 겨울잠을 자지 않는 동물로 <u>의사소통</u>하였다.

→ (분류 , 측정)

(3) 요즈음에는 <u>측정</u> 방법이 발달하여 전자 우편, 문자 메시지 등으로도 다른 사람과 생각을 주고받는다.

→ (관찰 , 의사소통)

32~33쪽에서 공부한 낱말을 떠올리며 문제를 풀어 보세요.

4 낱말의 뜻을 보기에서 찾아 사다리를 타고 내려간 곳에 기호를 쓰세요.

보기

㉠ 물체를 만드는 재료.
㉡ 모양이 있고 자리를 차지하고 있는 것.
㉢ 어떤 것을 만들려고 계획을 세우거나 그 계획을 그림으로 나타내는 것.

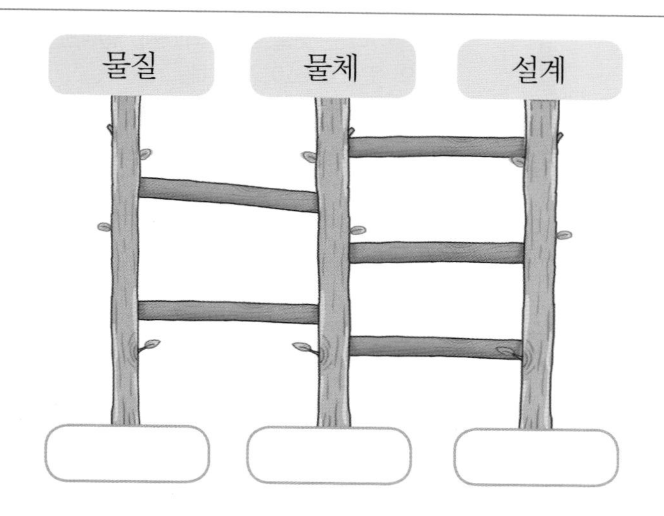

5 낱말의 뜻에 맞게 ( ) 안에서 알맞은 말을 골라 ○표 하세요.

(1) 성질 — 물건이나 현상이 원래부터 가지고 있는 (이름 , 특징).

(2) 광택 — 물체가 빛을 받아 (반짝거리는 , 기우뚱거리는) 것.

(3) 금속 — 쇠, 금, 은처럼 전기와 열을 잘 전달하고 빛이 나는 (단단한 , 물렁한) 물질.

6 밑줄 친 낱말을 바르게 사용하지 못한 친구의 이름을 쓰세요.

서연: 금속 컵은 금속이라는 광택으로 만들어졌어.
정민: 플라스틱은 가벼우면서도 튼튼한 성질이 있어.
성하: 물질의 성질을 이용해 다양한 물체를 설계해 보았어.

( )

한자 어휘

物(물)이 들어간 낱말

'物(물)'이 들어간 낱말을 읽고, 부분에 밑줄을 그으면서 낱말 공부를 해 보세요.

物

물건 물

'물(物)'은 소와 무언가를 칼로 내리치는 모습을 표현한 글자를 합쳐 만들었어. '물(物)'이 다양한 가축의 종류나 등급과 관계된 뜻으로 쓰이면서 '물건'이라는 뜻을 갖게 되었지. '물(物)'은 '사람', '일'의 뜻으로 쓰이기도 해.

견物생심 / 보物 / 거物 / 금物

물건 物

견물생심

見 볼 견 + 物 물건 물 + 生 날 생 + 心 마음 심

뜻 물건을 실제로 보게 되면 가지고 싶은 욕심이 생김.

예 견물생심이라고 인형을 자꾸 보니까 갖고 싶은 마음이 든다.

보물

寶 보배 보 + 物 물건 물

뜻 매우 귀하고 소중한 물건.

예 엄마는 할머니께서 물려주신 항아리를 보물처럼 아끼셨다.

비슷한말 보배

'보배'는 아주 귀하고 소중한 물건을 뜻해.

예 여왕은 보배로 장식된 왕관을 쓰고 있었다.

사람·일 物

거물

巨 클 거 + 物 사람 물

뜻 어떤 분야에서 큰 영향을 주는 사람.

예 요리 분야에서 거물로 손꼽히는 사람이 텔레비전에 나와서 쉬운 요리법을 소개하였다.

금물

禁 금할 금 + 物 일 물

뜻 해서는 안 되는 일.

예 우리 집에서 식사 시간에 스마트폰을 사용하는 것은 금물이다.

體(체)가 들어간 낱말

'體(체)'가 들어간 낱말을 읽고, [ ] 부분에 밑줄을 그으면서 낱말 공부를 해 보세요.

몸 체

'체(體)'는 뼈와 그릇에 곡식을 풍성하게 담아 놓은 모습을 뜻하는 글자를 합쳐 만들었어. 뼈를 포함한 모든 것이 갖추어졌다는 것에서 '몸'을 뜻하게 되었지. '체(體)'는 '물체'라는 뜻도 있어.

몸 體

일심동체

一 하나 일 + 心 마음 심 + 同 같을 동 + 體 몸 체

뜻 한마음 한 몸이라는 뜻으로, 서로 굳게 결합함을 이르는 말.

예 운동회 때 우리 반 친구들은 일심동체가 되어 열심히 응원을 하였다.

체육

體 몸 체 + 育 기를 육

뜻 운동으로 몸을 튼튼하게 만드는 일이나 그런 목적으로 하는 운동.

예 공원에 체육 시설이 갖추어져 있다.

비슷한말 운동

'운동'은 몸을 튼튼하게 하거나 건강을 위하여 몸을 움직이는 일을 뜻해. 예 운동을 하면 건강해진다.

물체 體

매체

媒 매개 매 + 體 물체 체

'매(媒)'의 대표 뜻은 '중매'야.

뜻 어떤 사실을 널리 전달하는 물체나 수단.

예 버스나 지하철 등이 광고 매체로 이용되기도 한다.

실체

實 참으로 실 + 體 물체 체

'실(實)'의 대표 뜻은 '열매'야.

뜻 현실에 있는 물체.

예 방 안이 너무 캄캄해서 아무런 실체도 볼 수가 없었다.

확인 문제

36쪽에서 공부한 낱말을 떠올리며 문제를 풀어 보세요.

1 보기에 있는 글자 카드로 뜻에 알맞은 낱말을 만들어 쓰세요.

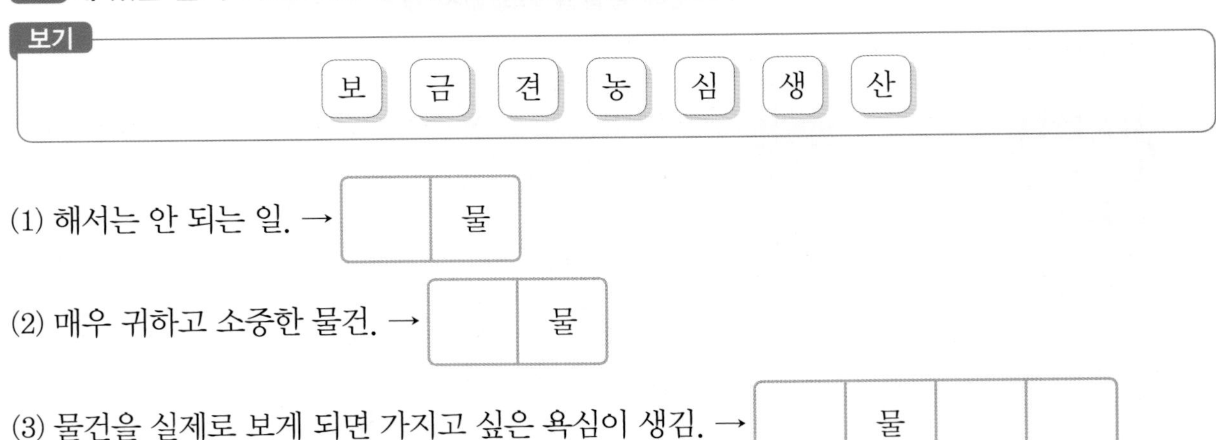

(1) 해서는 안 되는 일. → ☐ 물

(2) 매우 귀하고 소중한 물건. → ☐ 물

(3) 물건을 실제로 보게 되면 가지고 싶은 욕심이 생김. → ☐ 물 ☐ ☐

2 밑줄 친 '물'이 '사람'의 뜻으로 쓰인 것에 ○표 하세요.

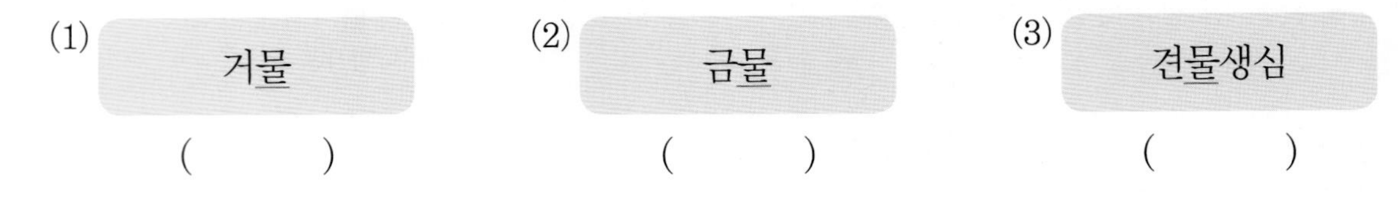

(1) (　　)　(2) (　　)　(3) (　　)

3 '보물'과 뜻이 비슷한 낱말은 무엇인가요? (　　　)

① 보관　② 보배　③ 보상　④ 보약　⑤ 보호

4 밑줄 친 낱말을 바르게 사용한 친구의 이름을 쓰세요.

흥부는 제비 다리를 고쳐 주고 온갖 거물을 얻었어.
영아
선생님께서 수업 시간에 떠드는 것은 절대 보물이라고 하셨어.
석훈
돈을 주웠는데 견물생심에 그냥 가졌다가 후회한 적이 있어.
세미

(　　　　　　　)

37쪽에서 공부한 낱말을 떠올리며 문제를 풀어 보세요.

5 뜻에 알맞은 낱말을 빈칸에 쓰세요.

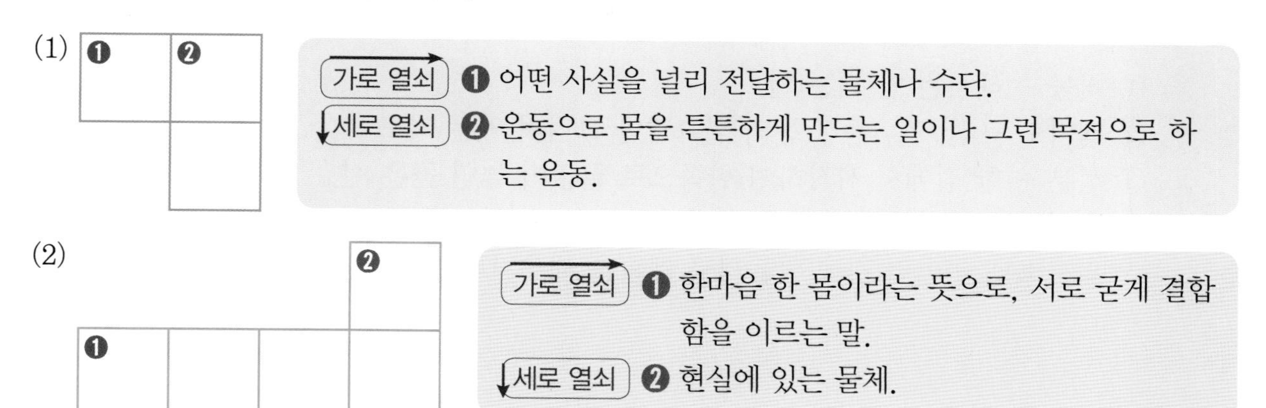

(1)

가로 열쇠 ❶ 어떤 사실을 널리 전달하는 물체나 수단.

세로 열쇠 ❷ 운동으로 몸을 튼튼하게 만드는 일이나 그런 목적으로 하는 운동.

(2)

가로 열쇠 ❶ 한마음 한 몸이라는 뜻으로, 서로 굳게 결합함을 이르는 말.

세로 열쇠 ❷ 현실에 있는 물체.

6 [ ] 안에 있는 낱말과 뜻이 비슷한 낱말에 ○표 하세요.

체육 | 체온 | 운동 | 운반

7 빈칸에 들어갈 알맞은 낱말을 찾아 선으로 이으세요.

(1) 우리 가족은 [ ]이/가 되어 청소를 하였다. •

(2) [ ] 대회에서 우리 반이 일 등을 차지하였다. •

(3) 요즘에는 다양한 [ ]을/를 통해 외국 문화를 쉽게 접할 수 있다. •

• 체육

• 매체

• 일심동체

1주차 어휘력 테스트

앞에서 공부한 낱말을 떠올리며 문제를 풀어 보세요.

낱말 뜻

1 낱말과 그 뜻이 바르게 짝 지어진 것은 무엇인가요? (　　　　)

① 거물 – 해서는 안 되는 일.
② 백지도 – 산, 강, 큰길 등의 밑그림만 그려져 있는 지도.
③ 선분 – 한 점에서 시작하여 한쪽으로 끝없이 늘인 곧은 선.
④ 유원지 – 사람들이 인터넷에 연결해서 볼 수 있도록 만든 문서.
⑤ 의사소통 – 어떤 것을 만들려고 계획을 세우거나 그 계획을 그림으로 나타내는 것.

낱말 뜻

2 ~ 3 낱말의 뜻에 맞게 (　　) 안에서 알맞은 말을 골라 ○표 하세요.

2 알림판 | 여러 사람에게 (알리는 , 뿌리는) 내용을 적은 것을 붙이는 판.

3 관찰 | 탐구하고자 하는 것의 특징을 자세히 (살펴보는 , 상상하는) 것.

우리말

4 다음 중 가장 짠맛을 나타내는 우리말에 ○표 하세요.

짭짤하다　　짜디짜다　　짭조름하다

비슷한말

5 비슷한말끼리 짝 지어진 것을 두 가지 고르세요. (　　　　)

① 고장 – 마을　　② 확대 – 축소　　③ 물체 – 물질
④ 생김새 – 모양　　⑤ 첫머리 – 끝머리

여러 가지 뜻을 가진 낱말

6 밑줄 친 '그리다'의 뜻을 찾아 선으로 이으세요.

(1) 종이에 연필로 동그라미를 그렸다. •　　　　• 마음속에 떠올리거나 상상하다.

(2) 미래의 나의 모습을 마음속으로 그려 보았다. •　　　　• 연필이나 붓 등으로 사물의 모양을 나타내다.

한자 성어

7 (　　) 안에서 알맞은 낱말을 골라 ○표 하세요.

(1) 부부는 (견물생심 , 일심동체)(이)라더니 엄마는 계속 아빠 편만 드셨다.

(2) 친구의 머리띠를 보니 (견물생심 , 일심동체)(이)라고 나도 갖고 싶은 마음이 들었다.

낱말 활용

8 ~ 10 (　　) 안에 들어갈 알맞은 낱말을 보기 에서 찾아 쓰세요.

보기

성질　　예상　　누리집

8 내일은 비가 올 것으로 (　　　　　)이 된다.

9 기름은 물과 섞이지 않는 (　　　　　)이 있다.

10 인터넷으로 기상청 (　　　　　)에 들어가서 내일 날씨를 확인하였다.

어휘 미리 보기

한 주 동안 공부할 어휘들이야. 쓱 한번 훑어볼까?

1회 학습 계획일 (월 (일

국어 교과서 어휘

높임 표현	전하다
웃어른	편지글
공경하다	형식
드리다	메모
여쭈어보다	간추리다
언어 예절	정보

2회 학습 계획일 월 일

사회 교과서 어휘

자연환경	문화유산
지명	향교
유래	누비
고사성어	탈춤
전설	문화 관광 해설사
엿보다	면담

3회 학습 계획일 (월 (일

수학 교과서 어휘

나눗셈	-씩
몫	뛰어 세기
나누어지는 수	올림하는 수
나누는 수	얼마
똑같다	넘다
덜다	포장

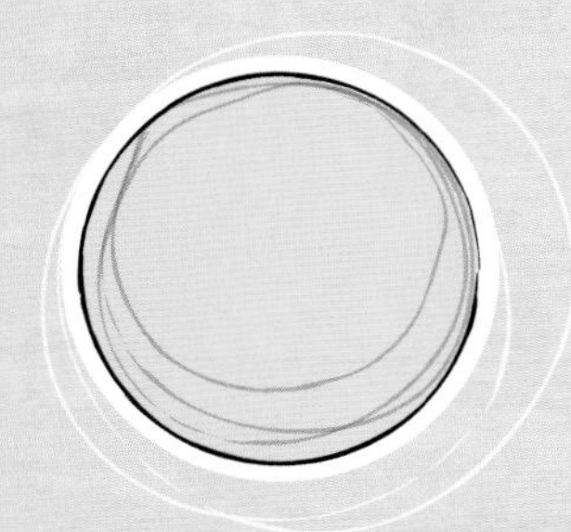

4회 학습 계획일 ( )월 ( )일

과학 교과서 어휘

동물의 한살이	곤충
부화	어른벌레
암수	날개돋이
돌보다	완전 탈바꿈
역할	불완전 탈바꿈
허물	동물 사육사

5회 학습 계획일 ( )월 ( )일

한자 어휘

유명무실	완전무결
명단	완치
명언	완공
명작	완주

어휘력 테스트

3주차
어휘 학습으로
가 보자!

국어 교과서 어휘

수록 교과서 국어 3-1 ㉮
3. 알맞은 높임 표현

다음 중 낱말의 뜻을 잘 알고 있는 것에 ☑ 하세요.

□ 높임 표현 □ 웃어른 □ 공경하다 □ 드리다 □ 여쭈어보다 □ 언어 예절

낱말을 읽고, ▭ 부분에 밑줄을 그으면서 낱말 공부를 해 보세요.

이것만은 꼭!

높임 표현

높임 + 表 걸 표 + 現 나타날 현

뜻 대상을 높이기 위한 표현.

예 할아버지와 대화할 때에는 높임 표현을 사용해야 한다.

관련 어휘 높임의 뜻이 있는 특별한 낱말

- 진지: '밥'의 높임 표현
- 연세: '나이'의 높임 표현
- 계시다: '있다'의 높임 표현
- 모시다: '데리다'의 높임 표현

웃어른

뜻 자기보다 나이가 많거나 높은 자리에 있는 사람.

예 할머니와 같은 웃어른과 대화할 때에는 예의 바르게 말해야 한다.

뜻을 더해 주는 말 '웃-'

'웃-'은 어떤 낱말 앞에 붙어 '위'의 뜻을 더해 줘. 그런데 '웃-'은 위와 아래를 구분 지을 수 없는 낱말에만 붙어. '웃어른'은 있지만 '아래 어른'은 없잖아?

'웃-이' 들어간 낱말에는 '웃돈'이 있어. '웃돈'은 원래의 값보다 더 주는 돈을 뜻해.

공경하다

恭 공손할 공 + 敬 공경할 경 + 하다

뜻 웃어른을 공손히 모시다.

예 높임 표현에는 상대방을 공경하는 마음이 담겨 있다.

반대말 얕보다

'얕보다'는 "실제보다 낮추어 보다."라는 뜻이야.

예 상대 선수를 얕보다가 경기에서 졌다.

'공손하다'는 말이나 행동이 예의가 바르다는 뜻이야.

드리다

뜻 '주다'의 높임 표현. 물건 등을 남에게 주어 가지게 하거나 쓰게 하다.

예 엄마께 감사 편지를 써서 드렸다.

여쭈어보다

뜻 '물어보다'의 높임 표현. 무엇을 알아내기 위하여 묻다.

예 선생님께 '짐작하다'의 뜻을 여쭈어보았다.

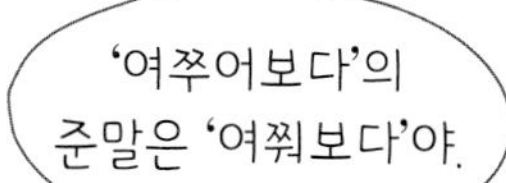

언어 예절

言 말씀 언 + 語 말씀 어 + 禮 예도 예 + 節 예절 절
'절(節)'의 대표 뜻은 '마디'야.

뜻 말하기, 듣기, 읽기, 쓰기처럼 언어를 쓰는 생활에서 지켜야 할 바르고 공손한 태도나 행동.

예 다른 사람과 대화할 때 지켜야 할 언어 예절에는 듣는 사람을 바라보며 말하기, 바른 자세로 말하기 등이 있다.

꼭! 알아야 할 속담

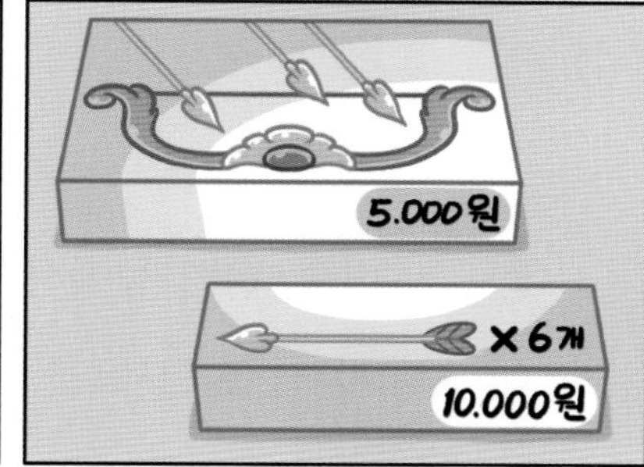

빈칸 채우기 '배보다 [　　　　] 이 더 크다'는 배보다 거기에 있는 배꼽이 더 크다는 뜻으로, 기본이 되는 것보다 덧붙이는 것이 더 많거나 큰 경우를 이르는 말입니다.

국어 교과서 어휘

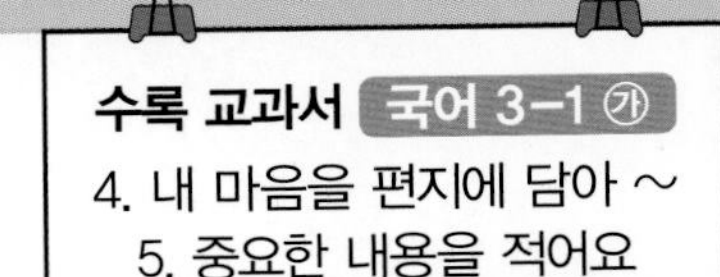

다음 중 낱말의 뜻을 잘 알고 있는 것에 ✓ 하세요.

☐ 전하다 ☐ 편지글 ☐ 형식 ☐ 메모 ☐ 간추리다 ☐ 정보

낱말을 읽고, ▭ 부분에 밑줄을 그으면서 낱말 공부를 해 보세요.

전하다

傳 전할 전 + 하다

뜻 상대에게 소식, 생각 등을 알리다.

예 달리기를 하다가 넘어진 친구에게 위로의 말을 **전했다**.

속담 **무소식이 희소식**

아무 소식도 전하지 않는 것은 별일이 없다는 뜻이니 기쁜 소식과 같다는 뜻이야.

'무소식'은 소식이나 연락이 없음, '희소식'은 기쁜 소식을 뜻하는 낱말이야.

편지글

便 소식 편 + 紙 종이 지 + 글

'편(便)'의 대표 뜻은 '편하다'야.

뜻 다른 사람에게 알리거나 하고 싶은 말을 써서 보내는 글.

예 민재 형은 상을 타지 못한 호준이를 위로하기 위해 **편지글**을 썼다.

호준이에게 위로하는 마음을 전하는 편지글을 써야지.

형식

形 모양 형 + 式 법 식

뜻 글, 미술, 음악 등에서 내용을 표현하는 방법.

예 할아버지께 쓴 편지글을 읽어 보니 편지글의 **형식** 중에서 끝인사가 빠져 있었다.

정답과 해설 ▶ 19쪽

메모

뜻 다른 사람에게 말을 전하거나 자신이 기억한 것을 잊지 않으려고 짧게 쓴 글.

예 갑자기 좋은 생각이 날 때 메모를 해 두면 나중에도 기억할 수 있다.

주원이와의 약속
- 날짜: 이번 주 토요일 2시
- 장소: 도서관 앞
- 내용: 주원이와 사회 시간에 발표할 자료를 조사하기로 함.

간추리다

이것만은 꼭!

뜻 글이나 말에서 중요한 내용만 골라 간단하게 정리하다.

예 글을 잘 간추리기 위해서는 문단의 중요한 내용을 정리해야 한다.

비슷한말 요약하다

'요약하다'는 "말이나 글에서 중요한 것을 골라 짧게 만들다."라는 뜻이야.

예 동화책을 읽고 내용을 짧게 요약하였다.

정보

情 뜻 정 + 報 알릴 보

'보(報)'의 대표 뜻은 '갚다'야.

뜻 어떤 일에 대한 지식이나 자료.

예 이 글을 읽으면 플랑크톤에 대한 여러 가지 정보를 얻을 수 있다.

꼭! 알아야 할 관용어

○표 하기 '(머리를 맞대다 , 머리를 흔들다)'는 "서로 모여서 어떤 일을 의논하다."라는 뜻입니다.

확인 문제

44～45쪽에서 공부한 낱말을 떠올리며 문제를 풀어 보세요.

1 뜻에 알맞은 낱말을 글자판에서 찾아 묶으세요. (낱말은 가로(—), 세로(|) 방향에 숨어 있어요.)

바	공	경	하	다
언	승	부	차	기
어	높	임	말	성
예	약	국	물	건
절	드	리	다	요

❶ 웃어른을 공손히 모시다.
❷ '주다'의 높임 표현. 물건 등을 남에게 주어 가지게 하거나 쓰게 하다.
❸ 말하기, 듣기, 읽기, 쓰기처럼 언어를 쓰는 생활에서 지켜야 할 바르고 공손한 태도나 행동.

2 낱말의 뜻에 맞게 (　　) 안에서 알맞은 말을 골라 ○표 하세요.

(1) 높임 표현: 대상을 (낮추기 , 높이기) 위한 표현.
(2) 웃어른: 자기보다 나이가 (많거나 , 적거나) 높은 자리에 있는 사람.
(3) 여쭈어보다: (물어보다 , 바라보다)의 높임 표현. 무엇을 알아내기 위하여 (묻다 , 보다).

3 높임 표현을 바르게 사용한 친구에게 ○표 하세요.

(1)
아버지, 진지 잡수세요.
(　　)
(2)
할아버지께서는 회사에 있어요.
(　　)
(3)
우리 할머니 나이는 70세야.
(　　)

4 (　　) 안에 들어갈 알맞은 낱말을 보기에서 찾아 쓰세요.

보기
공경
높임 표현
언어 예절

(1) 웃어른에게 (　　　　　　)하는 마음을 지녀야 한다.
(2) 대화할 때 지켜야 할 (　　　　　　)에는 예의 바르게 말하기가 있다.
(3) 듣는 사람이 말하는 사람보다 웃어른일 때 (　　　　　　)을 사용한다.

46～47쪽에서 공부한 낱말을 떠올리며 문제를 풀어 보세요.

5 낱말의 뜻을 보기에서 찾아 사다리를 타고 내려간 곳에 기호를 쓰세요.

보기

㉠ 상대에게 소식, 생각 등을 알리다.
㉡ 글, 미술, 음악 등에서 내용을 표현하는 방법.
㉢ 다른 사람에게 알리거나 하고 싶은 말을 써서 보내는 글.
㉣ 다른 사람에게 말을 전하거나 자신이 기억한 것을 잊지 않으려고 짧게 쓴 글.

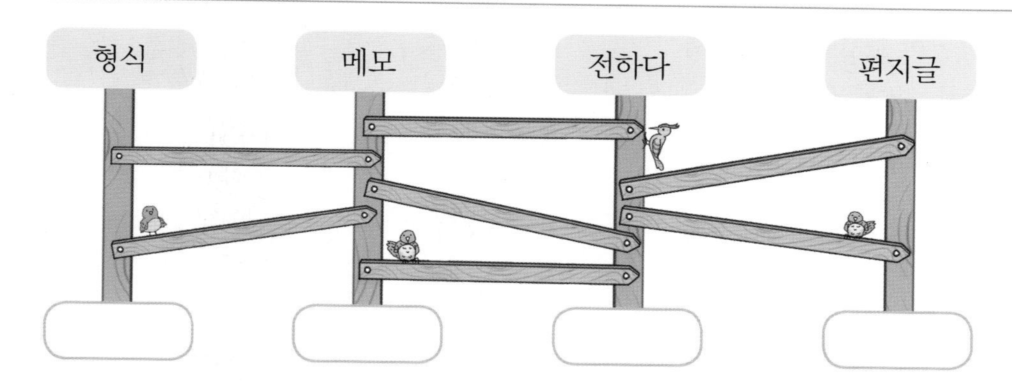

6 밑줄 친 낱말과 뜻이 비슷한 낱말은 무엇인가요? (　　　)

글을 읽고 중요한 내용을 간추려 발표해 보세요.

① 꾸며　② 생략해　③ 예상해　④ 요약해　⑤ 전달해

7 밑줄 친 낱말을 바르게 사용하지 못한 친구에게 ×표 하세요.

(1)

글의 종류 중에는 반드시 정보를 지켜서 써야 하는 것이 있어.

(　　　)

(2)

마트에서 사야 할 물건이 많으니 메모를 해야겠네.

(　　　)

(3)

글을 읽고 줄거리를 간추리려면 일이 일어난 차례를 잘 살펴봐야 해.

(　　　)

사회 교과서 어휘

수록 교과서 사회 3-1
2. 우리가 알아보는 고장 이야기

다음 중 낱말의 뜻을 잘 알고 있는 것에 ✓ 하세요.

☐ 자연환경 ☐ 지명 ☐ 유래 ☐ 고사성어 ☐ 전설 ☐ 엿보다

옛날에는 사람들에게
종을 쳐서 시각을 알려 줬대.
이 이야기와 관련된 고장은 어디일까?
맞아, 종로야. 고장의 옛이야기와
관련된 낱말을 공부해 보자.

낱말을 읽고, ▭ 부분에 밑줄을 그으면서 낱말 공부를 해 보세요.

자연환경

自 스스로 자 + 然 그럴 연 + 環 두루 미칠 환 + 境 지경 경

'환(環)'의 대표 뜻은 '고리'야.

뜻 산, 바다와 같은 땅의 생김새와 날씨에 영향을 주는 비, 바람 등 자연 그대로의 것.

예 경기도 양평군의 '두물머리'는 두 갈래의 강줄기가 만나는 곳이라 해서 붙은 이름으로, 자연환경과 관계있다.

이것만은 꼭!

지명

地 땅 지 + 名 이름 명

뜻 땅의 이름.

예 '얼음골'이라는 지명은 더운 여름 바위틈에 얼음이 생긴다고 해서 붙은 것이다.

글자는 같지만 뜻이 다른 낱말 지명

'지명'은 "여러 사람 중에서 누구의 이름을 지정하여 가리킴."이라는 전혀 다른 뜻으로도 쓰여.

예 선생님께서 정우를 임시 학급 회장으로 지명하셨다.

유래

由 말미암을 유 + 來 올 래

뜻 물건이나 일이 생겨남.

예 우리 고장에 많이 쓰이는 '계룡'이라는 이름은 착한 닭에 관한 이야기에서 유래되었다.

김치의
유래는 뭘까?

오래 전 야채를 절여
먹은 것에서 생겨났지.

고사성어

故 옛날 고 + 事 일 사 + 成 이룰 성 + 語 말씀 어

'고(故)'의 대표 뜻은 '연고'야.

뜻 주로 옛이야기로부터 전해지는, 한자로 된 말.

예 '이심전심'은 마음에서 마음으로 전한다는 뜻의 고사성어이다.

관련 어휘 **사자성어**

'사자성어'는 한자 네 자로 이루어진 말이야. 고사성어는 두 글자로 된 것도 있고 네 글자가 넘는 것도 있지만, 사자성어는 네 글자로만 이루어진 말이지.

전설

傳 전할 전 + 說 말씀 설

뜻 오래전부터 전해 내려오는 이야기로, 어떤 곳이나 물건의 유래 등과 관련된 것을 다룸.

예 우리 고장에 있는 계곡에는 선녀가 하늘에서 내려와 목욕을 했다는 전설이 있다.

엿보다

뜻 어떤 사실을 바탕으로 헤아려 알다.

예 지명의 유래로 고장의 모습을 엿볼 수 있다.

여러 가지 뜻을 가진 낱말 **엿보다**

'엿보다'는 "남이 알지 못하게 몰래 보다."라는 뜻도 있어.

예 창문으로 방 안을 엿보다.

2주차 2회

사회 교과서 어휘

수록 교과서 사회 3-1
2. 우리가 알아보는 고장 이야기

다음 중 낱말의 뜻을 잘 알고 있는 것에 ✓ 하세요.

☐ 문화유산 ☐ 향교 ☐ 누비 ☐ 탈춤 ☐ 문화 관광 해설사 ☐ 면담

아이들이 문화유산 중 하나인 향교에서 문화 관광 해설사에게 설명을 듣고 있네. 고장에 있는 문화유산에 대해 알아보는 방법을 생각하며 관련 있는 낱말들도 함께 알아보자.

낱말을 읽고, 부분에 밑줄을 그으면서 낱말 공부를 해 보세요.

이것만은 꼭!

문화유산

文 글월 문 + 化 될 화 + 遺 남길 유 + 産 낳을 산

뜻 조상 대대로 전해 내려온 문화 중에서 후손에게 물려줄 만한 가치가 있는 것.

예 다보탑은 불국사에 있는 우리나라의 문화유산이다.

'가치'는 의미나 중요성을 뜻해.

향교

鄕 시골 향 + 校 학교 교

뜻 옛날에 지방의 교육을 맡았던 교육 기관.

예 향교는 서당을 마친 학생들이 공부했던 곳이다.

관련 어휘 서당

'서당'은 옛날에 글공부를 가르치던 교육 기관으로, 오늘날의 초등학교에 해당하는 곳이야.

누비

뜻 두 겹의 천 사이에 솜을 넣어 꿰매는 바느질이나 그렇게 만든 물건.

예 누비를 하면 따뜻한 옷을 만들어 입을 수 있다.

▲ 누비저고리

탈춤

뜻 탈을 쓰고 춤추며 노래와 이야기를 하는 놀이 연극.

예 사람들이 신나게 탈춤을 춘다.

문화 관광 해설사

文 글월 문 + 化 될 화 + 觀 볼 관 + 光 경치 광 + 解 풀 해 + 說 말씀 설 + 師 스승 사

'광(光)'의 대표 뜻은 '빛'이야.

뜻 유적지나 관광지에 대해 전문적으로 설명할 수 있는 자격을 가지고 있는 사람.

예 문화유산을 조사할 때 문화 관광 해설사의 설명을 들으면 훨씬 이해하기 쉽다.

관련 어휘 유적지

'유적지'는 역사적인 사건이 일어난 곳을 말해.

면담

面 낯 면 + 談 말씀 담

뜻 서로 만나서 이야기하거나 의견을 나누는 것.

예 고장의 문화유산을 조사하기 위해 전문가에게 면담을 신청했다.

확인 문제

50～51쪽에서 공부한 낱말을 떠올리며 문제를 풀어 보세요.

1 뜻에 알맞은 낱말을 글자판에서 찾아 묶으세요. (낱말은 가로(—), 세로(|) 방향에 숨어 있어요.)

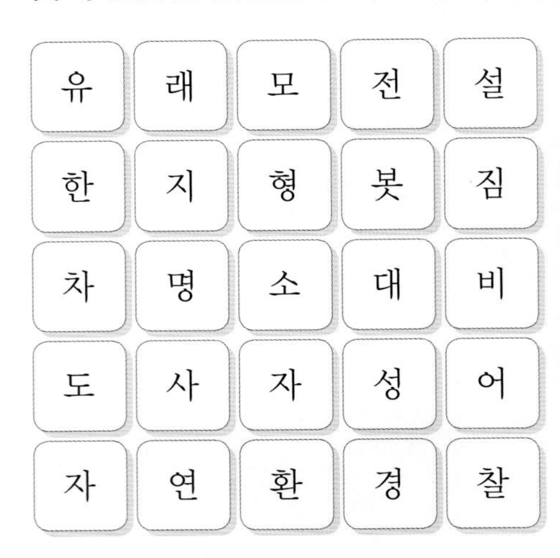

유	래	모	전	설
한	지	형	봇	짐
차	명	소	대	비
도	사	자	성	어
자	연	환	경	찰

❶ 땅의 이름.
❷ 한자 네 자로 이루어진 말.
❸ 오래전부터 전해 내려오는 이야기로, 어떤 곳이나 물건의 유래 등과 관련된 것을 다룸.
❹ 산, 바다와 같은 땅의 생김새와 날씨에 영향을 주는 비, 바람 등 자연 그대로의 것.

2 밑줄 친 낱말이 보기 의 뜻으로 쓰인 것에 ○표 하세요.

보기

엿보다: 어떤 사실을 바탕으로 헤아려 알다.

(1) 적군의 상태를 엿보고 오다. (   )
(2) 누군가 창문 너머로 엿보고 있는 듯한 느낌이 들었다. (   )
(3) 이 그림을 통해 옛날 사람들의 생활 모습을 엿볼 수 있다. (   )

3 밑줄 친 낱말을 바르게 사용하지 못한 친구의 이름을 쓰세요.

'양천'은 햇볕이 잘 들고 물이 맑은 고사성어를 알 수 있는 이름이야.

독도의 또 다른 이름인 '돌섬'은 섬 전체가 바위로 되어 있다고 해서 붙여진 지명이야.

'안성맞춤'은 안성에서 그릇을 만드는 사람들의 솜씨가 뛰어났다는 이야기에서 유래한 말이야.

(   )

52～53쪽에서 공부한 낱말을 떠올리며 문제를 풀어 보세요.

4 낱말의 뜻을 보기에서 찾아 사다리를 타고 내려간 곳에 기호를 쓰세요.

보기
㉠ 옛날에 지방의 교육을 맡았던 교육 기관.
㉡ 탈을 쓰고 춤추며 노래와 이야기를 하는 놀이 연극.
㉢ 두 겹의 천 사이에 솜을 넣어 꿰매는 바느질이나 그렇게 만든 물건.
㉣ 유적지나 관광지에 대해 전문적으로 설명할 수 있는 자격을 가지고 있는 사람.

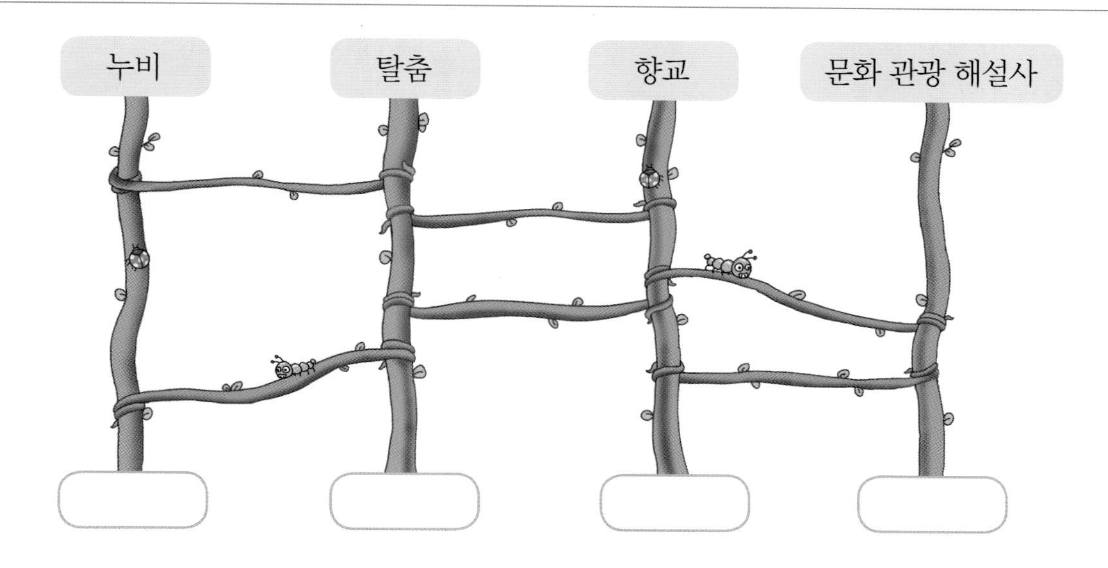

5 낱말의 뜻에 맞게 (   ) 안에서 알맞은 말을 골라 ○표 하세요.

(1) 문화유산

조상 대대로 전해 내려온 문화 중에서 후손에게 물려줄 만한 (가치 , 장치)가 있는 것.

(2) 면담

서로 (만나서 , 떨어져서) 이야기하거나 의견을 나누는 것.

6 (   ) 안에 들어갈 알맞은 낱말을 보기에서 찾아 쓰세요.

보기
면담
누비
문화유산

(1) 이 옷은 (   )바지라서 무척 따뜻하다.

(2) 불국사는 조상 대대로 내려온 소중한 (   )(이)다.

(3) 직업에 대해 조사하기 위해 경찰관을 (   )하기로 했다.

수학 교과서 어휘

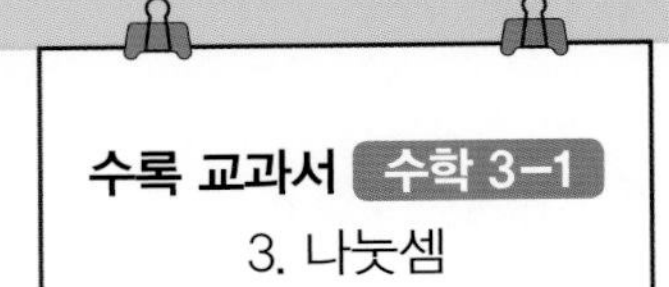

다음 중 낱말의 뜻을 잘 알고 있는 것에 ✓ 하세요.

☐ 나눗셈 ☐ 몫 ☐ 나누어지는 수 ☐ 나누는 수 ☐ 똑같다 ☐ 덜다

식탁 위에 여러 가지 음식이 놓여 있네. 아이들이 똑같이 나누어 먹으려면 한 명이 몇 개씩 먹을 수 있을까? 나누기와 관련하여 꼭 알아야 할 낱말들을 배워 보자.

낱말을 읽고, ▭ 부분에 밑줄을 그으면서 낱말 공부를 해 보세요.

나눗셈

뜻 어떤 수를 다른 수로 나누는 계산 방법.

예 고무풍선 10개를 두 사람이 똑같이 나누어 가지려고 할 때 나눗셈이 필요하다.

몫

이것만은 꼭!

뜻 어떤 수를 다른 수로 나누어 얻은 수.

$6 \div 3 = 2$ (2 → 몫)

예 6을 3으로 나누면 몫은 2이다.

여러 가지 뜻을 가진 낱말 몫

'몫'은 여럿으로 나누어 가지는 각 부분이라는 뜻도 있어.

예 치킨을 시켰는데 형 몫으로 몇 조각 남겨 놓았다.

나누어지는 수

나누어지는 + 數 셈 수

뜻 '몇÷몇'에서 앞에 있는 '몇'에 해당하는 수.

예 10÷2=5에서 10은 나누어지는 수이다.

10 ÷ 2 = 5
(10 → 나누어지는 수)

나누는 수

나누는 + 數 셈 수

뜻 '몇÷몇'에서 뒤에 있는 '몇'에 해당하는 수.

예 10÷2=5에서 2는 나누는 수이다.

10 ÷ 2 = 5
(2 → 나누는 수)

똑같다

뜻 모양, 수나 양, 성질 등이 조금도 다른 데가 없다.

예 과자 8개를 2명이 똑같이 나누어 먹으려고 한다.

비슷한말 **동일하다**

'동일하다'는 어떤 것과 비교하여 똑같다는 뜻이야.

예 정삼각형은 세 변의 길이가 모두 동일하다.

덜다

뜻 얼마를 빼내어 줄이거나 적게 하다.

예 밤 8개 중에서 4개를 덜어 언니에게 주었다.

반대말 **더하다**

'더하다'는 "더 보태어 늘리거나 많게 하다."라는 뜻이야.

예 지금까지 모은 용돈을 모두 더하면 오만 원이다.

수학 교과서 어휘

수록 교과서 수학 3-1
4. 곱셈

다음 중 낱말의 뜻을 잘 알고 있는 것에 ☑ 하세요.

☐ -씩 ☐ 뛰어 세기 ☐ 올림하는 수 ☐ 얼마 ☐ 넘다 ☐ 포장

사과가 한 상자에 14개씩 들어 있네. 사과 20개가 필요하니 두 상자 사야겠다.
엄마와 아이가 사과를 사고 있어. 엄마가 사과 두 상자를 사면 사과는 모두 몇 개일까? 이 문제의 답을 알려면 곱셈과 관련된 낱말들에 대해 알아야겠지?
○○사과
배
포도

낱말을 읽고, ▭ 부분에 밑줄을 그으면서 낱말 공부를 해 보세요.

이것만은 꼭!

-씩

뜻 '그 수나 양만큼'의 뜻을 더하는 말.

예 풍선을 10개씩 3묶음 사려고 한다.

'-씩'은 수나 양을 나타내는 낱말 뒤에 붙는 말이야.

뛰어 세기

뜻 수를 꼭 같게 커지거나 작아지도록 건너서 세는 것.

예 3씩 뛰어 세기를 하면 '3, 6, 9, 12……'와 같이 수가 커진다.

3 6 9 12 ……

올림하는 수

올림하는 + 數 셈 수

뜻 계산 결과가 10보다 커서 윗자리로 올려 줘야 하는 수.

예 13×4를 계산할 때, 3×4의 계산에서 십의 자리 숫자 1을 작게 적어 올림하는 수를 표시할 수 있다.

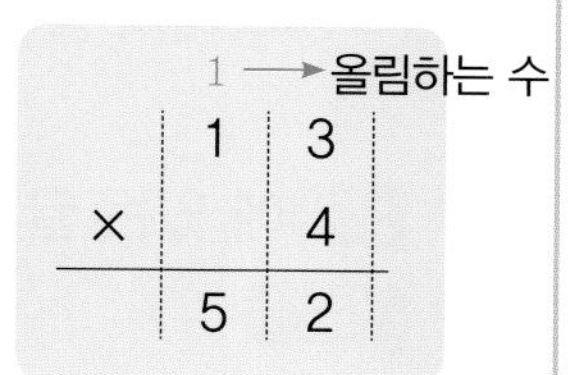

얼마

뜻 잘 모르는 수나 양, 값, 정도.

예 20×2는 얼마라고 생각하나요?

넘다

뜻 시간, 때, 범위 등에서 벗어나게 되다.

예 계산해 보니 일 모형은 모두 12개로 10개를 넘었다.

여러 가지 뜻을 가진 낱말 넘다

'넘다'는 "높은 부분의 위를 지나가다."라는 뜻도 있어.

예 도둑이 담을 넘었다.

포장

包 쌀 포 + 裝 꾸밀 장

뜻 물건을 싸거나 꾸리는 것 또는 싸거나 꾸리는 데 쓰는 천이나 종이.

예 복숭아를 낱개로 사지 않고 포장되어 있는 상자로 샀다.

'꾸리다'는 "짐이나 물건 등을 싸서 묶다."라는 뜻이야.

확인 문제

56～57쪽에서 공부한 낱말을 떠올리며 문제를 풀어 보세요.

1 **보기**에 있는 글자 카드로 뜻에 알맞은 낱말을 만들어 쓰세요. (같은 글자 카드를 여러 번 쓸 수 있어요.)

(1) 어떤 수를 다른 수로 나누는 계산 방법. →

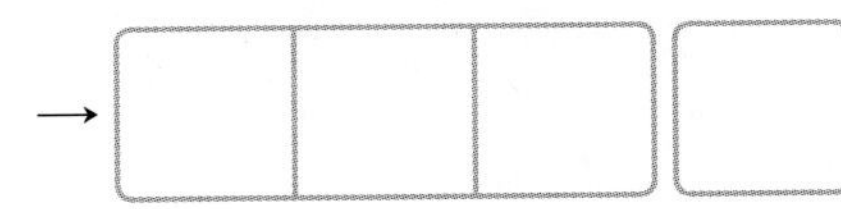

(2) '몇÷몇'에서 뒤에 있는 '몇'에 해당하는 수.

→ □□□ □

(3) '몇÷몇'에서 앞에 있는 '몇'에 해당하는 수.

→ □□□□□ □

2 낱말의 뜻에 맞게 ( ) 안에서 알맞은 말을 골라 ○표 하세요.

(1) 몫 | 어떤 수를 다른 수로 (곱하여 , 나누어) 얻은 수.

(2) 똑같다 | 모양, 수나 양, 성질 등이 조금도 (다른 , 비슷한) 데가 없다.

3 두 낱말의 뜻이 비슷하면 '비', 반대이면 '반'이라고 쓰세요.

(1) 덜다 – 더하다

( )

(2) 똑같다 – 동일하다

( )

4 ( ) 안에 들어갈 알맞은 낱말을 **보기**에서 찾아 쓰세요.

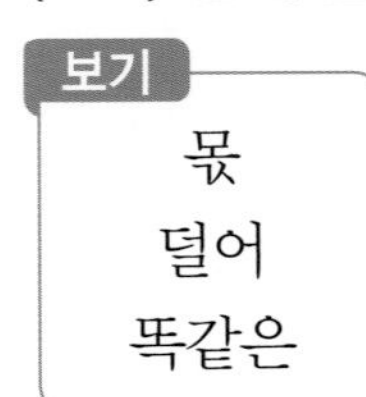

(1) 6 나누기 3의 ( )은/는 2이다.

(2) 정사각형은 네 변의 길이가 ( ) 사각형이다.

(3) 상자에서 포도를 몇 송이 ( ) 오빠에게 주었다.

58~59쪽에서 공부한 낱말을 떠올리며 문제를 풀어 보세요.

5 다음 뜻을 가진 낱말을 완성하세요.

(1) 잘 모르는 수나 양, 값, 정도.

ㅇ	ㅁ

(2) 물건을 싸거나 꾸리는 것 또는 싸거나 꾸리는 데 쓰는 천이나 종이.

ㅍ	ㅈ

(3) 수를 꼭 같게 커지거나 작아지도록 건너서 세는 것.

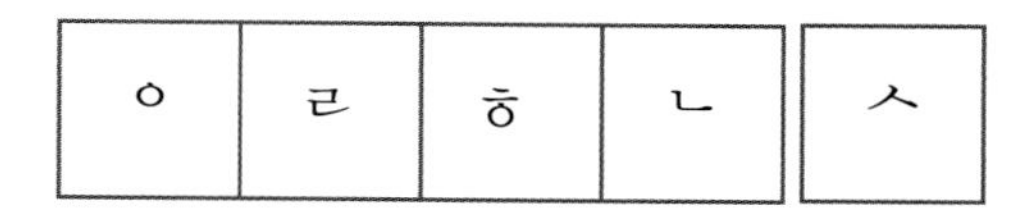

(4) 계산 결과가 10보다 커서 윗자리로 올려 줘야 하는 수.

ㅇ	ㄹ	ㅎ	ㄴ	ㅅ

6 낱말의 뜻을 바르게 말한 친구의 이름을 쓰세요.

'-씩'은 기간이나 시기의 뜻을 더하는 말이야.
은우

'넘다'는 "시간, 때, 범위 등에서 벗어나게 되다."라는 뜻이야.
정재

(   )

7 (   ) 안에서 알맞은 낱말을 골라 ○표 하세요.

(1) 빵은 모두 비닐로 (과장 , 포장)되어 있었다.

(2) 영호는 세 시가 (넘어 , 남아) 약속 장소에 도착했다.

(3) 한 사람마다 공책을 (세 권씩 , 세 권끼리) 나누어 주었다.

과학 교과서 어휘

수록 교과서 과학 3-1
3. 동물의 한살이

다음 중 낱말의 뜻을 잘 알고 있는 것에 ✓ 하세요.

□ 동물의 한살이 □ 부화 □ 암수 □ 돌보다 □ 역할 □ 허물

아래 갈기가 없는 사자가 암컷이고 위에 갈기가 있는 사자가 수컷이야. 생김새가 달라서 확실히 구별할 수 있지. 오늘은 동물의 생김새, 역할, 한살이와 관계있는 낱말들에 대해 배워 볼 거야.

낱말을 읽고, 　　　 부분에 밑줄을 그으면서 낱말 공부를 해 보세요.

이것만은 꼭!

동물의 한살이

動 움직일 동 + 物 만물 물 + 의 한살이

'물(物)'의 대표 뜻은 '물건'이야.

뜻 동물이 태어나 자라면서 자식을 남기는 과정.

예 달걀이 닭이 되는 과정을 통하여 알을 낳는 동물의 한살이를 알아보자.

관련 어휘 한살이

'한살이'는 동물이나 식물이 태어나서 죽을 때까지의 과정을 말해. 비슷한말로는 '일생'이 있어.

부화

孵 알 깔 부 + 化 될 화

뜻 동물의 알에서 애벌레나 새끼가 알껍데기를 뚫고 밖으로 나오는 것.

예 알에서 부화한 병아리는 모이를 먹고 자라면서 큰 병아리가 된다.

'애벌레'는 알에서 나와 아직 다 자라지 않은 벌레를 말해.

암수

뜻 암컷과 수컷을 함께 이르는 말.

예 꿩은 암수의 생김새가 다르다. 암컷은 깃털이 황갈색에 검은색 무늬가 있지만 수컷은 깃털의 색깔이 화려하다.

▲ 꿩의 암수

돌보다

뜻 관심을 가지고 보호하며 살피다.

예 황제펭귄은 암수가 함께 새끼를 돌보는 동물로, 암컷과 수컷이 서로 바꿔 가며 알을 품고 먹이를 물어 온다.

비슷한말 **보살피다**

'보살피다'는 "정성껏 보호하며 돕다."라는 뜻이야.

예 강아지를 하루만 보살펴 달라고 친구에게 부탁을 하였다.

역할

役 일할 역 + 割 나눌 할

'역(役)'의 대표 뜻은 '부리다', '할(割)'의 대표 뜻은 '베다'야.

뜻 맡은 일 또는 해야 하는 일.

예 동물마다 암수의 역할이 다양한데, 어떤 동물은 새끼를 돌보는 일을 암컷이 하고, 어떤 동물은 수컷이 한다.

맞춤법 **역할**

'역할'을 '역활'이라고 잘못 쓰는 경우가 있는데, '역할'이 맞춤법에 맞는 표현이야.

허물

뜻 뱀, 나비 같은 것이 자라면서 벗는 껍질.

예 배추흰나비 애벌레는 자라면서 네 번 허물을 벗는다.

글자는 같지만 뜻이 다른 낱말 **허물**

'허물'은 잘못 저지른 실수라는 전혀 다른 뜻도 있어.

예 친구의 허물을 덮어 주었다.

과학 교과서 어휘

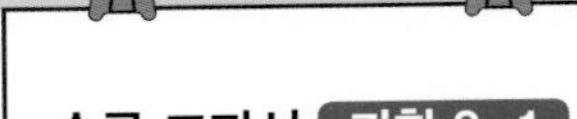

수록 교과서 과학 3-1
3. 동물의 한살이

다음 중 낱말의 뜻을 잘 알고 있는 것에 ✓ 하세요.

□ 곤충 □ 어른벌레 □ 날개돋이 □ 완전 탈바꿈 □ 불완전 탈바꿈 □ 동물 사육사

왼쪽 사진은 무당벌레, 오른쪽 사진은 잠자리야. 둘 다 우리 주변에서 흔히 볼 수 있는 곤충이지. 하지만 자라는 과정은 서로 다르단다. 여러 가지 곤충의 한살이를 공부할 때 많이 나오는 낱말들을 공부해 보자.

낱말을 읽고, 부분에 밑줄을 그으면서 낱말 공부를 해 보세요.

곤충

昆 벌레 곤 + 蟲 벌레 충

'곤(昆)'의 대표 뜻은 '맏'이야.

뜻 몸이 머리, 가슴, 배 세 부분으로 되어 있고 다리가 세 쌍인 동물.

예 배추흰나비와 개미, 벌, 사슴벌레는 모두 곤충이다.

'쌍'은 둘을 하나로 묶어 세는 단위를 말해.

어른벌레

뜻 다 자란 곤충.

예 시간이 지나면 번데기 껍질이 벌어지면서 배추흰나비 어른벌레가 나온다.

비슷한말 성충, 어미벌레

'성충'과 '어미벌레'도 다 자란 곤충을 뜻하는 말이야.

정답과 해설 ▶ 28쪽

날개돋이

뜻 번데기에서 날개가 있는 어른벌레가 나오는 것.

예 배추흰나비 번데기는 **날개돋이** 과정을 거쳐 어른벌레가 된다.

관련 어휘 **번데기**

애벌레가 어른벌레가 되기 전에 단단한 껍질(고치) 속에 들어가 있는 것을 '번데기'라고 해.

이것만은 꼭!

완전 탈바꿈

完 완전할 완 + 全 온전할 전 + 탈바꿈

뜻 곤충의 한살이에서 번데기 단계를 거치는 것.

예 무당벌레는 번데기 단계를 거쳐 어른벌레가 되는 **완전 탈바꿈**을 한다.

완전 탈바꿈: 알 → 애벌레 → 번데기 → 어른벌레

관련 어휘 **탈바꿈**

'탈바꿈'은 곤충이 자라면서 모습을 크게 바꾸는 것을 말해. '변태'라고도 하지.

불완전 탈바꿈

不 아닐 불 + 完 완전할 완 + 全 온전할 전 + 탈바꿈

뜻 곤충의 한살이에서 번데기 단계를 거치지 않는 것.

예 잠자리는 번데기 단계가 없는 **불완전 탈바꿈**을 하는 곤충이다.

불완전 탈바꿈: 알 → 애벌레 → 어른벌레

동물 사육사

動 움직일 동 + 物 만물 물 + 飼 먹일 사 + 育 기를 육 + 士 일 사

'물(物)'의 대표 뜻은 '물건', '사(士)'의 대표 뜻은 '선비'야.

뜻 동물을 보살피고 훈련시키는 일을 하는 사람.

예 **동물 사육사**는 동물을 먹이고 동물이 건강하게 자랄 수 있도록 보살피는 역할을 한다.

확인 문제

62～63쪽에서 공부한 낱말을 떠올리며 문제를 풀어 보세요.

1 보기에 있는 글자 카드로 뜻에 알맞은 낱말을 만들어 쓰세요.

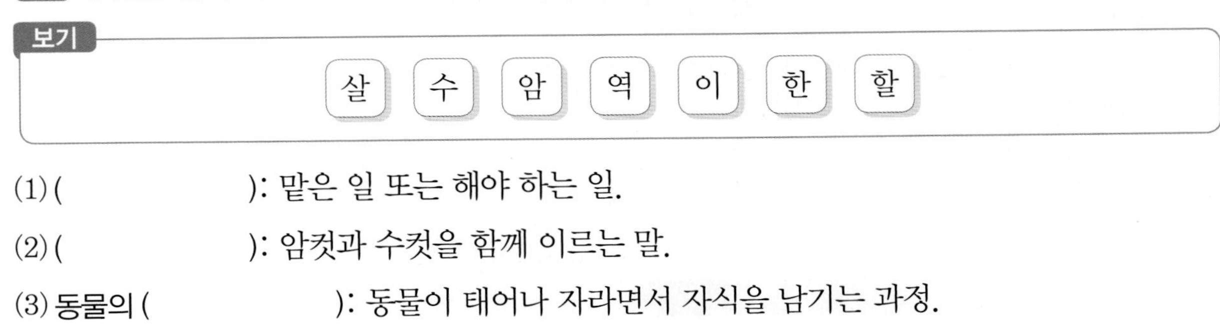

(1) (   ): 맡은 일 또는 해야 하는 일.

(2) (   ): 암컷과 수컷을 함께 이르는 말.

(3) 동물의 (   ): 동물이 태어나 자라면서 자식을 남기는 과정.

2 밑줄 친 부분과 관계있는 낱말에 ○표 하세요.

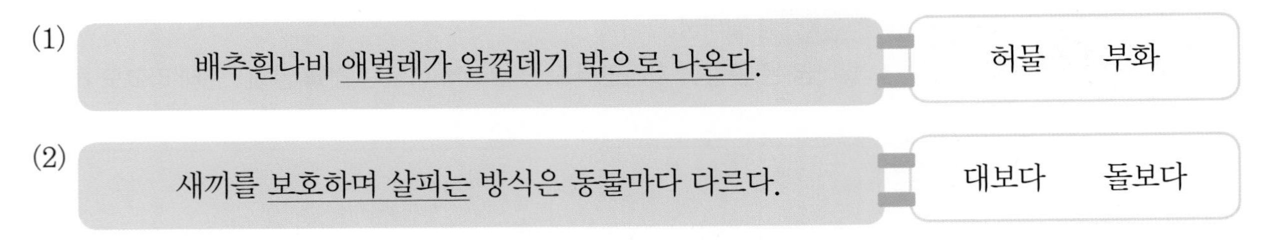

3 밑줄 친 낱말의 뜻을 보기에서 찾아 기호를 쓰세요.

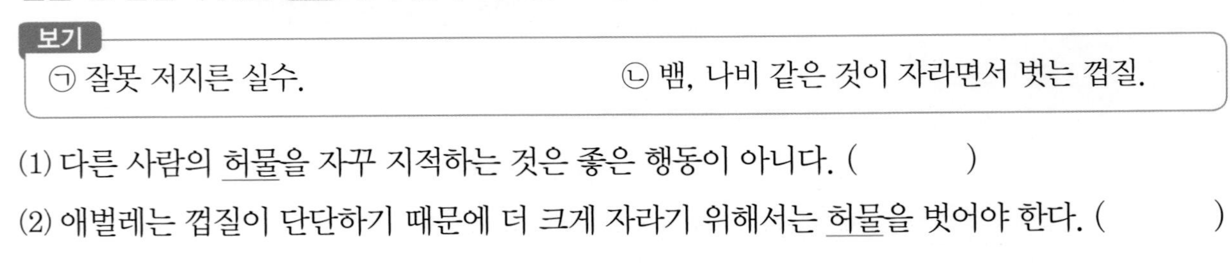

보기
㉠ 잘못 저지른 실수.
㉡ 뱀, 나비 같은 것이 자라면서 벗는 껍질.

(1) 다른 사람의 허물을 자꾸 지적하는 것은 좋은 행동이 아니다. (   )

(2) 애벌레는 껍질이 단단하기 때문에 더 크게 자라기 위해서는 허물을 벗어야 한다. (   )

4 밑줄 친 낱말의 쓰임이 알맞으면 ○표, 알맞지 않으면 ×표 하세요.

(1) 곰은 암컷이 새끼를 돌보는 역할을 한다. (   )

(2) 배추흰나비 애벌레는 부화를 벗으며 점점 자란다. (   )

(3) 할머니는 닭의 생김새를 보고 암수를 쉽게 구별하신다. (   )

정답과 해설 ▶ 29쪽

64～65쪽에서 공부한 낱말을 떠올리며 문제를 풀어 보세요.

5 뜻에 알맞은 낱말을 글자판에서 찾아 묶으세요. (낱말은 가로(—), 세로(|) 방향에 숨어 있어요.)

피	하	사	아	날
곤	탈	바	꿈	개
충	지	마	별	돋
어	른	벌	레	이

❶ 다 자란 곤충.
❷ 곤충이 자라면서 모습을 크게 바꾸는 것.
❸ 번데기에서 날개가 있는 어른벌레가 나오는 것.
❹ 몸이 머리, 가슴, 배 세 부분으로 되어 있고 다리가 세 쌍인 동물.

6 낱말의 뜻에 맞게 (   ) 안에서 알맞은 말을 골라 ○표 하세요.

(1) 완전 탈바꿈 — 곤충의 한살이에서 번데기 단계를 (거치는 , 거치지 않는) 것.

(2) 불완전 탈바꿈 — 곤충의 한살이에서 번데기 단계를 (거치는 , 거치지 않는) 것.

(3) 동물 사육사 — 동물을 (구경하고 , 보살피고) 훈련시키는 일을 하는 사람.

7 (   ) 안에 들어갈 알맞은 낱말을 보기에서 찾아 쓰세요.

보기
곤충　　어른벌레　　날개돋이　　동물 사육사

(1) (   )은/는 동물의 한살이와 매우 가까운 사람이다.

(2) 거미는 몸이 세 부분으로 나뉘지 않고 다리도 세 쌍이 아니어서 (   )이/가 아니다.

(3) 배추흰나비는 약 한 달 동안 알, 애벌레, 번데기, (   )의 단계를 거치며 자란다.

(4) 배추흰나비가 (   )을/를 할 때에는 번데기의 등 부분이 갈라지면서 머리가 나온 다음 몸 전체가 나온다.

한자 어휘

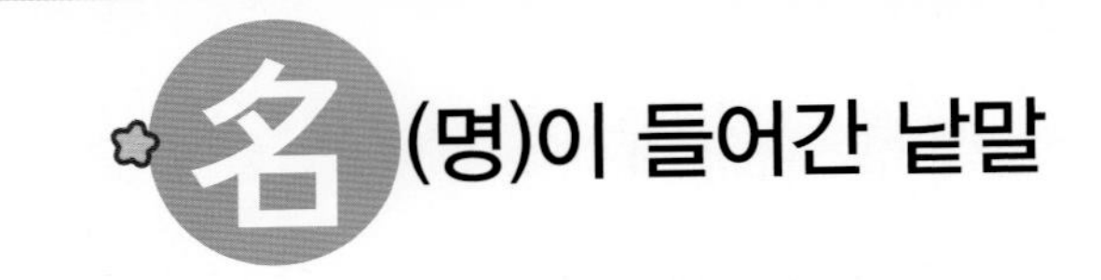

'名(명)'이 들어간 낱말을 읽고, ▭ 부분에 밑줄을 그으면서 낱말 공부를 해 보세요.

名

이름 명

'명(名)'은 저녁과 입을 표현한 글자를 합쳐 만들었어. 옛날에는 저녁때 어두워지면 멀리서 오는 사람이 누구인지 알기 위해 이름을 불렀는데, 그것에서 '이름'이라는 뜻을 갖게 되었어. '명(名)'은 '훌륭하다'의 뜻으로 쓰이기도 해.

유名무실 / 名단 / 名언 / 名작

이름 名

유명무실

有 있을 유 + 名 이름 명 + 無 없을 무 + 實 내용 실

'실(實)'의 대표 뜻은 '열매'야.

뜻 이름만 그럴 듯하고 실제로는 아무 내용이 없음.

예 사람들에게 인기가 있지만 효과는 별로 없는 유명무실한 제품이 있다.

명단

名 이름 명 + 單 단자 단

'단(單)'의 대표 뜻은 '홑'이야.

뜻 어떤 일에 관련된 사람들의 이름을 적은 표.

예 합격자 명단에서 내 이름을 찾아보았다.

훌륭하다 名

명언

名 훌륭할 명 + 言 말씀 언

뜻 널리 알려진 훌륭한 말.

예 '시작이 반이다'라는 명언이 있다.

명작

名 훌륭할 명 + 作 작품 작

'작(作)'의 대표 뜻은 '짓다'야.

뜻 훌륭한 작품.

예 베토벤은 수많은 명작을 남겼다.

비슷한말 걸작

'걸작'은 매우 훌륭한 작품을 뜻하는 낱말이야.

예 이 그림은 걸작으로 불린다.

정답과 해설 ▶ 30쪽

完(완)이 들어간 낱말

'完(완)'이 들어간 낱말을 읽고, 부분에 밑줄을 그으면서 낱말 공부를 해 보세요.

완전할 완

'완(完)'은 집과 으뜸이라는 뜻을 가진 글자를 합쳐 만들었어. '완(完)'은 집을 으뜸으로 지었다(완전하게 지었다)는 뜻으로 쓰이면서 '완전하다'라는 뜻을 갖게 되었지. '완(完)'은 '끝내다'라는 뜻으로 쓰이기도 해.

完전무결 / 完치 / 完공 / 完주

완전하다 完

완전무결

完 완전할 완 + 全 온전할 전 + 無 없을 무 + 缺 모자랄 결

'결(缺)'의 대표 뜻은 '이지러지다'야.

뜻 모자람이 없이 완전함.

예 주어진 일을 완전무결하게 해냈다.

완치

完 완전할 완 + 治 고칠 치

'치(治)'의 대표 뜻은 '다스리다'야.

뜻 병을 완전히 낫게 함.

예 열심히 치료를 받으면 완치가 가능하다.

비슷한말 쾌유

'쾌유'는 병이나 상처가 깨끗이 낫는 것을 뜻해.

예 환자의 쾌유를 빌게요.

끝내다 完

완공

完 끝낼 완 + 工 만들 공

'공(工)'의 대표 뜻은 '장인'이야.

뜻 공사를 끝마침.

예 이 건물은 2년 만에 완공되었다.

완주

完 끝낼 완 + 走 달릴 주

뜻 목표한 곳까지 끝까지 다 달림.

예 마라톤 완주에 성공했다.

확인 문제

68쪽에서 공부한 낱말을 떠올리며 문제를 풀어 보세요.

1 뜻에 알맞은 낱말을 보기에서 찾아 쓰세요.

보기

명단　　　명작　　　유명무실

(1) (　　　　　　): 훌륭한 작품.

(2) (　　　　　　): 어떤 일에 관련된 사람들의 이름을 적은 표.

(3) (　　　　　　): 이름만 그럴 듯하고 실제로는 아무 내용이 없음.

2 밑줄 친 '명'의 뜻으로 알맞은 것을 골라 ○표 하세요.

명언　　　말　　　이름　　　훌륭하다

3 　　　 안의 낱말과 뜻이 비슷한 낱말은 무엇인가요? (　　　　)

명작　　① 명예　　② 명칭　　③ 작품　　④ 걸작　　⑤ 졸작

4 밑줄 친 낱말이 알맞게 쓰였는지 ○, ×를 따라가며 선을 긋고 몇 번으로 나오는지 쓰세요.

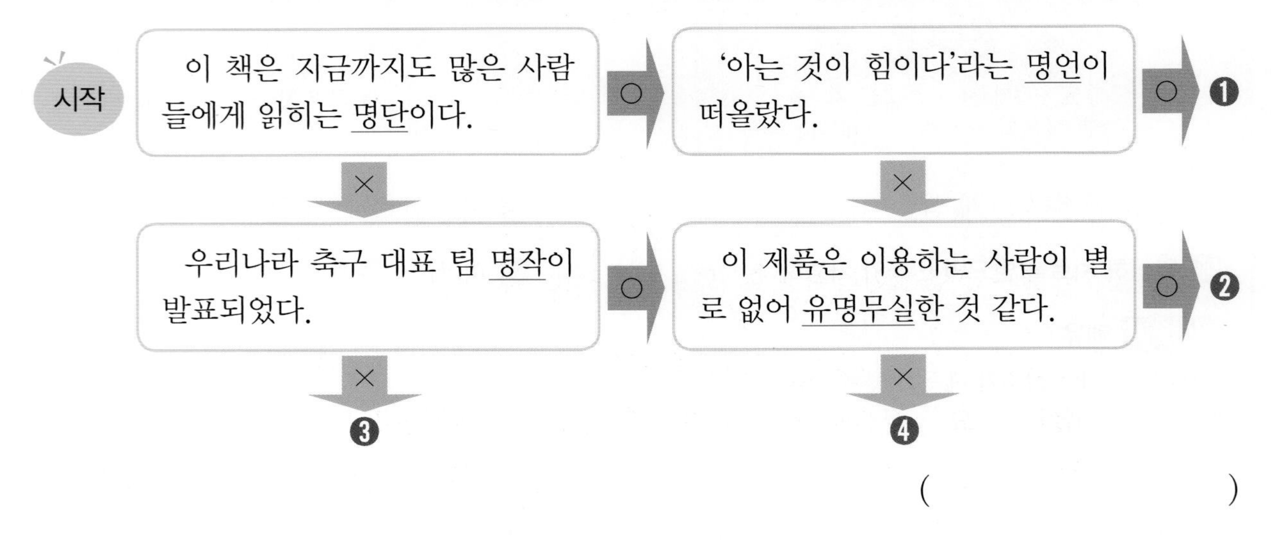

시작
이 책은 지금까지도 많은 사람들에게 읽히는 명단이다.
○
'아는 것이 힘이다'라는 명언이 떠올랐다.
○
❶
×
×
우리나라 축구 대표 팀 명작이 발표되었다.
○
이 제품은 이용하는 사람이 별로 없어 유명무실한 것 같다.
○
❷
×
×
❸
❹

(　　　　　　　　　　)

2주차
5회

69쪽에서 공부한 낱말을 떠올리며 문제를 풀어 보세요.

5

보기에 있는 글자 카드로 뜻에 알맞은 낱말을 만들어 쓰세요. (같은 글자 카드를 여러 번 쓸 수 있어요.)

보기
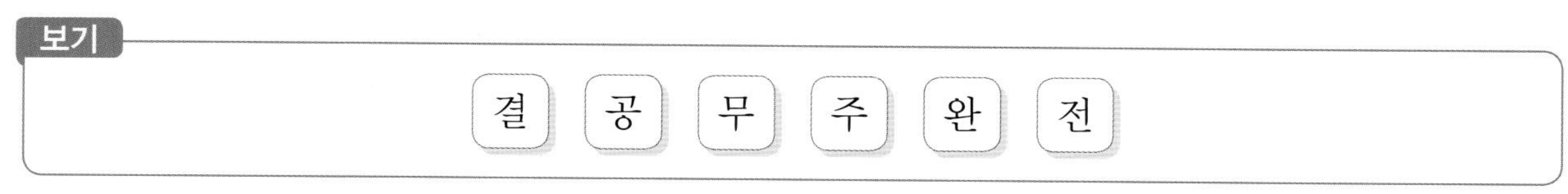

(1) (　　　　　　): 공사를 끝마침.

(2) (　　　　　　): 모자람이 없이 완전함.

(3) (　　　　　　): 목표한 곳까지 끝까지 다 달림.

6

밑줄 친 '완'이 '완전하다'의 뜻으로 쓰인 것에 ○표 하세요.

(1) 완공 (　　　)

(2) 완치 (　　　)

(3) 완주 (　　　)

7

'완치'와 뜻이 비슷한 낱말에 ○표 하세요.

(1) 쾌유 (　　　)

(2) 완료 (　　　)

(3) 치료 (　　　)

8

(　) 안에 들어갈 알맞은 낱말을 보기에서 찾아 쓰세요.

보기
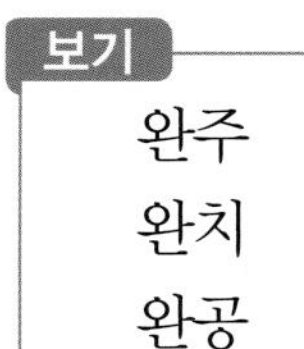

(1) 이 병은 운동만 열심히 하면 (　　　　　　)될 것이다.

(2) 달리기 대회에 참가한 선수들 모두 끝까지 (　　　　　　)했다.

(3) 체육관이 (　　　　　　)되어 모든 학생들이 이용할 수 있게 되었다.

2주차 어휘력 테스트

앞에서 공부한 낱말을 떠올리며 문제를 풀어 보세요.

낱말 뜻

1 낱말과 그 뜻이 바르게 짝 지어지지 않은 것은 무엇인가요? (　　　　)

① 유래 – 물건이나 일이 생겨남.
② 몫 – 어떤 수를 다른 수로 나누어 얻은 수.
③ 유명무실 – 이름만 그럴 듯하고 실제로는 아무 내용이 없음.
④ 부화 – 동물의 알에서 애벌레나 새끼가 알껍데기를 뚫고 밖으로 나오는 것.
⑤ 향교 – 조상 대대로 전해 내려온 문화 중에서 후손에게 물려줄 만한 가치가 있는 것.

낱말 뜻

2 ~ 3 낱말의 뜻에 맞게 (　　) 안에서 알맞은 말을 골라 ○표 하세요.

2

덜다	얼마를 빼내어 (줄이거나 적게 , 늘리거나 많게) 하다.

3

자연환경	산, 바다와 같은 땅의 (크기 , 생김새)와 날씨에 영향을 주는 비, 바람 등 자연 그대로의 것.

반대말

4 반대말끼리 짝 지어진 것을 찾아 ○표 하세요.

(1) 덜다 – 더하다 (　　　　)
(2) 돌보다 – 보살피다 (　　　　)
(3) 똑같다 – 동일하다 (　　　　)
(4) 간추리다 – 요약하다 (　　　　)

높임 표현

5 높임의 뜻이 있는 특별한 낱말이 아닌 것에 ×표 하세요.

계시다　　드리다　　모시다　　물어보다

정답과 해설 ▶ 32쪽

뜻을 더해 주는 말

6 빈칸에 '웃-'이 들어가기에 알맞은 것은 무엇인가요? (　　　　)

① ☐니　　② ☐면　　③ ☐동네
④ ☐어른　　⑤ ☐입술

여러 가지 뜻을 가진 낱말

7 밑줄 친 낱말이 보기의 뜻으로 쓰인 것에 ○표 하세요.

보기

넘다: 시간, 때, 범위 등에서 벗어나게 되다.

(1) 고양이가 창문을 넘었다. (　　　　)
(2) 이 고개만 넘으면 집이 나온다. (　　　　)
(3) 이 일을 끝내는 데 삼 일이 넘게 걸렸다. (　　　　)

낱말 활용

8 ~ 10 (　　) 안에 들어갈 알맞은 낱말을 보기에서 찾아 쓰세요.

보기

면담　　역할　　형식

8 주원이는 연극에서 맡은 (　　　　　　　　)을 열심히 해야겠다고 생각했다.

9 (　　　　　　　　)은 직접 만나서 대화를 주고받으면서 정보를 얻을 수 있다.

10 선생님께서는 주제에 맞게 자유로운 (　　　　　　　　)(으)로 글을 쓰라고 하셨다.

3주차 어휘 미리 보기

한 주 동안
공부할 어휘들이야.
쏙 한번 훑어볼까?

1회 학습 계획일 ( )월 ( )일

국어 교과서 어휘

일어나다, 원인, 결과, 경험하다, 이어 주는 말, 왜냐하면, 국어사전, 약호, 기호, 형태, 낱자, 기본형

2회 학습 계획일 ( )월 ( )일

사회 교과서 어휘

교통수단, 가마, 뗏목, 소달구지, 전차, 증기선, 모노레일, 갯배, 카페리, 구조, 자율 주행 자동차, 전기 자동차

3회 학습 계획일 ( )월 ( )일

수학 교과서 어휘

밀리미터, 킬로미터, 량, 가로, 떨어지다, 경로, 걸리다, 초, 60초, 재생, 도착, 소요 시간

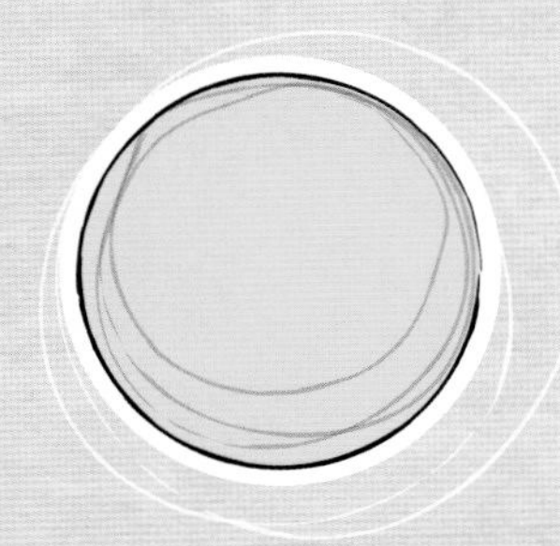

4회 학습 계획일 월 일

과학 교과서 어휘

자석	방향
자석의 극	나침반
붙이다	끌어당기다
N극	끌려오다
S극	밀다
날	걸고리

어휘력 테스트

4주차 어휘 학습으로 가 보자!

5회 학습 계획일 월 일 

한자 어휘

무용지물	금상첨화
사용	지상
용건	상륙
고용	상권

국어 교과서 어휘

수록 교과서 국어 3-1 ㉯
6. 일이 일어난 까닭

다음 중 낱말의 뜻을 잘 알고 있는 것에 ☑ 하세요.

☐ 일어나다 ☐ 원인 ☐ 결과 ☐ 경험하다 ☐ 이어 주는 말 ☐ 왜냐하면

낱말을 읽고, ▭ 부분에 밑줄을 그으면서 낱말 공부를 해 보세요.

일어나다

뜻 어떤 일이 생기다.

예 그림을 보고 어떤 일이 일어났는지 짐작해 보자.

여러 가지 뜻을 가진 낱말 **일어나다**

- '일어나다'는 "누웠다가 앉거나 앉았다가 서다."라는 뜻도 있어.
  예 의자에서 일어나다.
- '일어나다'는 "잠에서 깨어나다."라는 뜻도 있지.
  예 아침 일찍 일어났다.

원인

原 근원 원 + 因 인할 인

'원(原)'의 대표 뜻은 '언덕'이야.

이것만은 꼭!

뜻 어떤 일이 일어난 까닭.

예 일어난 일의 원인을 파악하려면 그 일이 왜 일어났는지 생각해 보아야 한다.

속담 **콩 심은 데 콩 나고 팥 심은 데 팥 난다**

모든 일에는 원인에 알맞은 결과가 나타난다는 뜻이야.

'원인'과 비슷한말은 '이유'야. '이유'는 어떠한 결과가 생기게 된 까닭이나 근거를 말해.

결과

結 맺을 결 + 果 결과 과

'과(果)'의 대표 뜻은 '열매'야.

뜻 원인 때문에 일어난 일.

예 경험한 일을 떠올린 뒤 일이 일어난 까닭이 무엇인지, 그 결과 어떤 일이 일어났는지 정리해 보자.

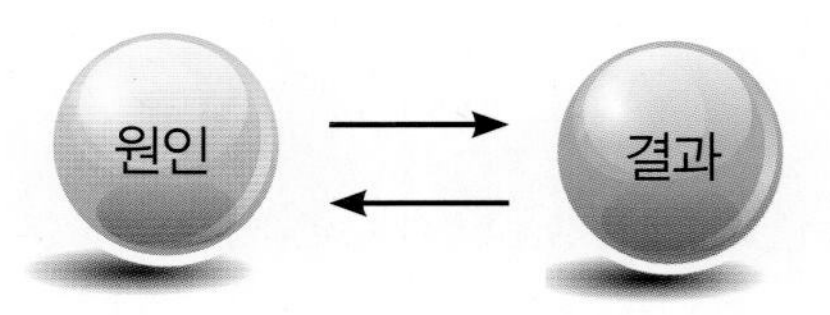

경험하다

經 지날 **경** + 驗 증험 **험** + 하다

'험(驗)'의 대표 뜻은 '시험'이야.

뜻 자신이 실제로 해 보거나 겪어 보다.

예 그동안 경험한 일 중에서 기억에 남는 일을 떠올려 보자.

비슷한말 **체험하다**

'체험하다'는 "몸으로 직접 겪다."라는 뜻을 가진 낱말이야.

예 시골에 가서 농촌 생활을 체험해 보았다.

이어 주는 말

뜻 문장과 문장의 내용을 연결하여 주는 말.

예 '그리고'는 서로 비슷한 내용의 두 문장을 이어 주는 말이다.

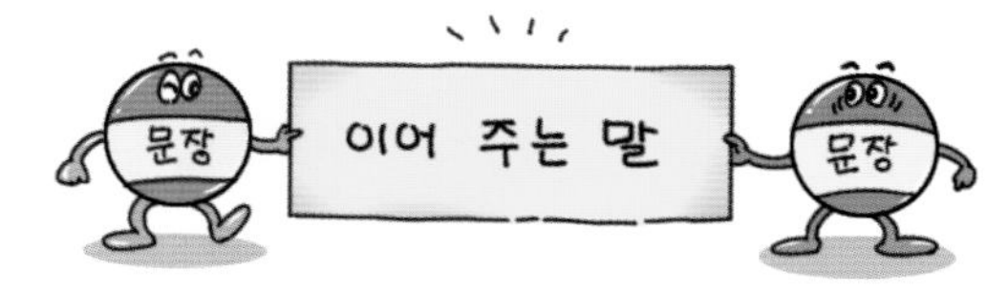

왜냐하면

뜻 왜 그러냐 하면.

예 '왜냐하면'과 같은 이어 주는 말을 사용하면 원인과 결과가 잘 드러나게 말할 수 있다.

어법 **'왜냐하면'과 짝을 이루는 말**

문장에서 앞에 '왜냐하면'이 오면 뒤에 '~ 때문이다'가 와야 바른 문장이 돼.

꼭! 알아야 할 속담

어디 가니?

자전거에 채울 자물쇠 사러 가. 자전거를 잃어버렸거든.

소 잃고 외양간 고친다고, 자전거를 잃어버렸는데 자물쇠는 왜 사?

자물쇠를 사 놓으면 엄마가 자전거를 또 사 주시지 않을까?

○표 하기

'(소 잃고 외양간 고친다 , 호랑이도 제 말 하면 온다)'는 일이 이미 잘못된 뒤에는 손을 써도 소용이 없음을 이르는 말입니다.

국어 교과서 어휘

수록 교과서 국어 3-1 ㉯
7. 반갑다, 국어사전

다음 중 낱말의 뜻을 잘 알고 있는 것에 ✓ 하세요.

□ 국어사전 □ 약호 □ 기호 □ 형태 □ 낱자 □ 기본형

낱말을 읽고, 부분에 밑줄을 그으면서 낱말 공부를 해 보세요.

이것만은 꼭!

국어사전

國 나라 국 + 語 말씀 어 + 辭 말씀 사 + 典 법 전

뜻 국어의 낱말을 모아 일정한 순서대로 늘어놓고 낱말의 뜻과 쓰임새 등을 풀이한 책.

예 낱말의 뜻을 알고 싶을 때에는 국어사전을 찾아보면 된다.

국어사전에는 낱말의 발음, 낱말의 뜻, 낱말이 사용되는 예 등 우리말에 대한 여러 가지 내용이 실려 있어.

약호

略 간략할 약 + 號 부호 호

'호(號)'의 대표 뜻은 '이름'이야.

뜻 간단하고 알기 쉽게 나타낸 부호.

예 국어사전에는 비슷한말을 뜻하는 「비」, 반대말을 뜻하는 「반」과 같은 여러 가지 약호가 있다.

관련 어휘 **부호**

'부호'는 어떤 뜻을 나타내려고 따로 정하여 쓰는 기호를 말해.

기호

記 표지 기 + 號 부호 호

'기(記)'의 대표 뜻은 '기록하다'야.

뜻 어떤 뜻을 나타내기 위한 문자나 부호.

예 국어사전에서 [ ]는 발음 표시를 나타내는 기호이고, :는 발음을 길게 하라는 기호이다.

글자는 같지만 뜻이 다른 낱말 **기호**

'기호'는 "즐기고 좋아함."이라는 전혀 다른 뜻도 있어.

예 각자 기호에 따라 먹고 싶은 음식을 주문하자.

형태
形 모양 **형** + 態 모습 **태**

뜻 사물의 생긴 모양.

예 '동생'은 형태가 바뀌지 않는 낱말이고, '작다'는 '작고', '작으니'와 같이 형태가 바뀌는 낱말이다.

비슷한말 생김새

'생김새'는 생긴 모양을 뜻하는 말이야.
예 형제의 생김새가 비슷하다.

낱자
낱 + 字 글자 **자**

뜻 한 글자를 이루는 하나하나의 글자.

예 사전에서 '친구'를 찾으려면 첫 번째 글자의 낱자 순서인 'ㅊ, ㅣ, ㄴ'의 차례대로 찾아야 한다.

기본형
基 터 **기** + 本 근본 **본** + 形 모양 **형**

뜻 상황에 따라 형태가 바뀌는 낱말을 대표하는 낱말.

예 '먹으면, 먹고, 먹어서'의 기본형은 '먹다'이다.

비슷한말 으뜸꼴

'으뜸꼴'은 모양이 바뀌는 낱말의 기본이 되는 형태를 뜻하는 낱말이야.
예 '얇고, 얇으니, 얇아서'의 으뜸꼴은 '얇다'이다.

꼭! 알아야 할 관용어

빈칸 채우기 '[   ]가 따갑다'는 너무 여러 번 들어서 듣기가 싫다는 뜻의 말입니다.

확인 문제

76~77쪽에서 공부한 낱말을 떠올리며 문제를 풀어 보세요.

1 다음 뜻을 가진 낱말을 완성하세요.

(1) 왜 그러냐 하면.

ㅇ	ㄴ	ㅎ	ㅁ

(2) 자신이 실제로 해 보거나 겪어 보다.

ㄱ	ㅎ	ㅎ	ㄷ

(3) 문장과 문장의 내용을 연결하여 주는 말.

ㅇ	ㅇ	ㅈ	ㄴ	ㅁ

2 낱말의 뜻에 맞게 빈칸에 들어갈 알맞은 말을 쓰세요.

(1)

원인
어떤 일이 일어난 [ ][ ].

(2)

결과
[ ][ ] 때문에 일어난 일.

3 밑줄 친 낱말이 보기의 뜻으로 쓰인 것에 ○표 하세요.

보기

일어나다: 어떤 일이 생기다.

(1) 어제 학교에서 무슨 일이 일어난 거니? (　　　　)

(2) 내일부터 아침 일찍 일어나 책을 읽기로 했다. (　　　　)

(3) 정현이는 다리가 아파 자리에서 일어나지 못했다. (　　　　)

4 (　　) 안에 들어갈 알맞은 낱말을 보기에서 찾아 쓰세요.

보기

원인
결과
왜냐하면

(1) 양치질을 잘한 (　　　　　　　) 충치가 하나도 없었다.

(2) 비를 맞았다. (　　　　　　　) 우산을 안 가져왔기 때문이다.

(3) 쓰레기 정거장이 생긴 (　　　　　　　)은/는 사람들이 쓰레기를 아무 곳에나 버렸기 때문이다.

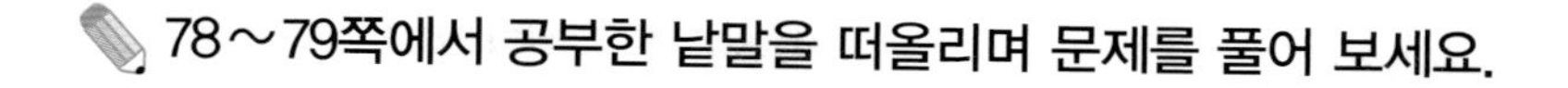

정답과 해설 ▶ 36쪽

78~79쪽에서 공부한 낱말을 떠올리며 문제를 풀어 보세요.

5 뜻에 알맞은 낱말을 빈칸에 쓰세요.

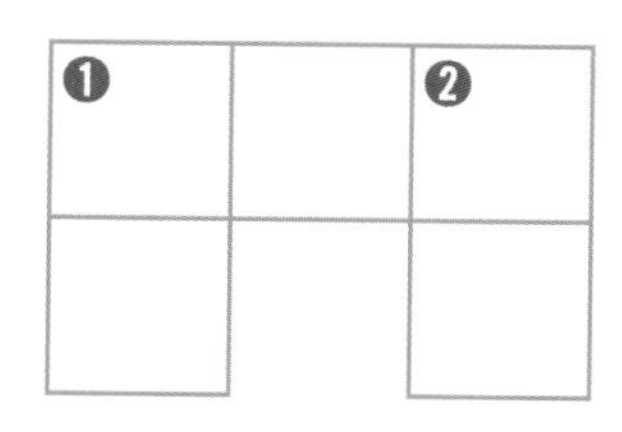

가로 열쇠 ❶ 상황에 따라 형태가 바뀌는 낱말을 대표하는 낱말.

세로 열쇠 ❶ 어떤 뜻을 나타내기 위한 문자나 부호.
❷ 사물의 생긴 모양.

3주차 1회

6 낱말의 뜻에 맞게 ( ) 안에서 알맞은 말을 골라 ○표 하세요.

(1) 약호: 간단하고 알기 쉽게 나타낸 (구호 , 부호).

(2) 국어사전: 국어의 낱말을 모아 일정한 순서대로 늘어놓고 (낱말의 뜻 , 낱자의 순서) 과/와 쓰임새 등을 풀이한 책.

7 다음 낱말과 뜻이 비슷한 낱말을 보기 에서 찾아 쓰세요.

보기: 생김새 쓰임새 닮은꼴 으뜸꼴

(1) 형태: ( ) (2) 기본형: ( )

8 밑줄 친 낱말을 바르게 사용하지 못한 친구의 이름을 쓰세요.

이 건물은 형태가 독특하다.
정현

'사'를 글자 순서대로 늘어놓으면 'ㅅ, ㅏ'야.
영규

국어사전에 있는 「높」은 높임말을 나타내는 약호야.
민서

( )

사회 교과서 어휘

수록 교과서 사회 3-1
3. 교통과 통신 수단의 변화

다음 중 낱말의 뜻을 잘 알고 있는 것에 ✓ 하세요.

□ 교통수단 □ 가마 □ 뗏목 □ 소달구지 □ 전차 □ 증기선

옛날에는 먼 곳에 갈 때 무엇을 타고 갔을까? 그림을 보니 소달구지도 타고, 가마도 타고, 뗏목도 탔네. 이번 회에서는 옛날 사람들이 이용했던 교통수단의 종류에 대해 알아보자.

낱말을 읽고, 　　 부분에 밑줄을 그으면서 낱말 공부를 해 보세요.

교통수단

交 오고 갈 교 + 通 통할 통 + 手 수단 수 + 段 방법 단

'교(交)'의 대표 뜻은 '사귀다', '수(手)'의 대표 뜻은 '손', '단(段)'의 대표 뜻은 '층계'야.

이것만은 꼭!

뜻 사람이 이동하거나 물건을 옮기는 데 쓰는 방법이나 도구.

예 요즈음 사람들이 가장 많이 이용하는 교통수단은 승용차이다.

관련 어휘 교통

'교통'은 자동차, 기차, 배, 비행기 등을 이용해 사람이 오고 가거나 물건을 실어 나르는 일을 말해.

가마

뜻 안에 사람을 태우고 둘 또는 넷이 들거나 메고 이동하는 작은 집 모양의 탈것.

예 옛날 사람들은 가마를 타고 이동하기도 했다.

글자는 같지만 뜻이 다른 낱말 가마

'가마'는 곡식이나 소금, 비료 등이 담긴 주머니의 수를 세는 단위라는 전혀 다른 뜻도 있어. 예 보리 두 가마를 샀다.

뗏목

뗏 + 木 나무 목

뜻 사람이나 물건을 옮겨 나를 수 있도록 통나무를 이어서 만든 탈것.

예 뗏목을 타고 강을 건넜다.

소달구지

뜻 소가 끄는 수레.

예 소달구지에 무거운 짐을 실었다.

전차

電 전기 전 + 車 수레 차

'전(電)'의 대표 뜻은 '번개'야.

뜻 전기의 힘으로 철길 위를 다니는 차.

예 전기의 힘을 이용한 전차는 여러 명이 함께 타고 갈 수 있다.

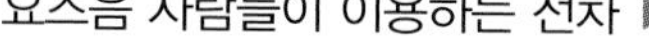
요즈음 사람들이 이용하는 전차 ▶

증기선

蒸 찔 증 + 氣 기운 기 + 船 배 선

뜻 물을 끓일 때 생기는 뜨거운 공기(증기)의 힘으로 나아가는 배.

예 수증기를 이용한 증기선을 타고 먼 나라로 갔다.

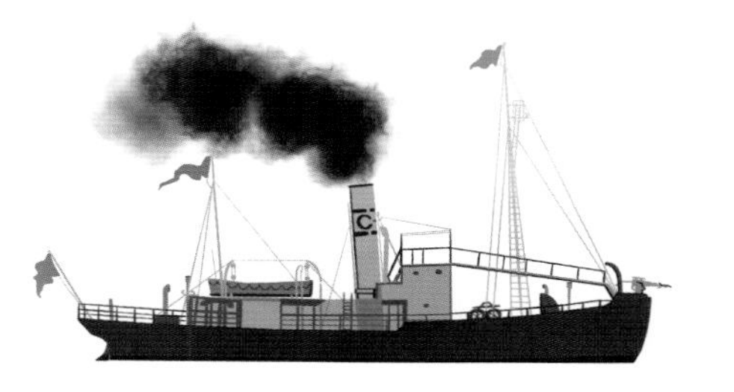

사회 교과서 어휘

수록 교과서 사회 3-1
3. 교통과 통신 수단의 변화

다음 중 낱말의 뜻을 잘 알고 있는 것에 ✓ 하세요.

☐ 모노레일 ☐ 갯배 ☐ 카페리 ☐ 구조 ☐ 자율 주행 자동차 ☐ 전기 자동차

교통수단은 옛날보다 발달했고 다양해졌어. 요즈음에는 고장의 환경에 따라 어떤 교통수단을 이용하는지, 또 미래에는 어떤 교통수단을 이용할지 낱말들을 통해 알아보자.

낱말을 읽고, [ ] 부분에 밑줄을 그으면서 낱말 공부를 해 보세요.

모노레일

뜻 선로가 한 가닥인 철도.

예 모노레일이 철길을 따라 움직인다.

'선로'는 기차나 전차 등이 다닐 수 있도록 만들어 놓은 길을 뜻해.

갯배

뜻 바다로 나누어진 마을을 이어 주는 배.

예 바다를 사이에 두고 떨어진 마을에 가기 위해서 갯배를 탔다.

카페리

뜻 여행하는 사람과 자동차를 실어 나르는 배.

예 카페리에 자동차를 함께 실어 이동했다.

구조

救 구원할 구 + 助 도울 조

뜻 목숨이 위험하거나 어려움에 빠진 사람을 구하는 것.

예 해상 구조 보트는 사람들을 구조할 때 이용하는 교통수단이다.

글자는 같지만 뜻이 다른 낱말 구조

'구조'는 여러 부분들이 서로 어울려 전체를 이루는 것 또는 그 짜임새라는 전혀 다른 뜻으로도 쓰여.

예 글의 구조를 파악하다.

자율 주행 자동차

自 스스로 자 + 律 법칙 율 + 走 달릴 주 + 行 다닐 행 + 自 스스로 자 + 動 움직일 동 + 車 수레 차

뜻 사람이 운전하지 않아도 스스로 움직이는 자동차.

예 자율 주행 자동차를 이용하면 몸이 불편한 사람들도 차를 편리하게 이용할 수 있다.

이것만은 꼭!

전기 자동차

電 전기 전 + 氣 기운 기 + 自 스스로 자 + 動 움직일 동 + 車 수레 차

'전(電)'의 대표 뜻은 '번개'야.

뜻 전기의 힘으로 움직이는 자동차.

예 전기 자동차는 전기의 힘으로 움직이기 때문에 주유소에서 연료를 넣을 필요가 없다.

82～83쪽에서 공부한 낱말을 떠올리며 문제를 풀어 보세요.

1 뜻에 알맞은 낱말을 글자판에서 찾아 묶으세요. (낱말은 가로(—), 세로(|) 방향에 숨어 있어요.)

소	달	구	지
자	율	가	지
전	차	마	표
교	통	수	단

❶ 소가 끄는 수레.
❷ 전기의 힘으로 철길 위를 다니는 차.
❸ 사람이 이동하거나 물건을 옮기는 데 쓰는 방법이나 도구.
❹ 안에 사람을 태우고 둘 또는 넷이 들거나 메고 이동하는 작은 집 모양의 탈것.

2 낱말의 뜻에 맞게 (　　) 안에서 알맞은 말을 골라 ○표 하세요.

(1) 증기선: 물을 끓일 때 생기는 뜨거운 공기의 힘으로 나아가는 (배 , 차).

(2) 뗏목: 사람이나 물건을 옮겨 나를 수 있도록 통나무를 이어서 만든 (탈것 , 들것).

3 밑줄 친 낱말과 뜻이 같은 것을 찾아 ○표 하세요.

민속촌에서 가마를 타 보았다.

(1) 쌀 한 가마에 얼마예요? (　　　　)

(2) 가마 안에는 한 여자아이가 타고 있었다. (　　　　)

4 빈칸에 들어갈 알맞은 낱말을 글자 카드를 이용하여 만들어 쓰세요.

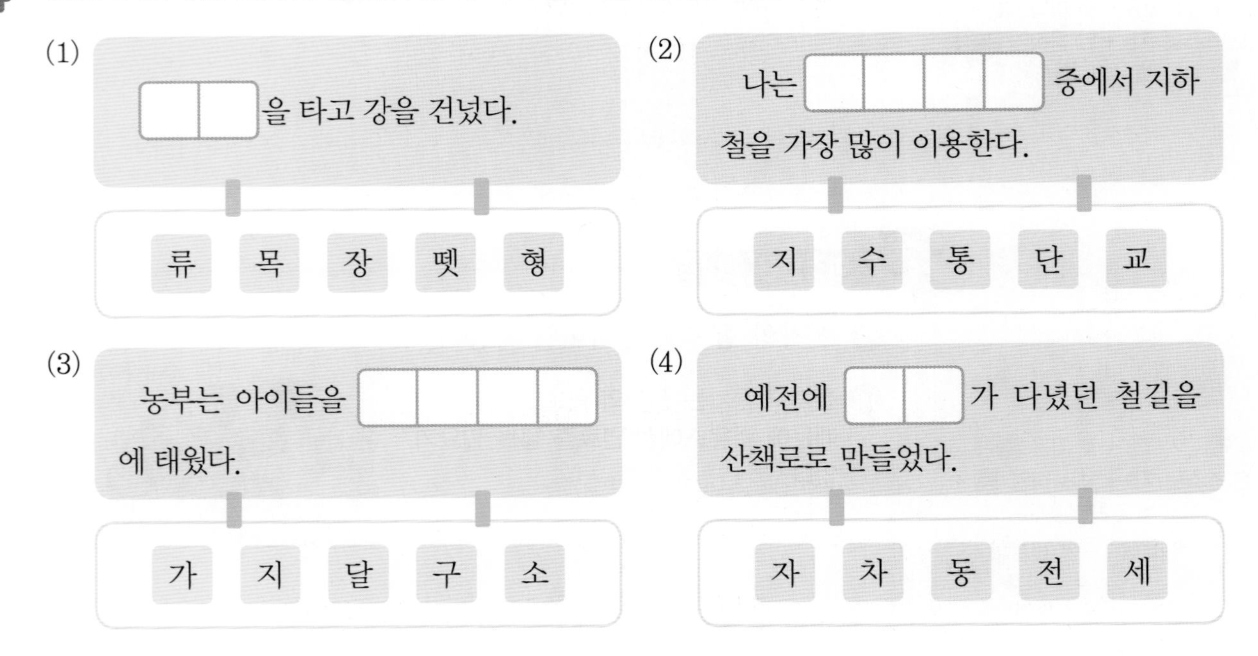

(1)
□□을 타고 강을 건넜다.
류 목 장 뗏 형
(2)
나는 □□□□ 중에서 지하철을 가장 많이 이용한다.
지 수 통 단 교
(3)
농부는 아이들을 □□□□에 태웠다.
가 지 달 구 소
(4)
예전에 □□가 다녔던 철길을 산책로로 만들었다.
자 차 동 전 세

84~85쪽에서 공부한 낱말을 떠올리며 문제를 풀어 보세요.

5 낱말의 뜻을 보기에서 찾아 사다리를 타고 내려간 곳에 기호를 쓰세요.

보기
㉠ 선로가 한 가닥인 철도.
㉡ 바다로 나누어진 마을을 이어 주는 배.
㉢ 여행하는 사람과 자동차를 실어 나르는 배.
㉣ 목숨이 위험하거나 어려움에 빠진 사람을 구하는 것.

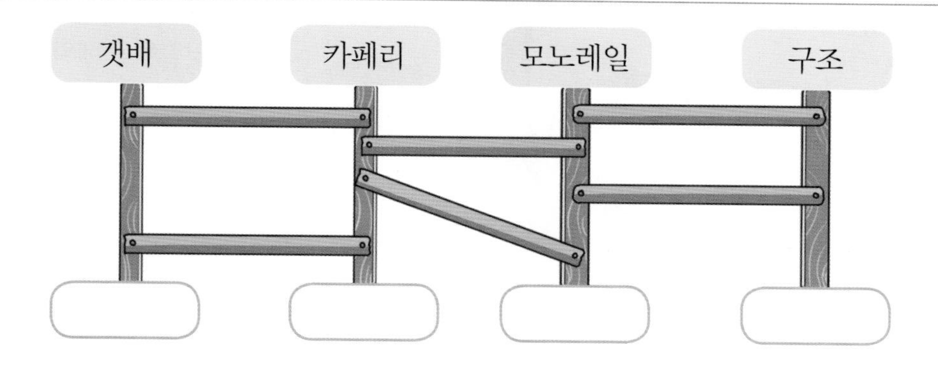

6 두 친구가 설명하는 '이것'에 해당하는 것을 찾아 ○표 하세요.

병재: 이것은 사람이 운전하지 않아도 스스로 움직이는 자동차를 말해.
윤우: 이것은 장애인처럼 몸이 불편한 사람도 편리하게 이용할 수 있는 교통수단이야.

(전기 자동차 , 자율 주행 자동차)

7 밑줄 친 낱말의 뜻을 보기에서 찾아 기호를 쓰세요.

보기
㉠ 목숨이 위험하거나 어려움에 빠진 사람을 구하는 것.
㉡ 여러 부분들이 서로 어울려 전체를 이루는 것 또는 그 짜임새.

(1) 건물의 구조를 바꾸었다. (　　　)　(2) 물에 빠진 사람을 구조하였다. (　　　)

8 밑줄 친 낱말의 쓰임이 알맞으면 ○표, 알맞지 않으면 ×표 하세요.

(1) 카페리에서 많은 사람들과 자동차들이 내렸다. (　　　)
(2) 전기 자동차는 자동차가 스스로 운전해서 목적지까지 이동한다. (　　　)
(3) 산악 구조 헬리콥터는 사람들의 목숨을 구조할 때 이용하는 교통수단이다. (　　　)

수학 교과서 어휘

수록 교과서 수학 3-1
5. 길이와 시간

다음 중 낱말의 뜻을 잘 알고 있는 것에 ✓ 하세요.

☐ 밀리미터 ☐ 킬로미터 ☐ 량 ☐ 가로 ☐ 떨어지다 ☐ 경로

낱말을 읽고, 　　 부분에 밑줄을 그으면서 낱말 공부를 해 보세요.

밀리미터

뜻 길이를 나타내는 단위. 1밀리미터는 1센티미터를 10칸으로 똑같이 나누었을 때 작은 눈금 한 칸의 길이를 말하는 것으로, 1mm라고 씀.

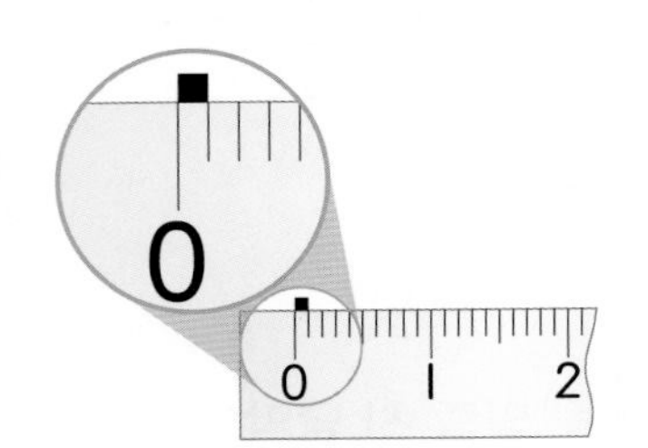

예 내 발은 승호의 발보다 5밀리미터 작다.

킬로미터

뜻 길이를 나타내는 단위. 1킬로미터는 1000미터로, 1km라고 씀.

예 산 정상까지는 1킬로미터가 남았다.

량

輛 수레 량

뜻 전철이나 열차의 차량을 세는 단위.

예 기차 한 량의 길이는 약 20미터이다.

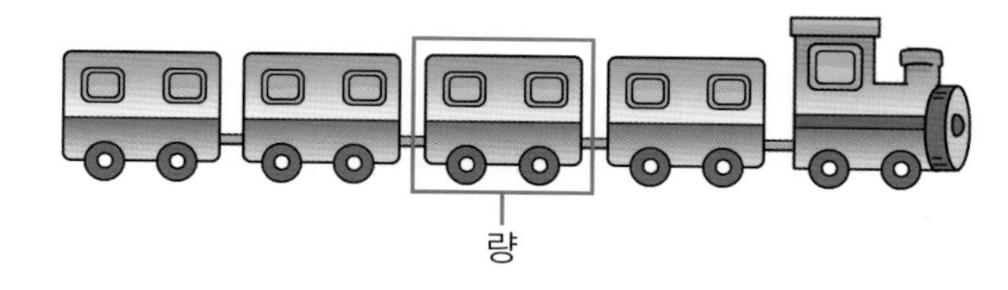

가로

뜻 왼쪽에서 오른쪽으로 이어지는 방향이나 길이.

예 과자의 가로 길이는 약 15밀리미터이다.

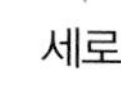

가로

세로

반대말 **세로**

'세로'는 위에서 아래로 이어지는 방향이나 길이를 뜻하는 말이야.

예 칠판은 가로보다 세로의 길이가 짧다.

떨어지다

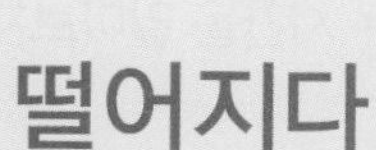

뜻 거리를 두고 있다.

예 기차역에서 약 1킬로미터 떨어진 곳에 공원이 있다.

여러 가지 뜻을 가진 낱말 **떨어지다**

'떨어지다'는 "위에서 아래로 내려지다."라는 뜻도 있어.

예 빨랫줄에 걸려 있던 빨래가 떨어졌다.

경로

經 지날 경 + 路 길 로

뜻 지나가는 길.

예 우리 집에서 호수 공원까지 가는 가장 짧은 경로는 도서관 앞을 지나가는 것이다.

글자는 같지만 뜻이 다른 낱말 **경로**

'경로'는 노인을 공손히 모시는 것이라는 전혀 다른 뜻도 있어.

예 마을에 경로 잔치가 열렸다.

수학 교과서 어휘

수록 교과서 수학 3–1
5. 길이와 시간

다음 중 낱말의 뜻을 잘 알고 있는 것에 ✓ 하세요.

☐ 걸리다 ☐ 초 ☐ 60초 ☐ 재생 ☐ 도착 ☐ 소요 시간

30초가
얼마만큼의
시간이지?
30 초의 기적!
가장 효과적인 예방입니다.
1분은 몇 초일까?
30초는 1분보다 긴 시간일까
짧은 시간일까? 시간과 관련된
낱말들을 배워 보면서
그 답을 찾아보자.

낱말을 읽고, ▭ 부분에 밑줄을 그으면서 낱말 공부를 해 보세요.

걸리다

뜻 시간이 들다.

예 기차를 타고 서울에서 다른 지역까지 이동하는 데 걸리는 시간을 알아보자.

여러 가지 뜻을 가진 낱말 걸리다

- '걸리다'는 "어떤 물체가 떨어지지 않게 어디에 매달리다."라는 뜻도 있어.
  예 벽에 액자가 걸리다.
- '걸리다'는 "병이 들다."라는 뜻도 있지. 예 감기에 걸리다.

초

秒 분초 초

이것만은 꼭!

뜻 시간의 길이를 나타내는 단위. 1초는 초바늘이 작은 눈금 한 칸을 가는 동안 걸리는 시간을 말함.

예 김밥을 전자레인지에 20초 데웠다.

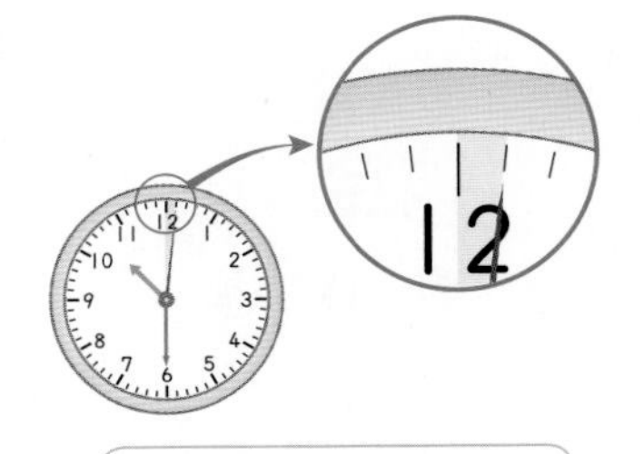

작은 눈금 한 칸 = 1초

60초

60 + 秒 분초 초

뜻 초바늘이 시계를 한 바퀴 도는 데 걸리는 시간.

예 1분은 60초이다.

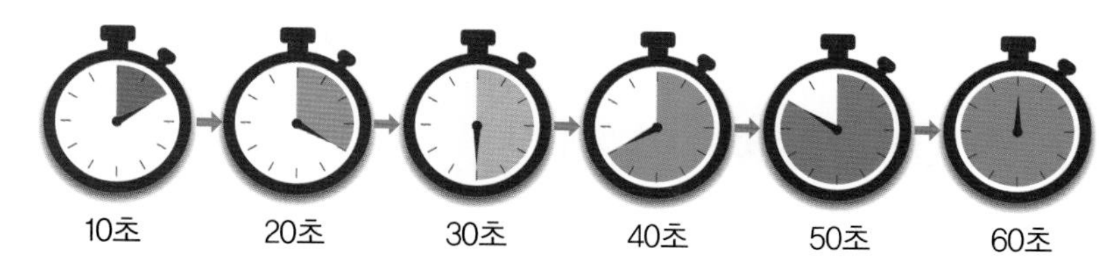

재생

再 다시 재 + 生 날 생

'재(再)'의 대표 뜻은 '두(두 번)'야.

뜻 테이프나 시디 등을 틀어 원래의 음이나 영상을 다시 들려주거나 보여 줌.

예 만화 영화 주제가의 재생 시간은 2분 20초이고, 피아노 연주곡의 재생 시간은 4분 23초이다.

도착

到 이를 도 + 着 다다를 착

'착(着)'의 대표 뜻은 '붙다'야.

뜻 목적한 곳에 이름.

예 버스는 4분 후에 도착한다.

반대말 출발

'출발'은 어떤 곳을 향하여 길을 떠나는 것을 뜻해.

예 자동차가 출발하기 전에 안전벨트를 매야 한다.

소요 시간

所 바 소 + 要 요구할 요 + 時 때 시 + 間 사이 간

'요(要)'의 대표 뜻은 '요긴하다'야.

뜻 어떤 일을 하는 데 걸리는 시간.

예 숙소에서 공연장까지 가는 데 걸리는 소요 시간은 약 1시간이다.

'소요'는 "필요하거나 요구됨."이라는 뜻의 낱말이야.

확인 문제

88~89쪽에서 공부한 낱말을 떠올리며 문제를 풀어 보세요.

1 뜻에 알맞은 낱말에 ○표 하세요.

(1) 전철이나 열차의 차량을 세는 단위. (쪽 , 량)

(2) 지나가는 길. (도로 , 경로)

(3) 왼쪽에서 오른쪽으로 이어지는 방향이나 길이. (가로 , 세로)

(4) 1센티미터를 10칸으로 똑같이 나누었을 때 작은 눈금 한 칸의 길이를 나타내는 단위. (밀리미터 , 킬로미터)

2 밑줄 친 낱말이 보기 의 뜻으로 쓰인 것은 무엇인가요? (　　　　)

보기

떨어지다: 거리를 두고 있다.

① 컵이 바닥에 떨어졌다.
② 창밖에 빗방울이 떨어진다.
③ 계단에서 떨어져 다리를 다쳤다.
④ 아이의 두 눈에서 눈물이 뚝뚝 떨어졌다.
⑤ 병원은 우리 집에서 1킬로미터 정도 떨어져 있다.

3 밑줄 친 낱말의 쓰임이 알맞으면 ○표, 알맞지 않으면 ×표 하세요.

(1) 이 지하철은 모두 8량입니다. (　　　　)

(2) 제 발 크기는 230킬로미터입니다. (　　　　)

(3) 상자의 경로 길이는 40센티미터입니다. (　　　　)

(4) 우리 집은 바닷가와 조금 떨어져 있는 언덕에 있습니다. (　　　　)

90～91쪽에서 공부한 낱말을 떠올리며 문제를 풀어 보세요.

4 뜻에 알맞은 낱말을 보기에서 찾아 쓰세요.

보기

도착 재생 60초 소요 시간

(1) ( ): 목적한 곳에 이름.

(2) ( ): 어떤 일을 하는 데 걸리는 시간.

(3) ( ): 초바늘이 시계를 한 바퀴 도는 데 걸리는 시간.

(4) ( ): 테이프나 시디 등을 틀어 원래의 음이나 영상을 다시 들려주거나 보여 줌.

5 밑줄 친 낱말이 보기의 뜻으로 쓰인 것은 무엇인가요? ( )

보기

걸리다: 시간이 들다.

① 멋진 그림이 벽에 걸려 있다.
② 엄마 목에 걸린 목걸이가 예쁘다.
③ 짝이 장염에 걸려 학교에 못 왔다.
④ 차가 막혀서 집에 오는 데 한 시간이나 걸렸다.
⑤ 더운 여름철에는 식중독에 걸리지 않도록 조심해야 한다.

6 밑줄 친 낱말이 알맞게 쓰였는지 ○, ×를 따라가며 선을 긋고 몇 번으로 나오는지 쓰세요.

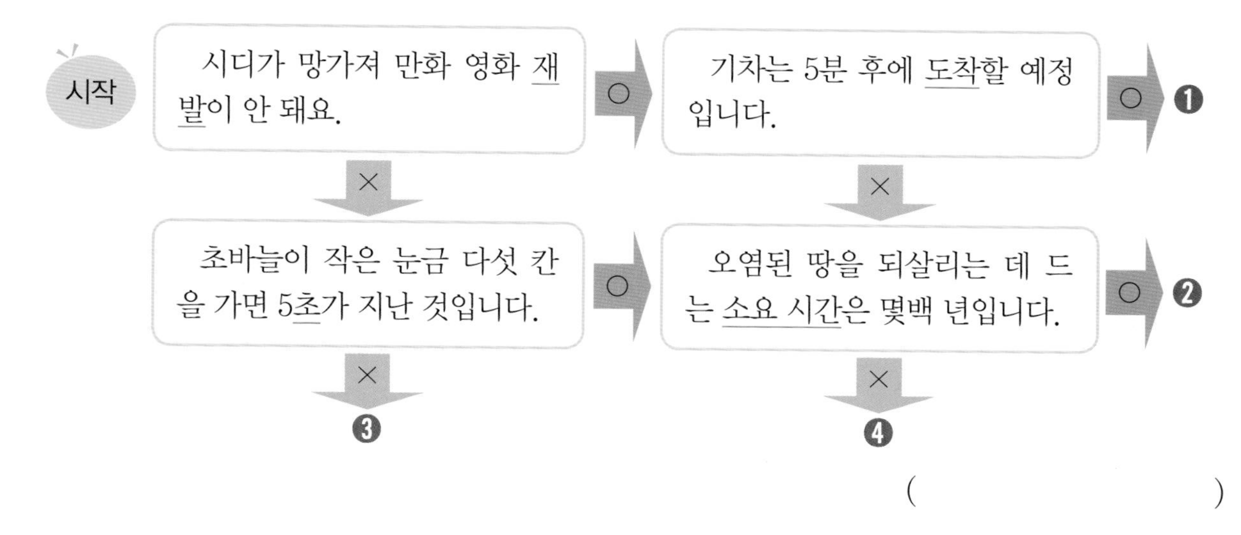

시작
시디가 망가져 만화 영화 재발이 안 돼요.
○
기차는 5분 후에 도착할 예정입니다.
○
❶
×
×
초바늘이 작은 눈금 다섯 칸을 가면 5초가 지난 것입니다.
○
오염된 땅을 되살리는 데 드는 소요 시간은 몇백 년입니다.
○
❷
×
×
❸
❹

( )

과학 교과서 어휘

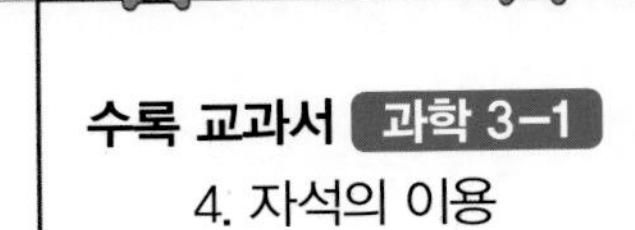

수록 교과서 과학 3-1
4. 자석의 이용

다음 중 낱말의 뜻을 잘 알고 있는 것에 ✓ 하세요.

☐ 자석 ☐ 자석의 극 ☐ 붙이다 ☐ N극 ☐ S극 ☐ 날

자석의 끝에 클립이 붙어 있네. 왜 자석의 가운데에 붙지 않고 끝에 붙어 있을까? 그리고 클립이 붙어 있는 부분을 가리키는 이름이 있을까? 자석과 관련된 낱말들을 배우면서 궁금증을 해결해 보자.
S
N

낱말을 읽고, 　　 부분에 밑줄을 그으면서 낱말 공부를 해 보세요.

이것만은 꼭!

자석

磁 자석 자 + 石 돌 석

뜻 쇠붙이를 당기는 힘이 있는 물체.

예 철로 된 물체는 자석에 붙는다.

'쇠붙이'는 철, 금, 은과 같은 쇠를 이르는 말이야.

자석의 극

磁 자석 자 + 石 돌 석 + 의 + 極 극 극

'극(極)'의 대표 뜻은 '극진하다'야.

뜻 자석에서 철로 된 물체가 많이 붙는 부분.

예 자석의 극에 클립이 많이 붙는다.

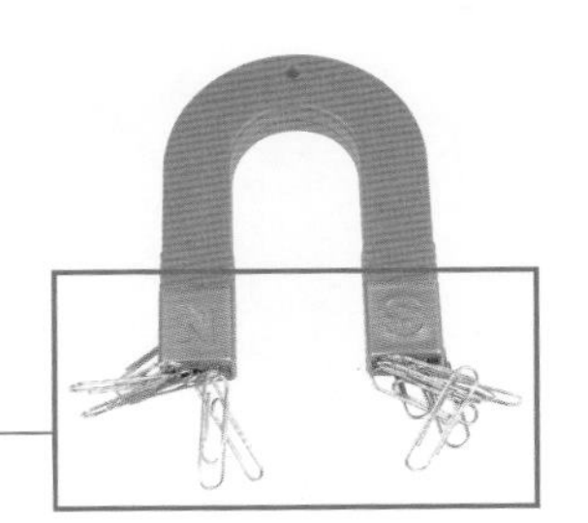

자석의 극

붙이다

뜻 어떤 것에 닿아 떨어지지 않게 하다.

예 색종이로 감싼 막대자석에 눈 모양 붙임딱지를 붙인다.

헷갈리는 말 **부치다**

'부치다'는 "편지나 물건 등을 보내다."라는 뜻으로 '붙이다'와 구분해서 써야 해.

예 편지를 부치다.

N극

N + 極 극 극

뜻 북쪽을 가리키는 자석의 극.

예 북쪽을 가리키는 머리핀 끝부분에 N극 붙임딱지를 붙였다.

S극

S + 極 극 극

뜻 남쪽을 가리키는 자석의 극.

예 물에 띄운 자석에서 남쪽을 가리키는 자석의 극이 S극이다.

날

뜻 가위나 칼 등에서 가장 얇고 날카로운 부분.

예 가위의 날 부분은 자석에 붙는다.

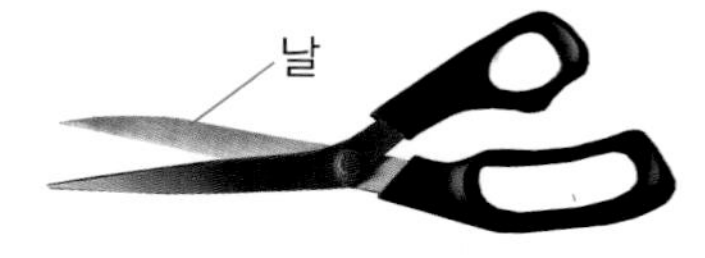

과학 교과서 어휘

수록 교과서 과학 3-1
4. 자석의 이용

다음 중 낱말의 뜻을 잘 알고 있는 것에 ✓ 하세요.

□ 방향 □ 나침반 □ 끌어당기다 □ 끌려오다 □ 밀다 □ 걸고리

두 개의 자석을 같은 극끼리 마주 보게 하면 어떻게 될까? 또 다른 극끼리 마주 보게 하면 어떻게 될까? 이번 회에서는 자석의 성질과 관련 있는 낱말들을 공부해 보자.

낱말을 읽고, ▭ 부분에 밑줄을 그으면서 낱말 공부를 해 보세요.

방향

方 방향 방 + 向 향할 향

'방(方)'의 대표 뜻은 '모'야.

뜻 어떤 쪽.

예 학교와 반대 방향으로 갔다.

포함되는 말 오른쪽, 왼쪽, 위쪽, 아래쪽, 앞, 뒤

'방향'에 포함되는 말에는 '오른쪽, 왼쪽, 위쪽, 아래쪽, 앞, 뒤' 등이 있어.

이것만은 꼭!

나침반

羅 벌일 나 + 針 바늘 침 + 盤 받침 반

'반(盤)'의 대표 뜻은 '소반'이야.

뜻 동, 서, 남, 북 방향을 알려 주는 도구.

예 나침반을 편평한 곳에 놓으면 나침반 바늘은 항상 북쪽과 남쪽을 가리킨다.

'나침반'을 '나침판'이라고 하기도 해.

끌어당기다

뜻 끌어서 가까이 오게 하다.

예 자석은 철로 된 물체를 끌어당길 수 있다.

둘 이상의 낱말이 합쳐진 말 **'당기다'가 들어간 말**

'끌어당기다'는 "바닥에 댄 채로 잡아당겨 움직이다."라는 뜻의 '끌다'와 "무엇을 잡아 자기 쪽으로 가까이 오게 하다."라는 뜻의 '당기다'가 합쳐진 낱말이야. 이와 마찬가지로 '잡아당기다'도 '잡다'와 '당기다'가 합쳐진 낱말이지.

끌려오다

뜻 억지로 다른 것이 이끄는 대로 따라오다.

예 자석을 대면 바늘이 끌려온다.

'이끌다'는 "가고자 하는 곳으로 같이 가면서 따라오게 하다."라는 뜻이야.

밀다

뜻 무엇을 움직이기 위해 반대쪽에서 힘을 주다.

예 두 자석 사이에는 밀거나 당기는 힘이 있다.

여러 가지 뜻을 가진 낱말 **밀다**

'밀다'는 "머리카락이나 털 등을 매우 짧게 깎다."라는 뜻도 있어.

예 수염을 밀다.

걸고리

뜻 물건을 매달아 놓거나 떨어져 있는 두 부분을 이어 주는 고리.

예 철로 된 표면에 자석 걸고리를 붙인 뒤에 달력을 걸어 놓았다.

확인 문제

94～95쪽에서 공부한 낱말을 떠올리며 문제를 풀어 보세요.

1 뜻에 알맞은 낱말을 보기 에서 찾아 사다리를 타고 내려간 곳에 쓰세요.

보기

날　　자석　　자석의 극

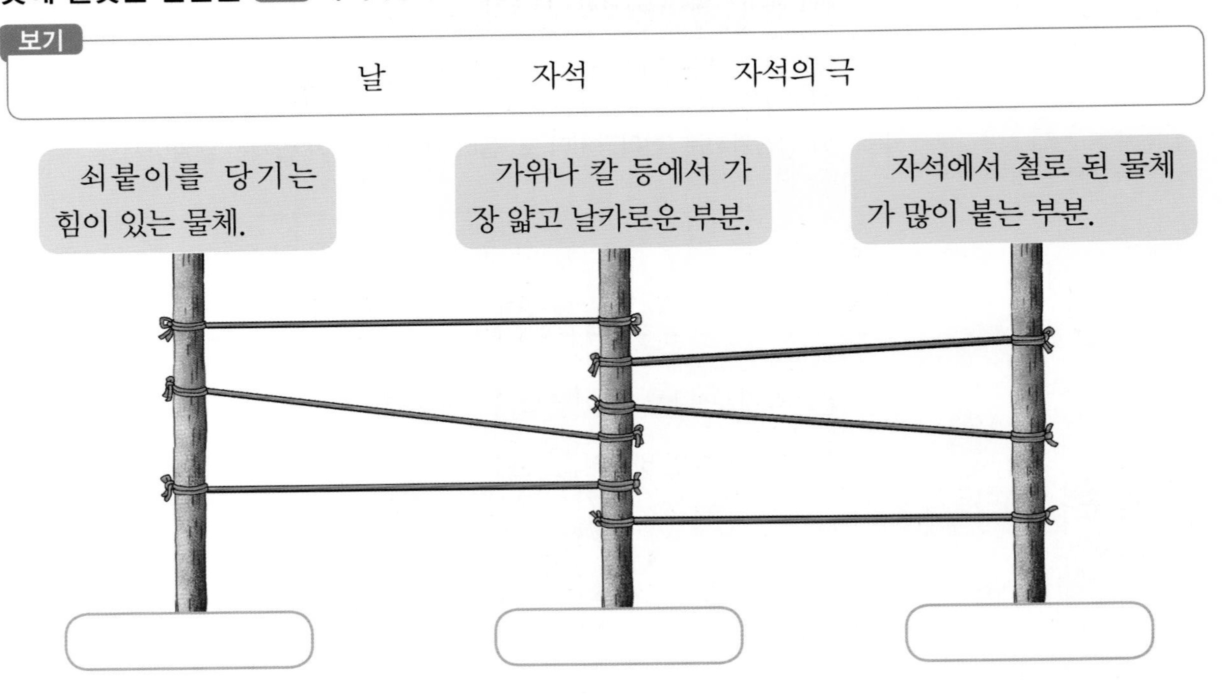

쇠붙이를 당기는 힘이 있는 물체.
가위나 칼 등에서 가장 얇고 날카로운 부분.
자석에서 철로 된 물체가 많이 붙는 부분.

2 낱말의 뜻에 맞게 빈칸에 들어갈 알맞은 말을 쓰세요.

N극은 ☐☐을 가리키는 자석의 극을 말하고, S극은 ☐☐을 가리키는 자석의 극을 말한다.

3 (　　) 안에서 알맞은 낱말을 골라 ○표 하세요.

교실 게시판에 우리가 그린 그림을 (부치고 , 붙이고) 있다.

4 (　　) 안에 들어갈 알맞은 낱말을 보기 에서 찾아 쓰세요.

보기

날
자석
붙여

(1) 풀을 바르고 종이 두 장을 (　　　　　) 보아라.

(2) 쇠구슬이 (　　　　　)에 붙어 떨어지지 않는다.

(3) 가위의 (　　　　　) 부분에 손을 베이지 않도록 조심해라.

정답과 해설 ▶ 45쪽

96～97쪽에서 공부한 낱말을 떠올리며 문제를 풀어 보세요.

5 보기에 있는 글자 카드로 뜻에 알맞은 낱말을 만들어 쓰세요.

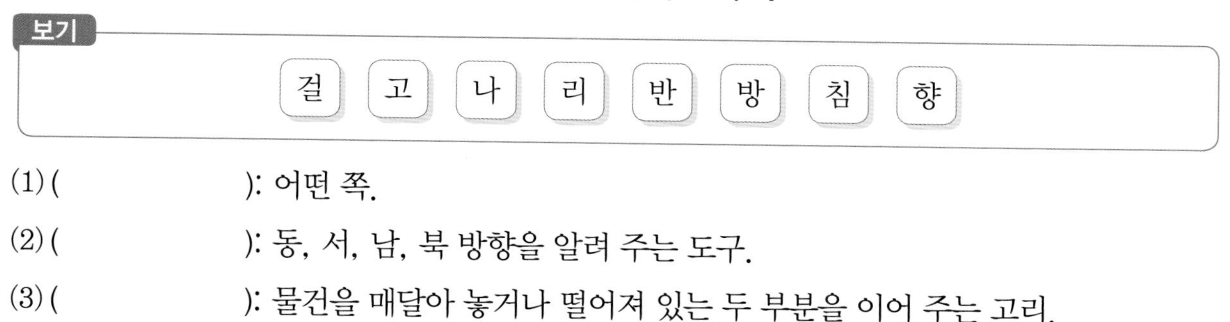

(1) (　　　　　　　): 어떤 쪽.

(2) (　　　　　　　): 동, 서, 남, 북 방향을 알려 주는 도구.

(3) (　　　　　　　): 물건을 매달아 놓거나 떨어져 있는 두 부분을 이어 주는 고리.

6 낱말의 뜻에 맞게 (　　) 안에서 알맞은 말을 골라 ○표 하세요.

(1) 끌어당기다: (끌어서 , 밀어서) 가까이 오게 하다.

(2) 밀다: 무엇을 움직이기 위해 (양쪽 , 반대쪽)에서 힘을 주다.

(3) 끌려오다: 억지로 다른 것이 이끄는 대로 (따라오다 , 다녀오다).

7 다음 두 낱말이 합쳐진 낱말은 무엇인지 쓰세요.

(1) 끌다 + 당기다 → (　　　　　　　)

(2) 잡다 + 당기다 → (　　　　　　　)

8 (　　) 안에서 알맞은 낱말을 골라 ○표 하세요.

(1) 좋아하는 반찬을 앞으로 (끌려왔다 , 끌어당겼다).

(2) 친구가 타고 있는 그네를 힘껏 (밀어 , 적어) 주었다.

(3) 소란을 일으킨 남자가 경찰관에게 잡혀 경찰서로 (끌려왔다 , 데려왔다).

한자 어휘

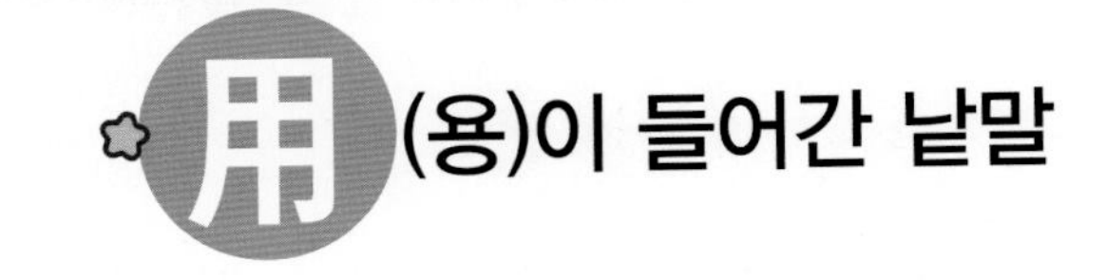

'用(용)'이 들어간 낱말을 읽고, 부분에 밑줄을 그으면서 낱말 공부를 해 보세요.

用
쓸 용

'용(用)'은 나무로 만든 통을 본떠서 그린 글자야. 그릇으로 쓰는 등 생활에서 쓰임이 많다는 데서 '쓰다'라는 뜻을 갖게 되었어. '용(用)'은 '하다', '부리다(일을 시키다.)'의 뜻으로 쓰이기도 해.

무用지물
사用
用건
고用

쓰다 用

무용지물

無 없을 무 + 用 쓸 용 + 之 ~는 지 + 物 물건 물

'지(之)'의 대표 뜻은 '가다'야.

뜻 쓸 만한 데가 없는 물건이나 사람.

예 문을 하나 더 만들었지만 아무도 사용하지 않아 무용지물이 되었다.

사용

使 부릴 사 + 用 쓸 용

뜻 무엇을 어떤 일에 맞게 씀.

예 일회용품을 사용하지 않도록 노력하자.

비슷한말 이용

'이용'은 무엇을 필요에 따라 이롭거나 쓸모가 있게 쓰는 것을 뜻해.

예 요즈음에는 플라스틱을 이용하여 옷을 만든다.

하다·부리다 用

용건

用 할 용 + 件 사건 건

'건(件)'의 대표 뜻은 '물건'이야.

뜻 해야 할 일.

예 친구가 용건도 없이 전화를 했다.

고용

雇 품 팔 고 + 用 부릴 용

뜻 돈을 주고 사람에게 일을 시킴.

예 농장 주인은 일할 사람이 부족해 추가로 일꾼을 고용하였다.

上(상)이 들어간 낱말

정답과 해설 ▶ 46쪽

'上(상)'이 들어간 낱말을 읽고, 부분에 밑줄을 그으면서 낱말 공부를 해 보세요.

'상(上)'은 하늘을 나타내기 위해 만든 글자야. 그래서 '위'라는 뜻을 나타내지. 낱말에서 '상(上)'은 '위', '오르다', '첫째' 등의 뜻을 나타내.

위 上

금상첨화

錦 비단 금 + 上 위 상 + 添 더할 첨 + 花 꽃 화

뜻 비단 위에 꽃을 더한다는 뜻으로, 좋은 일에 또 좋은 일이 더 일어남.

예 이 옷은 값도 싼데 모양도 예뻐서 금상첨화이다.

지상

地 땅 지 + 上 위 상

뜻 땅의 위.

예 지상에 있는 주차장에 차를 대었다.

반대말 지하

'지하'는 땅속이나 땅을 파고 그 아래에 만든 건물의 공간을 뜻해.

예 건물 지하에는 수영장이 있다.

오르다·첫째 上

상륙

上 오를 상 + 陸 뭍 륙

뜻 배에서 육지로 오름.

예 파도가 심해서 상륙이 어렵다.

상권

上 첫째 상 + 卷 책 권

뜻 두 권이나 세 권으로 된 책의 첫째 권.

예 만화책을 상권부터 보았다.

관련 어휘 중권, 하권

'중권'은 세 권으로 된 책의 가운데 권, '하권'은 두 권이나 세 권으로 된 책의 맨 끝 권을 말해.

확인 문제

100쪽에서 공부한 낱말을 떠올리며 문제를 풀어 보세요.

1 낱말의 뜻을 보기에서 찾아 사다리를 타고 내려간 곳에 기호를 쓰세요.

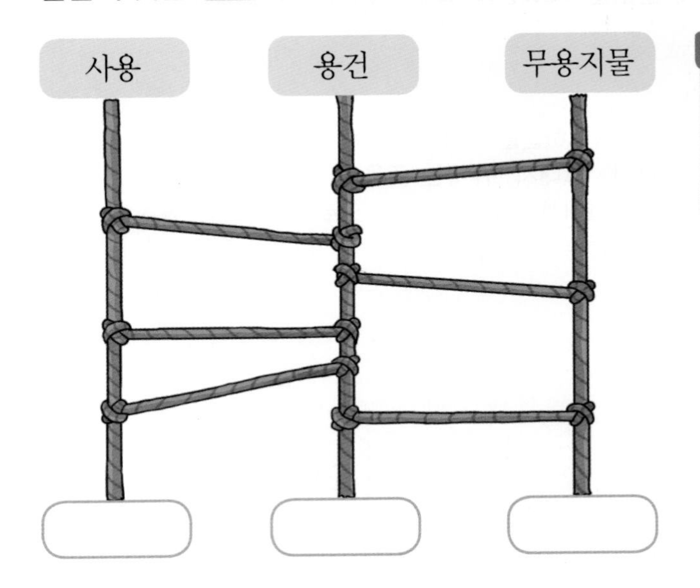

보기
㉠ 해야 할 일.
㉡ 무엇을 어떤 일에 맞게 씀.
㉢ 쓸 만한 데가 없는 물건이나 사람.

2 밑줄 친 '용'이 '부리다'의 뜻으로 쓰인 것에 ○표 하세요.

(1) 사용 (　　)
(2) 고용 (　　)
(3) 용건 (　　)

3 빈칸에 들어갈 알맞은 낱말을 찾아 선으로 이으세요.

(1) 집을 지을 때 흙을 ☐하기도 한다. •　　　　• 고용
(2) 주인은 새로 ☐한 일꾼을 무척 아꼈다. •　　　　• 사용
(3) 비가 오지 않아서 가져온 우산은 ☐이 되었다. •　　　　• 무용지물

101쪽에서 공부한 낱말을 떠올리며 문제를 풀어 보세요.

4 보기에 있는 글자 카드로 뜻에 알맞은 낱말을 만들어 쓰세요.

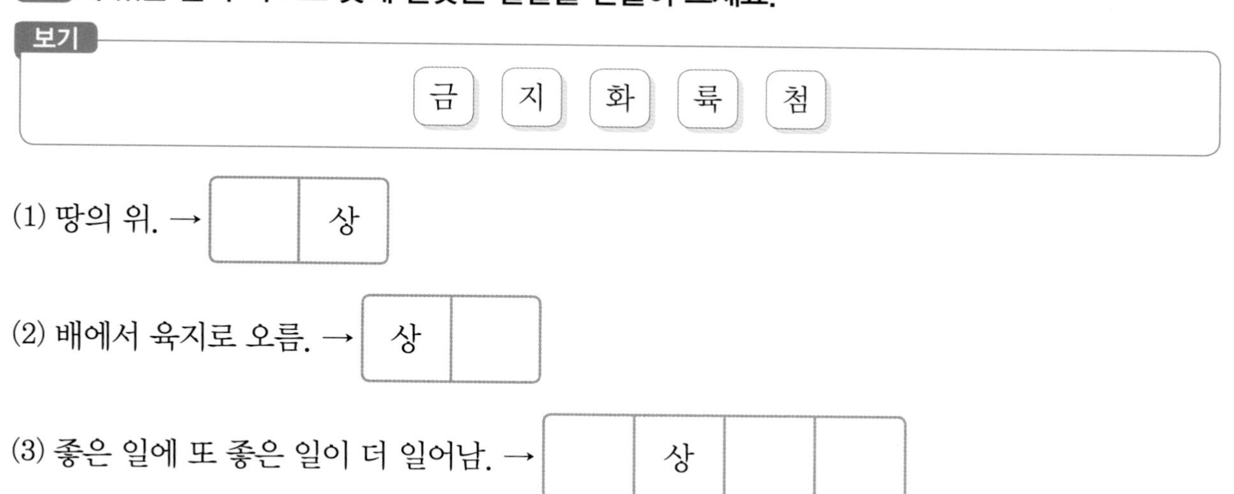

(1) 땅의 위. → □ 상

(2) 배에서 육지로 오름. → 상 □

(3) 좋은 일에 또 좋은 일이 더 일어남. → □ 상 □ □

5 빈칸에 들어갈 알맞은 낱말을 쓰세요.

□□은 두 권이나 세 권으로 된 책의 첫째 권, □□은 두 권이나 세 권으로 된 책의 맨 끝 권을 뜻하는 낱말이다.

6 ▭ 안에 있는 낱말과 뜻이 반대인 낱말에 ○표 하세요.

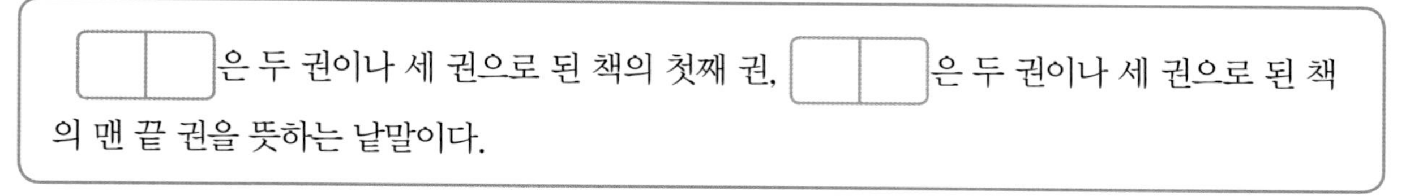

7 밑줄 친 낱말의 쓰임이 알맞으면 ○표, 알맞지 않으면 ×표 하세요.

(1) 잠시 후 비행기가 상륙하겠습니다. (　　　)

(2) 우리 아파트는 지상 이십 층으로 지어졌습니다. (　　　)

(3) 어제는 지우개를 잃어버렸는데 오늘은 연필을 잃어버리다니, 금상첨화네. (　　　)

3주차 어휘력 테스트

앞에서 공부한 낱말을 떠올리며 문제를 풀어 보세요.

낱말 뜻

1 낱말과 그 뜻이 바르게 짝 지어지지 않은 것은 무엇인가요? (   )

① 원인 – 어떤 일이 일어난 까닭.
② 량 – 전철이나 열차의 차량을 세는 단위.
③ 기호 – 어떤 뜻을 나타내기 위한 문자나 부호.
④ 전차 – 물을 끓일 때 생기는 뜨거운 공기의 힘으로 나아가는 배.
⑤ 교통수단 – 사람이 이동하거나 물건을 옮기는 데 쓰는 방법이나 도구.

낱말 뜻

2 ~ 4 낱말의 뜻에 맞게 (   ) 안에 들어갈 알맞은 말을 보기에서 찾아 쓰세요.

보기

방향　　형태　　자동차

2 기본형 | 상황에 따라 (   )이/가 바뀌는 낱말을 대표하는 낱말.

3 카페리 | 여행하는 사람과 (   )을/를 실어 나르는 배.

4 나침반 | 동, 서, 남, 북 (   )을/를 알려 주는 도구.

반대말

5 뜻이 반대인 낱말끼리 짝 지어진 것은 무엇인가요? (   )

① 출발 – 도착　② 이용 – 사용　③ 형태 – 생김새
④ 기본형 – 으뜸꼴　⑤ 경험하다 – 체험하다

속담

6 밑줄 친 속담을 바르게 사용한 친구에게 ○표 하세요.

(1)

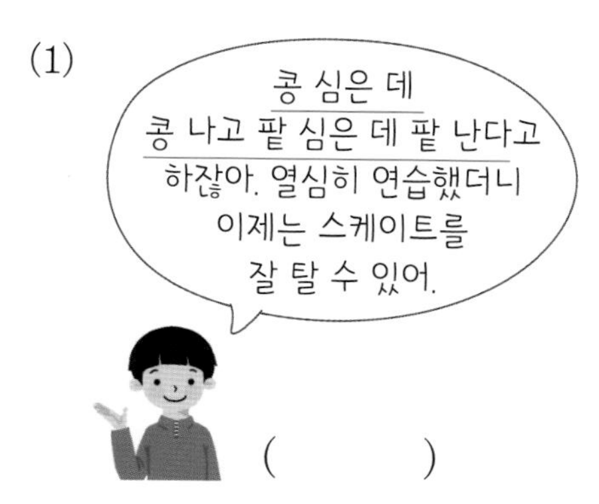

콩 심은 데
콩 나고 팥 심은 데 팥 난다고
하잖아. 열심히 연습했더니
이제는 스케이트를
잘 탈 수 있어.

(   )

(2)

무슨 일이든지 시작이 중요해. 콩 심은 데 콩 나고 팥 심은 데 팥 난다는 말도 있잖아?

(   )

여러 가지 뜻을 가진 낱말

7 밑줄 친 낱말이 보기의 뜻으로 쓰이지 않은 것에 ×표 하세요.

보기

밀다: 무엇을 움직이기 위해 반대쪽에서 힘을 주다.

(1) 어떤 사람이 가게 문을 밀고 들어왔다. (   )

(2) 더운 여름이 되자 머리를 시원하게 밀었다. (   )

(3) 할아버지가 끄는 수레를 뒤에서 밀어 드렸다. (   )

낱말 활용

8 ~ 10 (   ) 안에 들어갈 알맞은 낱말을 보기에서 찾아 쓰세요.

보기

방향 경로 구조

8 소방관들은 큰 불길 속에서도 사람들을 (   )했다.

9 시계 (   )(으)로 돌아가면서 발표를 하기로 하였다.

10 서울에서 부산까지 가는 가장 짧은 (   )을/를 알려 줘.

어휘 미리 보기

한 주 동안
공부할 어휘들이야.
쓱 한번 훑어볼까?

1회 학습 계획일 ( )월 ( )일

국어 교과서 어휘

의견	단서
습관	비슷하다
파악하다	생략되다
제시하다	감동
활동	지은이
팻말	독서

3회 학습 계획일 ( )월 ( )일

수학 교과서 어휘

전체	소수
부분	소수점
분수	수직선
분모	정확하다
분자	심지
단위분수	크기

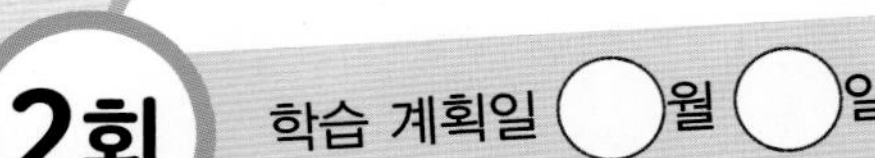

2회 학습 계획일 ( )월 ( )일

사회 교과서 어휘

통신 수단	길도우미
서찰	화상 통화
파발	무선
방	수신호
봉수	무전기
위급	음성 인식

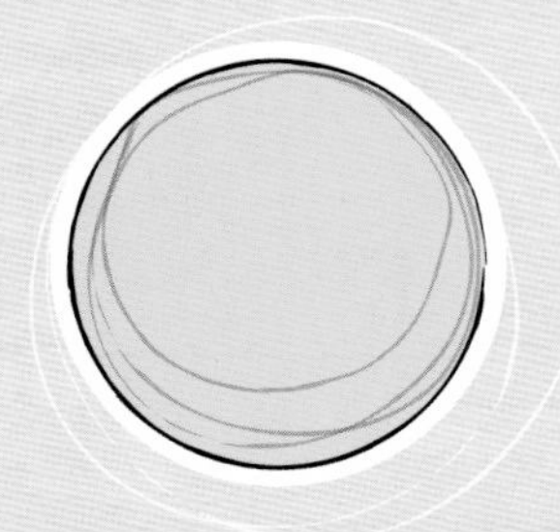

4회

학습 계획일 ( )월 ( )일

과학 교과서 어휘

지구	지구의
표면	달
갯벌	달의 바다
육지	충돌
공기	온도
생물	보존하다

5회

학습 계획일 ( )월 ( )일

한자 어휘

반신반의	생일
확신	탄생
통신원	구사일생
외신	학생

어휘력 테스트

1학기 어휘 학습 끝!
2학기 어휘 학습으로 가 보자.

국어 교과서 어휘

수록 교과서 국어 3-1 ㉯
8. 의견이 있어요

다음 중 낱말의 뜻을 잘 알고 있는 것에 ☑ 하세요.

□ 의견 □ 습관 □ 파악하다 □ 제시하다 □ 활동 □ 팻말

낱말을 읽고, ▭ 부분에 밑줄을 그으면서 낱말 공부를 해 보세요.

이것만은 꼭!

의견

意 뜻 의 + 見 볼 견

뜻 글쓴이나 인물이 어떤 것에게 가지는 생각.

예 나는 당나귀가 영리하지 않다는 의견을 말했다.

비슷한말 생각

'생각'은 어떤 일에 대한 의견이나 느낌을 뜻해.

예 쓰레기를 함부로 버리지 말자는 생각을 알맞은 까닭을 들어 가며 말했다.

습관

習 익힐 습 + 慣 버릇 관

'관(慣)'의 대표 뜻은 '익숙하다'야.

뜻 어떤 행동을 오랫동안 되풀이하면서 저절로 몸에 익혀진 행동.

예 약속을 잘 지키는 것, 꾸준히 일기를 쓰는 것은 좋은 습관이다.

'익히다'는 자주 경험하여 조금도 서투르지 않게 한다는 뜻이야.

속담 세 살 적 버릇이 여든까지 간다

어릴 때 몸에 밴 습관은 늙어 죽을 때까지 고치기 힘들다는 뜻으로, 어릴 때부터 나쁜 습관이 들지 않도록 잘 가르쳐야 한다는 말이야.

파악하다

把 잡을 파 + 握 쥘 악 + 하다

뜻 내용이나 상황을 확실하게 알다.

예 수찬이는 글을 읽고 지구를 깨끗이 가꾸자는 글쓴이의 의견을 바르게 파악하였다.

비슷한말 이해하다

'이해하다'는 "무엇을 깨달아 알다. 또는 잘 알아서 받아들이다."라는 뜻이야.

예 이 책의 내용은 누구나 쉽게 이해할 수 있다.

제시하다

提 제시할 제 + 示 보일 시 + 하다

'제(提)'의 대표 뜻은 '끌다'야.

뜻 생각을 말이나 글로 나타내어 보이다.

예 고마움을 표현하는 습관을 기르고 싶다는 의견을 친구들에게 제시했다.

비슷한말 내세우다

'내세우다'는 "생각이나 의견들을 앞세우거나 고집하다."라는 뜻이야.

예 동생은 자꾸 자기 말만 옳다고 내세웠다.

활동

活 살 활 + 動 움직일 동

뜻 어떤 일을 힘써서 하는 것.

예 아름답고 즐거운 학교를 가꾸기 위한 알림 활동을 해 봅시다.

팻말

牌 패 패 + 말

뜻 다른 사람들에게 알리기 위하여 글, 그림 등을 써 놓은, 네모난 조각.

예 팻말에 "복도에서 뛰지 않아요."라는 글을 써서 붙였다.

꼭! 알아야 할 속담

빈칸 채우기

'[ ]도 두들겨 보고 건너라'는 잘 알거나 확실해 보이는 일이라도 한 번 더 확인하고 주의하라는 말입니다.

국어 교과서 어휘

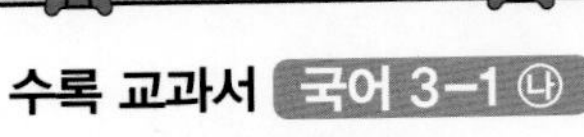

수록 교과서 국어 3-1 ㉯
9. 어떤 내용일까 ~
10. 문학의 향기

다음 중 낱말의 뜻을 잘 알고 있는 것에 ✓ 하세요.

□ 단서 □ 비슷하다 □ 생략되다 □ 감동 □ 지은이 □ 독서

낱말을 읽고, ▭ 부분에 밑줄을 그으면서 낱말 공부를 해 보세요.

단서

端 실마리 단 + 緖 실마리 서

'단(端)'의 대표 뜻은 '끝'이야.

뜻 어떤 일이나 사건이 일어난 까닭을 풀어 나갈 수 있는 실마리.

예 글에서 찾을 수 있는 단서를 확인하면 글에 나타나지 않은 내용을 짐작할 수 있다.

비슷한말 실마리

'실마리'는 일이나 사건을 해결해 나갈 수 있는 시작이 되는 부분을 말해.

예 수수께끼의 실마리가 드디어 풀렸다.

비슷하다

뜻 생김새나 성질 등이 아주 똑같지는 않지만 닮은 점이 많다.

예 '닮다'와 뜻이 비슷한 낱말은 '줄어들다'이다.

비슷한말 유사하다

'유사하다'는 "서로 비슷하다."라는 뜻이야.

예 오징어와 문어는 자신을 보호하는 방법이 유사하다.

'꿩 대신 닭'이라는 속담이 있어. 적당한 것이 없을 때 그와 비슷한 것으로 대신하는 경우를 이르는 말이야.

생략되다

省 덜 생 + 略 간략할 략 + 되다

뜻 간단하게 줄여지거나 빠지게 되다.

예 석주명이 나비를 찾으려고 온 산을 헤매고 다녔다는 내용에는 석주명이 나비를 좋아했다는 내용이 생략되어 있다.

이것만은 꼭!

감동

感 느낄 감 + 動 움직일 동

뜻 크게 느껴 마음이 움직임.

예 이야기를 읽고 평소에 착하지 않던 아이가 착한 행동을 하려고 노력하는 부분에서 감동을 받았다.

비슷한말 감격

'감격'은 마음에 깊이 느끼어 크게 감동하는 것을 뜻해.

예 올림픽에서 메달을 딴 선수는 감격의 눈물을 흘렸다.

지은이

뜻 글이나 곡을 지은 사람.

예 책을 소개할 때에는 책의 지은이도 소개한다.

비슷한말 작자

'작자'도 글이나 곡을 지은 사람을 뜻해.

예 「인어공주」의 작자는 안데르센이다.

독서

讀 읽을 독 + 書 글 서

뜻 책을 읽음.

예 우리가 읽은 책으로 여러 가지 활동을 하는 독서 잔치가 열렸다.

꼭! 알아야 할 관용어

○표 하기 '(눈 깜짝할 사이 , 눈에 넣어도 아프지 않다)'는 매우 귀엽다는 뜻입니다.

확인 문제

108～109쪽에서 공부한 낱말을 떠올리며 문제를 풀어 보세요.

1 뜻에 알맞은 낱말을 글자판에서 찾아 묶으세요. (낱말은 가로(—), 세로(|) 방향에 숨어 있어요.)

❶ 어떤 일을 힘써서 하는 것.
❷ 내용이나 상황을 확실하게 알다.
❸ 생각을 말이나 글로 나타내어 보이다.
❹ 어떤 행동을 오랫동안 되풀이하면서 저절로 몸에 익혀진 행동.

2 낱말의 뜻에 맞게 빈칸에 들어갈 알맞은 말을 쓰세요.

(1) 의견 | 글쓴이나 인물이 어떤 것에게 가지는 [|].

(2) 팻말 | 다른 사람들에게 알리기 위하여 [ ], [|] 등을 써 놓은, 네모난 조각.

3 밑줄 친 속담을 바르게 사용한 친구의 이름을 쓰세요.

경주: 세 살 적 버릇이 여든까지 간다고 줄임 말을 쓰는 습관은 빨리 고치는 것이 좋아.
준원: 백 원짜리 동전도 모으면 나중에 큰돈이 될 수 있어. 세 살 적 버릇이 여든까지 간다는 말이 맞는 것 같아.

( )

4 ( ) 안에 들어갈 알맞은 낱말을 보기에서 찾아 쓰세요.

보기
습관
의견
제시

(1) 급식 시간에 질서를 지키자는 ( )을/를 말했다.
(2) 의견을 글로 쓸 때에는 까닭도 함께 ( )해야 한다.
(3) 날마다 운동하는 ( )을/를 기르면 몸과 마음이 건강해진다.

110～111쪽에서 공부한 낱말을 떠올리며 문제를 풀어 보세요.

5

보기에 있는 글자 카드로 뜻에 알맞은 낱말을 만들어 쓰세요.(같은 글자 카드를 여러 번 쓸 수 있어요.)

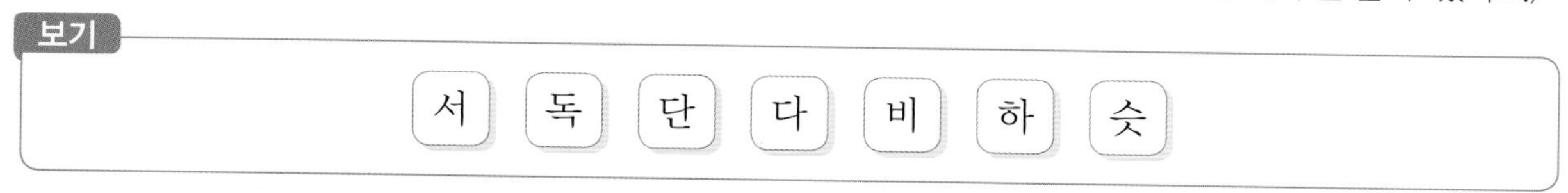

(1) 책을 읽음. → ☐☐

(2) 어떤 일이나 사건이 일어난 까닭을 풀어 나갈 수 있는 실마리. → ☐☐

(3) 생김새나 성질 등이 아주 똑같지는 않지만 닮은 점이 많다. → ☐☐☐☐

6

친구들의 물음에 알맞은 답을 쓰세요.

(1)

크게 느껴
마음이 움직이는 것을
뜻하는 낱말은?

(2)

글이나 곡을
지은 사람을 뜻하는
낱말은?

7

'단서'와 뜻이 비슷한 낱말은 무엇인가요? (　　　　)

① 단계　② 조사　③ 실마리　④ 마무리　⑤ 걱정거리

8

밑줄 친 낱말을 바르게 사용한 친구의 이름을 쓰세요.

영준: 책 속 인물인 지은이에게 하고 싶은 말을 편지로 써 보자.
재호: 시를 읽고 친구를 위하는 마음이 느껴져서 단서를 받았어.
경아: 글을 읽으면서 생략된 내용을 짐작하면 글을 더 잘 이해할 수 있어.

(　　　　　　　　)

사회 교과서 어휘

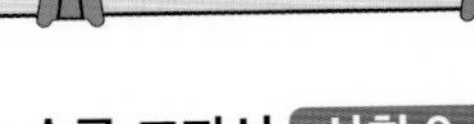

수록 교과서 사회 3-1
3. 교통과 통신 수단의 변화

다음 중 낱말의 뜻을 잘 알고 있는 것에 ✓ 하세요.

□ 통신 수단 □ 서찰 □ 파발 □ 방 □ 봉수 □ 위급

옛날에는 소식이나 정보를 전할 때 직접 걸어가거나 말을 타고 가거나 글을 써서 붙였나 봐. 이런 통신 수단을 뭐라고 하는지 알아보자.
과거 시험 합격자
서찰이 왔습니다.
방이 붙었네.
빨리 이 소식을 전하고 오거라!

낱말을 읽고, 　　 부분에 밑줄을 그으면서 낱말 공부를 해 보세요.

이것만은 꼭!

통신 수단

通 통할 통 + 信 정보 신 + 手 수단 수 + 段 방법 단

'신(信)'의 대표 뜻은 '믿다', '수(手)'의 대표 뜻은 '손', '단(段)'의 대표 뜻은 '층계'야.

뜻 정보를 전달하려고 사용하는 방법이나 도구.

예 옛날에는 통신 수단이 발달하지 못해 소식을 알리기 위해 먼 곳까지 직접 찾아갔다.

관련 어휘 **통신**

'통신'은 편지나 전화 등으로 정보나 소식 등을 전하는 것을 말해.

서찰

書 글 서 + 札 편지 찰

뜻 안부나 소식을 적어 보내는 글.

예 옛날 사람들은 안부를 전할 때 서찰을 이용했다.

'안부'는 어떤 사람이 편안하게 잘 지내는지에 대한 소식 또는 그것을 묻는 인사를 뜻하는 낱말이야.

파발

擺 열 파 + 撥 다스릴 발

뜻 나라의 일과 관련된 소식을 걸어가거나 말을 타고 가서 전하는 방법.

예 장군은 말을 탄 부하를 파발로 보내며 빨리 소식을 전하고 오라고 하였다.

방

榜 방 붙일 방

뜻 어떤 일을 널리 알리려고 사람들이 많이 모이는 곳에 써 붙이는 글.

예 과거 시험 합격자 명단을 쓴 방이 붙었다.

글자는 같지만 뜻이 다른 낱말 방

'방'은 사람이 살거나 일을 하기 위해 벽을 막아서 만든 칸이라는 전혀 다른 뜻도 있어.

예 방을 청소하였다.

봉수

烽 봉화 봉 + 燧 부싯돌 수

뜻 낮에는 연기로, 밤에는 횃불로 먼 곳까지 정보를 전달하는 통신 방법.

예 옛날에는 전쟁이 일어날 때 봉수로 소식을 전했는데, 그 까닭은 연기를 피우면 멀리서도 확인할 수 있기 때문이다.

▲ 봉수대

위급

危 위태할 위 + 急 급할 급

뜻 일이나 상태가 몹시 위험하고 급함.

예 옛날에는 전쟁과 같이 위급 상황이 발생했을 때 북을 쳐서 소식을 전하기도 했다.

사회 교과서 어휘

수록 교과서 사회 3-1
3. 교통과 통신 수단의 변화

다음 중 낱말의 뜻을 잘 알고 있는 것에 ✓ 하세요.

□ 길도우미 □ 화상 통화 □ 무선 □ 수신호 □ 무전기 □ 음성 인식

다른 사람과 소식이나 정보를 주고받을 때 무엇을 이용하니? 오늘날 사람들이 이용하는 통신 수단의 종류에는 무엇이 있는지 공부해 볼까?
기차역에서 신고가 접수되었으니 출동하시기 바랍니다.

✎ 낱말을 읽고, ▭ 부분에 밑줄을 그으면서 낱말 공부를 해 보세요.

길도우미

뜻 지도를 보이거나 빠른 길을 찾아 주어 자동차 운전을 도와주는 장치.

예 차를 운전할 때 모르는 길은 길도우미로 찾으면 된다.

이것만은 꼭!

화상 통화

畫 그림 화 + 像 모양 상 + 通 통할 통 + 話 말씀 화

뜻 전화나 컴퓨터 등의 화면을 통해 상대를 보면서 하는 통화.

예 화상 통화로 먼 곳에 있는 사람과 회의를 하였다.

무선

無 없을 무 + 線 선 선

뜻 방송이나 통신을 전깃줄 없이 전파로 보내거나 받음.

예 과일 가게 직원이 무선 마이크를 이용해 수박을 팔고 있다.

관련 어휘 유선

'유선'은 미리 설치된 전깃줄을 통한 방송이나 통신 방법을 뜻해.

▲ 무선 마이크를 이용하는 모습

수신호

手 손 수 + 信 정보 신 + 號 부호 호

'신(信)'의 대표 뜻은 '믿다', '호(號)'의 대표 뜻은 '이름'이야.

뜻 손으로 하는 신호.

예 물속에서는 수신호를 사용해 의사소통을 한다.

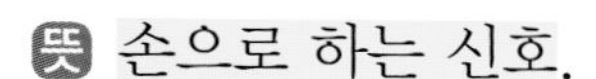

▲ 물속에서 사용하는 수신호

무전기

無 없을 무 + 電 전기 전 + 機 틀 기

'전(電)'의 대표 뜻은 '번개'야.

뜻 무선으로 통신하는 데 쓰는 기계.

예 경찰관들은 서로 무전기를 이용하여 출동해야 할 곳을 알려 준다.

음성 인식

音 소리 음 + 聲 소리 성 + 認 알 인 + 識 알 식

뜻 사람이 하는 말의 뜻을 컴퓨터 등을 사용하여 자동적으로 아는 것.

예 이 차는 음성 인식으로 자율 주행을 할 수 있어서 목적지만 말하면 운전하지 않아도 목적지까지 데려다준다.

확인 문제

114~115쪽에서 공부한 낱말을 떠올리며 문제를 풀어 보세요.

1 보기에 있는 글자 카드로 뜻에 알맞은 낱말을 만들어 쓰세요.(같은 글자 카드를 여러 번 쓸 수 있어요.)

보기

파 통 신 봉 단 수 발

(1) 정보를 전달하려고 사용하는 방법이나 도구. → □□ □□

(2) 나라의 일과 관련된 소식을 걸어가거나 말을 타고 가서 전하는 방법. → □□

(3) 낮에는 연기로, 밤에는 횃불로 먼 곳까지 정보를 전달하는 통신 방법. → □□

2 두 친구가 설명하는 '이것'에 해당하는 것을 찾아 ○표 하세요.

태현: 이것은 안부나 소식을 적어 보내는 글을 말해.
윤정: 이것은 옛날 통신 수단 중에 하나로 안부를 전할 때 쓰였어.

(방 , 서찰)

3 밑줄 친 낱말과 뜻이 같은 것을 찾아 ○표 하세요.

이 소식을 많은 사람이 볼 수 있도록 방을 써서 붙여라.

(1) 나는 형과 방을 같이 쓴다. (　　　)　(2) 범인을 잡는다는 방이 붙었다. (　　　)

4 밑줄 친 낱말의 쓰임이 알맞으면 ○표, 알맞지 않으면 ×표 하세요.

(1) 아이가 대감에게 파발을 요구했다. (　　　)
(2) 북이나 봉수는 적이 쳐들어올 때 이용했던 통신 수단이다. (　　　)
(3) 봉수는 상황이 얼마나 위급한지에 따라 횃불의 개수가 달랐다. (　　　)

116～117쪽에서 공부한 낱말을 떠올리며 문제를 풀어 보세요.

5 뜻에 알맞은 낱말을 보기에서 찾아 쓰세요.

보기

무선 무전기 길도우미 음성 인식 화상 통화

(1) ( ): 무선으로 통신하는 데 쓰는 기계.

(2) ( ): 방송이나 통신을 전깃줄 없이 전파로 보내거나 받음.

(3) ( ): 전화나 컴퓨터 등의 화면을 통해 상대를 보면서 하는 통화.

(4) ( ): 사람이 하는 말의 뜻을 컴퓨터 등을 사용하여 자동적으로 아는 것.

(5) ( ): 지도를 보이거나 빠른 길을 찾아 주어 자동차 운전을 도와주는 장치.

6 밑줄 친 부분과 관계있는 낱말은 무엇인가요? ( )

심판이 손으로 하는 신호를 보고 선수가 어떤 반칙을 했는지 알았다.

① 악수 ② 암호 ③ 수신호
④ 신호등 ⑤ 교통 신호

7 밑줄 친 낱말이 알맞게 쓰였는지 ○, ×를 따라가며 선을 긋고 몇 번으로 나오는지 쓰세요.

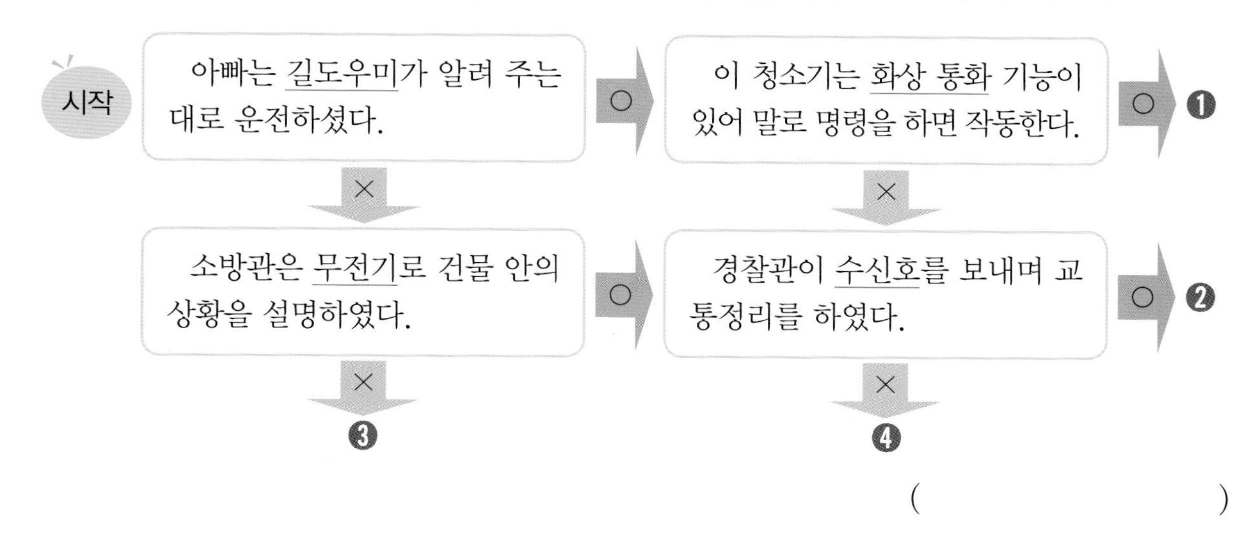
시작
아빠는 길도우미가 알려 주는 대로 운전하셨다.
○
이 청소기는 화상 통화 기능이 있어 말로 명령을 하면 작동한다.
○
❶
×
×
소방관은 무전기로 건물 안의 상황을 설명하였다.
○
경찰관이 수신호를 보내며 교통정리를 하였다.
○
❷
×
×
❸
❹

( )

수학 교과서 어휘

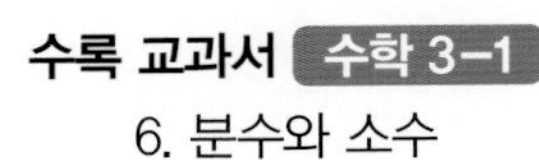

다음 중 낱말의 뜻을 잘 알고 있는 것에 ✔ 하세요.

☐ 전체 ☐ 부분 ☐ 분수 ☐ 분모 ☐ 분자 ☐ 단위분수

주스의 남은 양을
정확히 표현하려면
뭐라고 말해야 할까?
남자아이는 주스의 남은
양을 표현하고 싶은가 봐. 이렇게
전체에 대한 부분의 크기를 표현할
때에는 분수를 사용하면 돼. 분수와
관련된 낱말들에 대해 알아보자.

낱말을 읽고, 부분에 밑줄을 그으면서 낱말 공부를 해 보세요.

전체
全 온전할 전 + 體 몸 체

뜻 어떤 것을 이루는 모두.

예 ◐은 전체 ○의 반을 연두색으로 칠한 것이다.

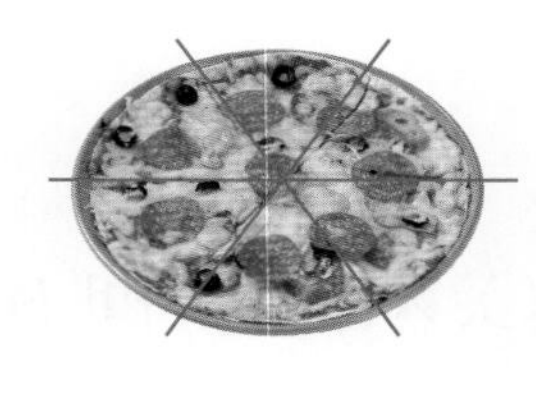

부분
部 나눌 부 + 分 나눌 분

'부(部)'의 대표 뜻은 '떼'야.

뜻 전체를 몇으로 나눈 것의 하나하나.

예 부분 ▯은 전체 ▭를 똑같이 3으로 나눈 것 중의 1을 주황색으로 칠한 것이다.

이것만은 꼭!

분수
分 나눌 분 + 數 셈 수

뜻 전체에 대한 부분을 나타내는 수.

예 전체를 똑같이 2로 나눈 것 중의 1을 분수로 나타내면 $\frac{1}{2}$이다.

글자는 같지만 뜻이 다른 낱말 분수

'분수'는 좁은 구멍을 통해서 물을 위로 내뿜는 시설이나 그 물이라는 전혀 다른 뜻으로도 쓰여.

예 분수에서 물이 나온다.

분모
分 나눌 분 + 母 어머니 모

뜻 분수에서 가로줄 아래에 있는 수.

예 $\frac{2}{5}$, $\frac{3}{5}$, $\frac{4}{5}$는 모두 분모가 5인 분수이다.

$\frac{2}{⑤}$, $\frac{3}{⑤}$, $\frac{4}{⑤}$

분모

분자
分 나눌 분 + 子 아들 자

뜻 분수에서 가로줄 위에 있는 수.

예 $\frac{3}{4}$, $\frac{3}{5}$, $\frac{3}{7}$은 모두 분자가 3인 분수이다.

분자

$\frac{③}{4}$, $\frac{③}{5}$, $\frac{③}{7}$

단위분수
單 홑 단 + 位 자리 위 +
分 나눌 분 + 數 셈 수

뜻 분자가 1인 분수.

예 $\frac{1}{2}$, $\frac{1}{3}$은 모두 단위분수이다.

수학 교과서 어휘

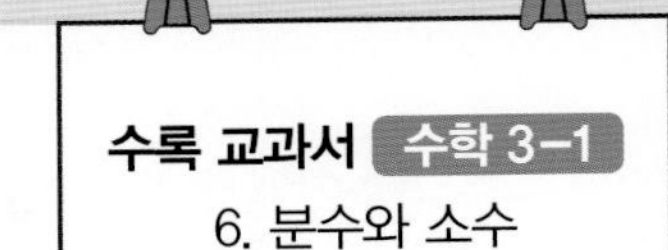

다음 중 낱말의 뜻을 잘 알고 있는 것에 ✓ 하세요.

☐ 소수 ☐ 소수점 ☐ 수직선 ☐ 정확하다 ☐ 심지 ☐ 크기

연필의 길이는
10.5센티미터구나.
9 10 11
연필의 길이는 10센티미터보다
길고 11센티미터보다 짧은
10.5센티미터야. 10.5는 소수야.
이번 회에서는 소수와 관련된 낱말에
대해 공부해 볼까?

낱말을 읽고, ▭ 부분에 밑줄을 그으면서 낱말 공부를 해 보세요.

이것만은 꼭!

소수

小 작을 소 + 數 셈 수

뜻 일의 자리보다 작은 자리의 값을 가진 수.

예 0.1, 0.2, 0.3과 같은 수를 소수라고 한다.

0.1
일의 자리 / 일의 자리보다 작은 자리

소수점

小 작을 소 + 數 셈 수 + 點 점 점

뜻 소수를 나타낼 때 사용하는 점.

예 0.5에서 0과 5 사이에 찍은 점이 소수점이다.

0.5
소수점

수직선

數 셈 수 + 直 곧을 직 + 線 선 선

뜻 일정한 간격으로 눈금을 표시하고 눈금에 수를 나타낸 직선.

예 종이 개구리가 뛴 거리를 수직선에 나타내어 보자.

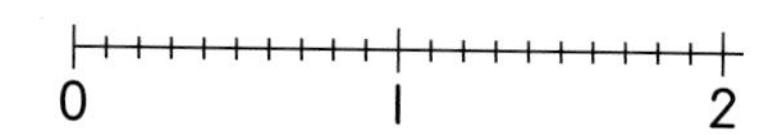

정확하다

正 바를 정 + 確 확실할 확 + 하다

'확(確)'의 대표 뜻은 '굳다'야.

뜻 바르고 틀림없다.

예 지혜의 키를 140센티미터라고 하는 것보다 139.5센티미터라고 하는 것이 더 정확하다.

비슷한말 **확실하다**

'확실하다'는 "실제와 꼭 같거나 틀림없이 그러하다."라는 뜻이야.

예 이번 일은 확실하게 내가 잘못했다.

심지

心 마음 심 + 지

뜻 초나 등잔 등에 불을 붙이기 위해 실이나 헝겊을 꼬아서 꽂은 것.

예 향초 심지의 길이를 센티미터로 나타내었다.

크기

뜻 넓이, 양 등이 큰 정도.

예 0.3과 0.6의 크기를 비교하면 0.6이 더 크다.

'크기'를 나타내는 말에는 '크다', '작다', '큼지막하다', '조그맣다' 등이 있어.

확인 문제

120～121쪽에서 공부한 낱말을 떠올리며 문제를 풀어 보세요.

1 **보기**에 있는 글자 카드로 뜻에 알맞은 낱말을 만들어 쓰세요. (같은 글자 카드를 여러 번 쓸 수 있어요.)

보기

분 수 위 자 모 단

(1) 분수에서 가로줄 위에 있는 수. → ☐☐

(2) 분수에서 가로줄 아래에 있는 수. → ☐☐

(3) 분자가 1인 분수. → ☐☐☐☐

2 낱말의 뜻에 대해 바르게 말하지 못한 친구의 이름을 쓰세요.

채원: '전체'는 어떤 것을 이루는 일부분을 뜻하는 낱말이야.
지후: '부분'은 전체를 몇으로 나눈 것의 하나하나를 뜻하는 낱말이야.

(　　　　　　　　)

3 밑줄 친 낱말의 뜻으로 알맞은 것에 ○표 하세요.

오늘 배운 분수 계산이 잘 이해되지 않아 선생님께 다시 여쭈어 보았다.

(1) 전체에 대한 부분을 나타내는 수. (　　　)

(2) 좁은 구멍을 통해서 물을 위로 내뿜는 시설이나 그 물. (　　　)

4 (　　) 안에 들어갈 알맞은 낱말을 **보기**에서 찾아 쓰세요.

보기

전체
부분
분자

(1) $\frac{2}{7}$에서 (　　　　　　)은/는 2이다.

(2) 샌드위치를 먹고 남은 (　　　　　　)은/는 전체의 $\frac{1}{5}$이다.

(3) 주스를 한 컵 가득 따라 주었는데 지혜는 (　　　　　　)의 $\frac{3}{5}$만 마셨다.

122～123쪽에서 공부한 낱말을 떠올리며 문제를 풀어 보세요.

5 낱말의 뜻을 찾아 선으로 이으세요.

(1) 심지 •
(2) 크기 •
(3) 소수점 •
(4) 수직선 •

• 넓이, 양 등이 큰 정도.
• 소수를 나타낼 때 사용하는 점.
• 일정한 간격으로 눈금을 표시하고 눈금에 수를 나타낸 직선.
• 초나 등잔 등에 불을 붙이기 위해 실이나 헝겊을 꼬아서 꽂은 것.

6 낱말의 뜻에 맞게 (   ) 안에서 알맞은 말을 골라 ○표 하세요.

(1) 정확하다: 바르고 (관계없다 , 틀림없다).

(2) 소수: 일의 자리보다 (큰 , 작은) 자리의 값을 가진 수.

7 빈칸에 들어갈 알맞은 낱말을 글자 카드를 이용하여 만들어 쓰세요.

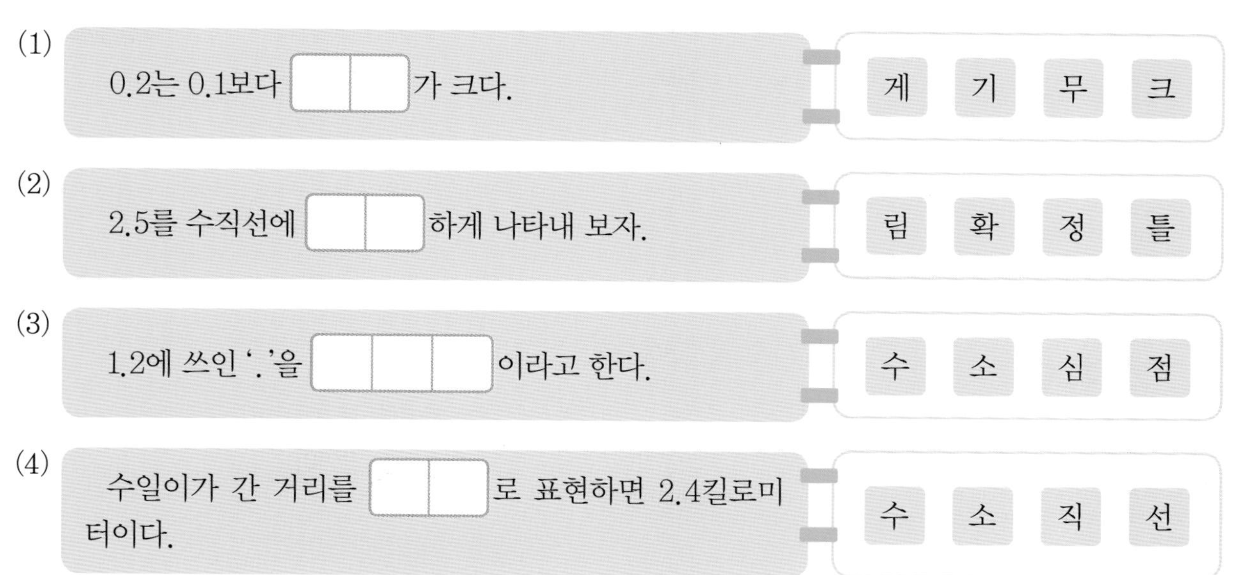

(1)
0.2는 0.1보다 ☐☐ 가 크다.
게 기 무 크
(2)
2.5를 수직선에 ☐☐ 하게 나타내 보자.
림 확 정 틀
(3)
1.2에 쓰인 '.'을 ☐☐☐ 이라고 한다.
수 소 심 점
(4)
수일이가 간 거리를 ☐☐ 로 표현하면 2.4킬로미터이다.
수 소 직 선

과학 교과서 어휘

수록 교과서 과학 3-1
5. 지구의 모습

다음 중 낱말의 뜻을 잘 알고 있는 것에 ✅ 하세요.

☐ 지구 ☐ 표면 ☐ 갯벌 ☐ 육지 ☐ 공기 ☐ 생물

우리가 살고 있는 지구는
어떤 곳일까? 지구에는 무엇이 있을까?
지구와 관계있는 낱말들을 통해
지구에 대해 더 알아보자.

낱말을 읽고, 부분에 밑줄을 그으면서 낱말 공부를 해 보세요.

이것만은 꼭!

지구

地 땅 지 + 球 공 구

뜻 우리가 살고 있는, 태양에서 세 번째로 가까운 별.

예 우리가 살고 있는 지구는 태양 주위를 돈다.

포함하는 말 **행성**

'지구'를 포함하는 말은 '행성'이야. '행성'은 태양의 둘레를 도는 별을 뜻해.

표면

表 겉 표 + 面 겉 면

'면(面)'의 대표 뜻은 '낯'이야.

뜻 가장 바깥쪽 또는 가장 윗부분.

예 지구의 표면에는 산, 들, 강 등이 있다.

비슷한말 **겉면**

'겉면'은 겉에 있거나 보이는 면을 뜻하는 낱말이야.

예 상자 겉면에 이름을 썼다.

갯벌

뜻 바닷물이 빠져나간 자리에 드러난 넓고 평평한 땅.

예 갯벌에는 조개나 낙지 등 다양한 바다 생물들이 산다.

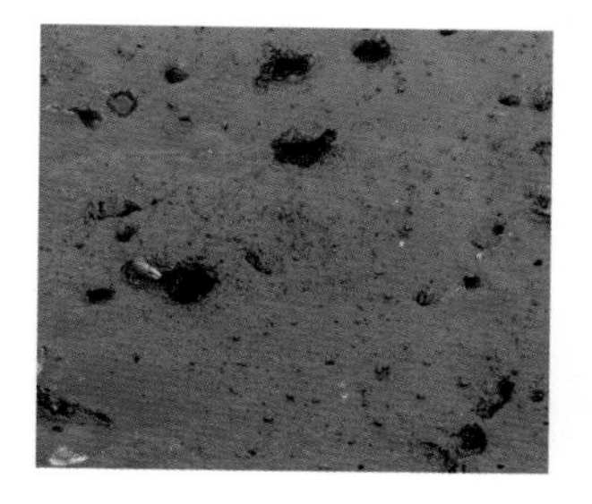

육지

陸 뭍 육 + 地 땅 지

뜻 지구 표면에서 물에 덮이지 않은 부분.

예 지구에서 강이나 바다와 같이 물이 있는 곳을 뺀 곳이 육지이다.

비슷한말 땅

'땅'은 지구에서 물로 된 부분이 아닌 흙이나 돌로 된 부분을 말해.

예 땅을 파고 항아리를 묻었다.

공기

空 빌 공 + 氣 공기 기

'기(氣)'의 대표 뜻은 '기운'이야.

뜻 지구를 둘러싸고 있는, 색과 냄새가 없는 기체. 동물과 식물이 숨을 쉬고 살아가는 데 꼭 필요함.

예 부풀어 오른 풍선 안에는 공기가 있다.

관련 어휘 기체

'기체'는 담는 그릇에 따라 모양과 부피(물질이 차지하는 공간의 크기)가 변하고, 담긴 그릇을 항상 가득 채우는 물질의 상태를 말해.

생물

生 살 생 + 物 만물 물

'생(生)'의 대표 뜻은 '나다'이고, '물(物)'의 대표 뜻은 '물건'이야.

뜻 생명이 있는 동물과 식물.

예 인구 증가와 환경 오염 등 다양한 문제로 지구는 점점 생물이 살기 힘든 곳이 되어 가고 있다.

과학 교과서 어휘

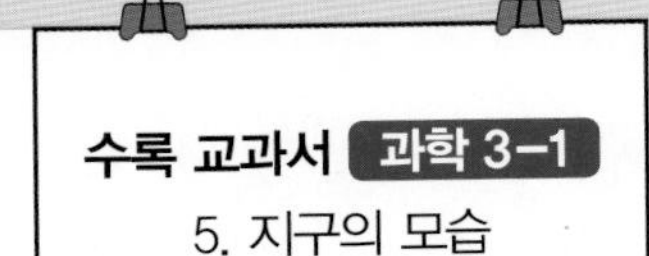

다음 중 낱말의 뜻을 잘 알고 있는 것에 ✔ 하세요.

□ 지구의 □ 달 □ 달의 바다 □ 충돌 □ 온도 □ 보존하다

밤하늘에 떠 있는 달을 보면
지구처럼 동그랗게 생겼지?
하지만 달은 지구와 달라. 달은 어떤
특징을 가졌는지 오늘 배울 낱말을
통해 알아볼까?

낱말을 읽고, 부분에 밑줄을 그으면서 낱말 공부를 해 보세요.

지구의

地 땅 지 + 球 공 구 + 儀 천문 기계 의

'의(儀)'의 대표 뜻은 '거동'이야.

뜻 지구를 본떠 만든 모형.

예 지구의와 인형을 이용하여 마젤란 탐험대가 세계 일주를 한 뱃길을 따라가 보았다.

이것만은 꼭!

달

뜻 밤이 되면 하늘에 뜨는, 지구 주위를 도는 물체.

예 밤하늘에 떠 있는 달을 보면 쟁반이 떠오른다.

여러 가지 뜻을 가진 낱말 달

'달'은 일 년을 열둘로 나누어 놓은 기간이라는 뜻도 있어.

예 이번 달에 전학을 간다.

달의 바다

뜻 달의 표면에서 어둡게 보이는 곳.

예 달 표면에 있는 달의 바다에 실제로는 물이 없다.

충돌

衝 부딪칠 충 + 突 부딪칠 돌

'충(衝)'의 대표 뜻은 '찌르다', '돌(突)'의 대표 뜻은 '갑자기'야.

뜻 물체가 서로 세게 부딪치는 것.

예 달 표면에 있는 구덩이는 우주를 떠돌던 돌덩이가 달 표면에 충돌하여 만들어졌다.

온도

溫 따뜻할 온 + 度 온도 도

'도(度)'의 대표 뜻은 '법도'야.

뜻 따뜻하고 차가운 정도.

예 달에서 햇빛이 비추는 곳은 온도가 너무 높고, 햇빛이 비추지 않는 곳은 온도가 너무 낮아서 생물이 살기에 알맞지 않다.

보존하다

保 지킬 보 + 存 있을 존 + 하다

뜻 중요한 것을 잘 보호하여 그대로 남기다.

예 갈수록 심각해지는 환경 오염으로부터 지구를 보존하기 위해 '지구의 날'을 만들었다.

비슷한말 지키다

'지키다'는 "소중한 것을 잃지 않도록 하다."라는 뜻이야.

예 환경을 지키기 위해 일회용품 사용을 줄이자.

확인 문제

126~127쪽에서 공부한 낱말을 떠올리며 문제를 풀어 보세요.

1 뜻에 알맞은 낱말을 글자판에서 찾아 묶으세요. (낱말은 가로(—), 세로(|) 방향에 숨어 있어요.)

갯	벌	생	명
표	면	물	질
활	지	바	공
교	구	다	기

❶ 생명이 있는 동물과 식물.
❷ 가장 바깥쪽 또는 가장 윗부분.
❸ 우리가 살고 있는, 태양에서 세 번째로 가까운 별.
❹ 지구를 둘러싸고 있는, 색과 냄새가 없는 기체. 동물과 식물이 숨을 쉬고 살아가는 데 꼭 필요함.

2 낱말의 뜻에 맞게 (　　) 안에서 알맞은 말을 골라 ○표 하세요.

(1) 육지 | 지구 표면에서 물에 (덮인 , 덮이지 않은) 부분.

(2) 갯벌 | 바닷물이 (들어온 , 빠져나간) 자리에 드러난 넓고 평평한 땅.

3 　　안의 낱말과 뜻이 비슷한 낱말은 무엇인가요? (　　　)

육지　① 산　② 강　③ 땅　④ 바다　⑤ 표면

4 빈칸에 들어갈 알맞은 낱말을 찾아 선으로 이으세요.

(1) 우리가 살고 있는 [　　]은/는 둥근 공 모양이다. •　　• 공기

(2) 공기는 [　　]이/가 숨을 쉬고 살 수 있도록 해 준다. •　　• 생물

(3) 부채질을 하면 시원해지는 것을 통해 [　　]을/를 느낄 수 있다. •　　• 지구

정답과 해설 ▶ 61쪽

128~129쪽에서 공부한 낱말을 떠올리며 문제를 풀어 보세요.

5 뜻에 알맞은 낱말을 보기에서 찾아 사다리를 타고 내려간 곳에 쓰세요.

보기

온도 충돌 지구의 달의 바다

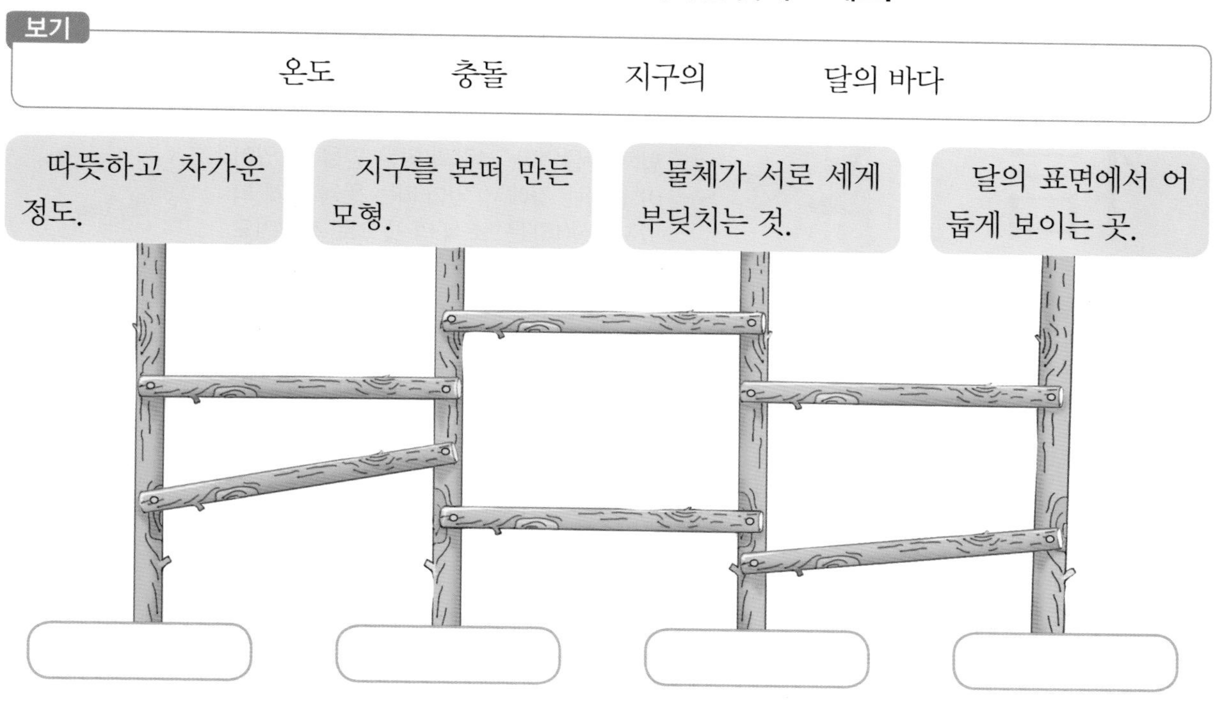

따뜻하고 차가운 정도.
지구를 본떠 만든 모형.
물체가 서로 세게 부딪치는 것.
달의 표면에서 어둡게 보이는 곳.

6 빈칸에 공통으로 들어갈 알맞은 낱말을 쓰세요.

- (   )은 지구 주위를 돈다.
- 지윤이는 다음 (   )부터 영어 학원에 다니기로 했다.

(   )

7 밑줄 친 낱말을 바르게 사용하지 못한 친구의 이름을 쓰세요.

지구는 생물이 살기에 알맞은 충돌을 가지고 있어.
찬영
바다에 쓰레기를 버리지 않으면 물을 보존할 수 있어.
정인
지구의를 천천히 돌리며 육지와 바다의 넓이를 비교했어.
현지

(   )

한자 어휘

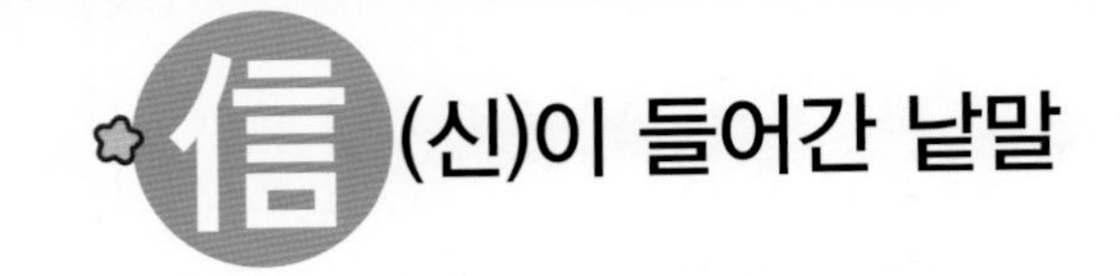

'信(신)'이 들어간 낱말을 읽고, [ ] 부분에 밑줄을 그으면서 낱말 공부를 해 보세요.

信

믿을 신

'신(信)'은 사람과 말씀을 뜻하는 글자를 합쳐 만들었어. 사람의 말은 믿을 수 있어야 한다는 것에서 '믿다'라는 뜻을 갖게 되었지. '신(信)'은 '소식'의 뜻으로 쓰이기도 해.

반信반의 / 확信 / 통信원 / 외信

믿다 信

반신반의

半 반 **반** + 信 믿을 **신** + 半 반 **반** + 疑 의심할 **의**

뜻 반은 믿고 반은 의심함.

예 나는 내일 떡볶이를 사 주겠다는 친구의 말을 반신반의하며 들었다.

확신

確 굳을 **확** + 信 믿을 **신**

뜻 굳게 믿음.

예 내가 한 선택이 옳다는 확신이 든다.

반대말 **불신**

'불신'은 "믿지 않음 또는 믿지 못함."이라는 뜻이야. 예 서로를 믿지 못하는 불신이 생겼다.

소식 信

통신원

通 통할 **통** + 信 소식 **신** + 員 인원 **원**

뜻 신문사나 방송국 등에서, 지방이나 외국에 보내져 그곳의 소식을 전하는 사람.

예 미국에 있는 통신원이 소식을 보내왔다.

외신

外 외국 **외** + 信 소식 **신**

'외(外)'의 대표 뜻은 '바깥'이야.

뜻 외국으로부터 들어온 소식.

예 외신에 따르면 한국 영화가 유럽에서 인기가 많다고 한다.

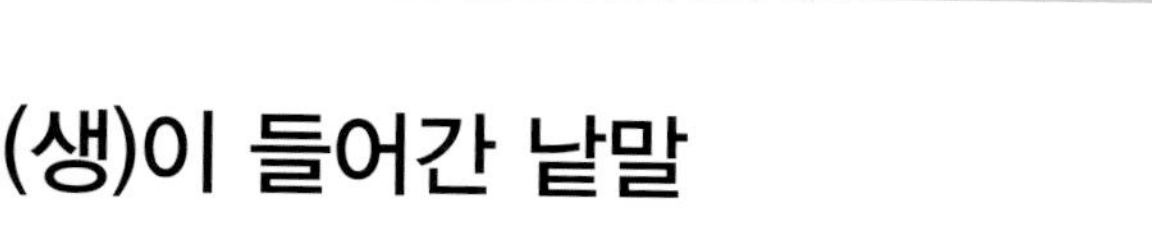

生(생)이 들어간 낱말

'生(생)'이 들어간 낱말을 읽고, 부분에 밑줄을 그으면서 낱말 공부를 해 보세요.

'생(生)'은 땅 위로 새싹이 돋아나는 모양을 표현한 글자야. 새싹이 돋아나는 것은 새로운 생명이 태어나는 것을 의미하잖아. 그래서 '생(生)'이 '나다(태어나다)'의 뜻을 갖게 되었어. '생(生)'은 '살다', '사람'의 뜻으로 쓰이기도 해.

生일 / 탄生 / 구사일生 / 학生

나다 生

생일

生 날 생 + 日 날 일

뜻 세상에 태어난 날.

예 친구들은 내가 태어난 날을 축하한다며 생일 선물을 주었다.

탄생

誕 낳을 탄 + 生 날 생

뜻 사람이 태어남.

예 할아버지, 손자 탄생을 축하드려요.

반대말 사망

'사망'은 사람이 죽는 것을 뜻하는 낱말이야.

예 한 가수가 갑작스럽게 사망하였다.

살다 · 사람 生

구사일생

九 아홉 구 + 死 죽을 사 + 一 하나 일 + 生 살 생

뜻 아홉 번 죽을 뻔하다 한 번 살아난다는 뜻으로, 죽을 뻔한 상황을 여러 번 넘기고 겨우 살아남.

예 물에 빠졌다가 구사일생으로 살아났다.

학생

學 배울 학 + 生 사람 생

뜻 학교에 다니면서 공부하는 사람.

예 선생님께서 나를 보시며 공부를 열심히 하는 학생이라고 칭찬하셨다.

확인 문제

132쪽에서 공부한 낱말을 떠올리며 문제를 풀어 보세요.

1 뜻에 알맞은 낱말을 빈칸에 쓰세요.

(1)

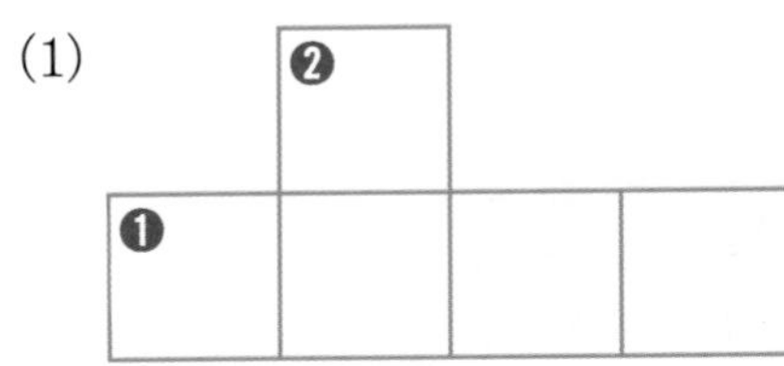

가로 열쇠 ❶ 반은 믿고 반은 의심함.

세로 열쇠 ❷ 굳게 믿음.

(2)

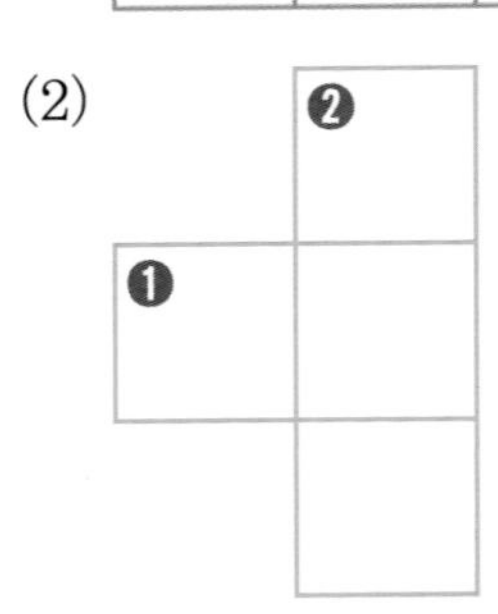

가로 열쇠 ❶ 믿지 않음 또는 믿지 못함.

세로 열쇠 ❷ 신문사나 방송국 등에서, 지방이나 외국에 보내져 그곳의 소식을 전하는 사람.

2 밑줄 친 '신'의 뜻으로 알맞은 것은 무엇인가요? (　　　　)

외신

① 외국　② 소식　③ 바깥
④ 신문　⑤ 믿다

3 빈칸에 들어갈 낱말을 완성하세요.

(1) [ㅇ][ㅅ]에 따르면 지금 유럽에 많은 비가 내려 피해가 크다고 합니다. 독일에 있는 [ㅌ][ㅅ][ㅇ]을 연결해 보겠습니다.

(2) 나는 이번 시험에 붙을지 [ㅂ][ㅅ][ㅂ][ㅇ]하는 마음이 들었는데 엄마는 반드시 붙을 거라고 [ㅎ][ㅅ]을 하셨어.

133쪽에서 공부한 낱말을 떠올리며 문제를 풀어 보세요.

4

보기에 있는 글자 카드로 뜻에 알맞은 낱말을 만들어 쓰세요.(같은 글자 카드를 여러 번 쓸 수 있어요.)

(1) 사람이 태어남. → [ ][ ]

(2) 세상에 태어난 날. → [ ][ ]

(3) 죽을 뻔한 상황을 여러 번 넘기고 겨우 살아남.

→ [ ][ ][ ][ ]

5

밑줄 친 '생'의 뜻으로 알맞은 것을 골라 ○표 하세요.

학<u>생</u>	낳다	사람	살다

6

'탄생'과 뜻이 반대인 낱말에 ○표 하세요.

( ) ( ) ( )

7

밑줄 친 낱말의 쓰임이 알맞으면 ○표, 알맞지 <u>않으면</u> ×표 하세요.

(1) 오늘은 내 <u>탄생</u>이다. ( )

(2) 새로 전학 온 <u>학생</u>은 남자이다. ( )

(3) 비행기가 떨어졌는데 <u>구사일생</u>으로 살아남은 사람들이 있다. ( )

4주차 어휘력 테스트

앞에서 공부한 낱말을 떠올리며 문제를 풀어 보세요.

낱말 뜻

1 뜻에 알맞은 낱말을 보기에서 찾아 쓰세요.

보기

방 분수 갯벌 팻말 수신호

(1) (　　　　　　　): 손으로 하는 신호.

(2) (　　　　　　　): 전체에 대한 부분을 나타내는 수.

(3) (　　　　　　　): 바닷물이 빠져나간 자리에 드러난 넓고 평평한 땅.

(4) (　　　　　　　): 어떤 일을 널리 알리려고 사람들이 많이 모이는 곳에 써 붙이는 글.

(5) (　　　　　　　): 다른 사람들에게 알리기 위하여 글, 그림 등을 써 놓은, 네모난 조각.

낱말 뜻

2 ~ 3 다음과 같은 뜻을 가진 낱말을 골라 ○표 하세요.

2 물체가 서로 세게 부딪치는 것. | 위급　충돌

3 생김새나 성질 등이 아주 똑같지는 않지만 닮은 점이 많다. | 파악하다　비슷하다

비슷한말

4 비슷한말끼리 짝 지어지지 않은 것은 무엇인가요? (　　　　)

① 육지 – 땅　② 의견 – 생각　③ 표면 – 겉면
④ 단서 – 실마리　⑤ 정확하다 – 보존하다

속담

5 다음 말에 어울리는 속담을 찾아 선으로 이으세요.

그는 어려서부터 절약하는 습관이 있다. •

• 꿩 대신 닭

• 세 살 적 버릇이 여든까지 간다

글자는 같지만 뜻이 다른 낱말

6 **빈칸에 공통으로 들어갈 알맞은 낱말은 무엇인가요? (   )**

• [   ] 주위에는 더위를 피하려는 사람들이 꽤 많았다.
• 분모가 같은 [   ]의 크기를 비교하려면 분자를 살펴봐야 한다.

① 전체 ② 분수 ③ 부분
④ 공원 ⑤ 단위분수

한자 성어

7 **(   ) 안에서 알맞은 낱말을 골라 ○표 하세요.**

(1) 자꾸 거짓말을 하는 친구의 말은 (반신반의 , 구사일생)하며 듣게 돼.
(2) 교통사고가 났는데 안전띠를 매어서 (반신반의 , 구사일생)(으)로 살았어.

낱말 활용

8~10 (   ) 안에 들어갈 알맞은 낱말을 보기에서 찾아 쓰세요.

보기
습관 표면 감동

8 목수가 나무의 (   )을 매끈하게 다듬었습니다.

9 아빠께서 약속을 잘 지키는 (   )을 가지라고 하셨어요.

10 먼 곳으로 팔려 간 개가 주인을 잊지 못해 집을 찾아가는 장면에서 (   )을 받았다.

『어휘가 문해력이다』 초등 3학년 1학기에 수록된 모든 어휘를
과목별로 나누어 ㄱ, ㄴ, ㄷ … 순서로 정리했습니다.

과목별로 뜻이 궁금한 어휘를 바로바로 찾아보세요!

차례

국어 교과서 어휘

ㄱ

ㄴ

ㄷ

ㅁ

ㅂ

ㅅ

ㅇ

ㅈ

ㅍ

사회 교과서 어휘

수학 교과서 어휘

과학 교과서 어휘

한자 어휘

사진 자료 출처

- **국토지리정보원** 디지털 영상 지도(19쪽), 백지도(20쪽)
- **국립중앙박물관** 누비저고리(53쪽)
- **셔터스톡, 아이클릭아트, 아이엠서치**

1주차 어휘 학습 점검

초등 3학년 1학기

1주차에서 학습한 어휘를 잘 알고 있는지 ✔ 해 보고,
잘 모르는 어휘는 해당 쪽으로 가서 다시 한번 확인해 보세요.

국어

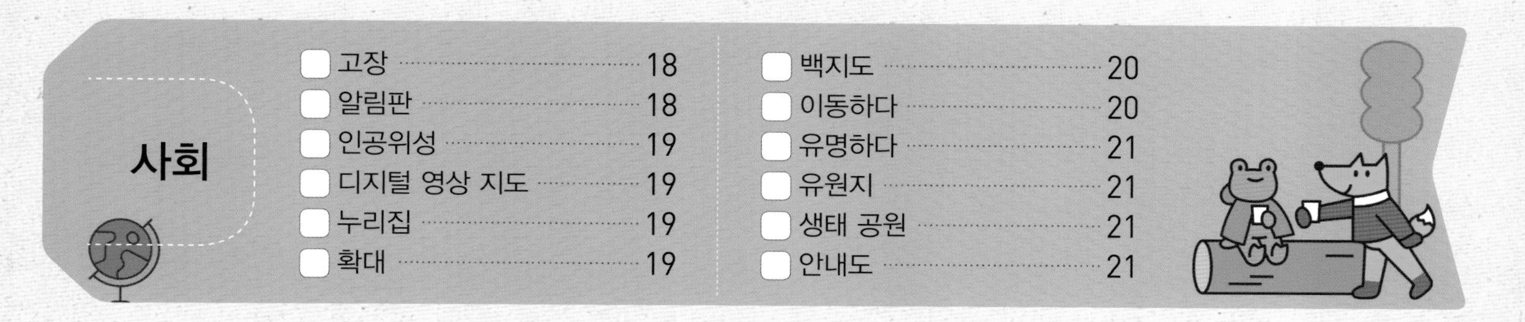

사회

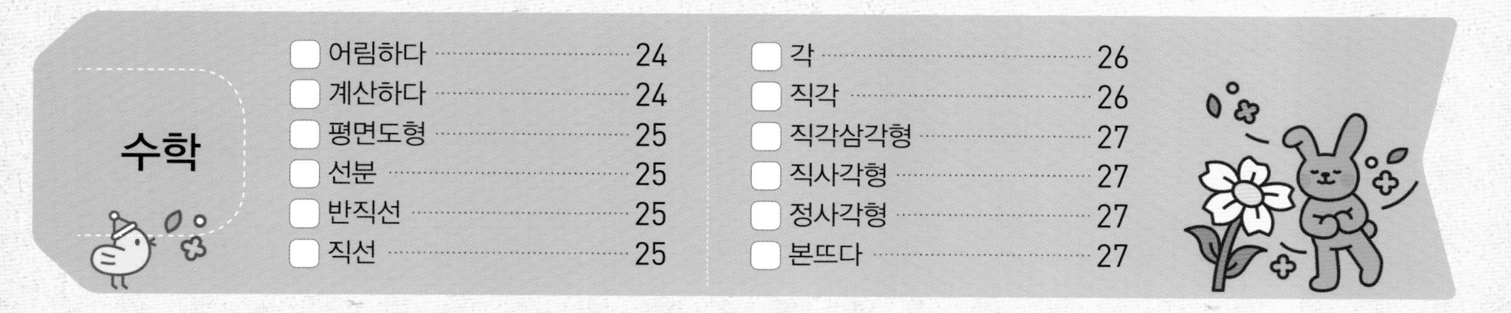

수학

과학

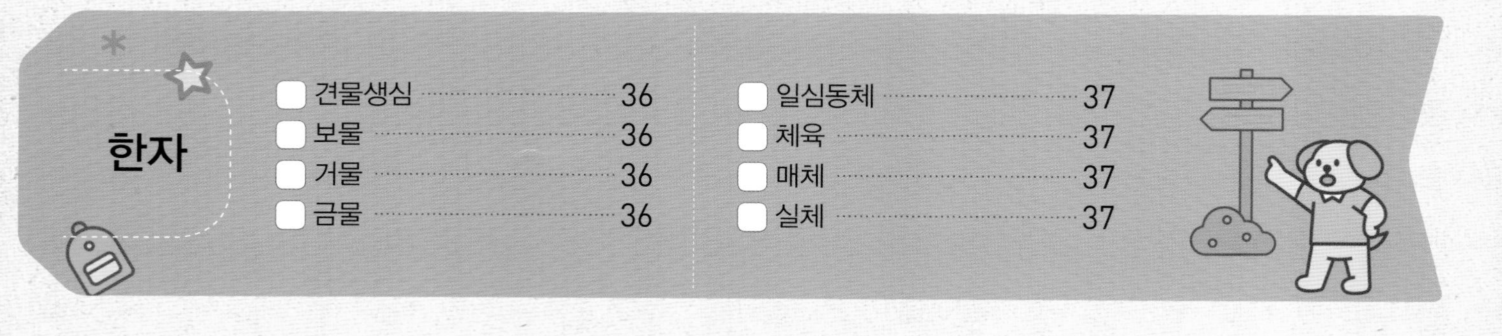

한자

잘라서 책갈피로 활용해 보세요.

2 주차

어휘 학습 점검

초등 3학년 1학기

2주차에서 학습한 어휘를 잘 알고 있는지 ✓ 해 보고,
잘 모르는 어휘는 해당 쪽으로 가서 다시 한번 확인해 보세요.

국어

사회

수학

과학

한자

EBS 당신의 문해력

어휘가 문해력이다

초등 3학년 1학기

교과서 어휘

정답과 해설

어휘가
문해력이다

초등 3학년 1학기

1주차 정답과 해설

1주차 1회

국어 교과서 어휘

수록 교과서 국어 3-1 ㉮
1. 재미가 톡톡톡

다음 중 낱말의 뜻을 잘 알고 있는 것에 ✓ 하세요.

□ 감각적 표현 □ 그리다 □ 생김새 □ 바삭바삭 □ 짭조름하다 □ 복슬복슬하다

낱말을 읽고, ▭ 부분에 밑줄을 그으면서 낱말 공부를 해 보세요.

감각적 표현

感 느낄 감 + 覺 깨달을 각 + 的 ~한 상태로 되는 적 + 表 겉 표 + 現 나타날 현

'적(的)'의 대표 뜻은 '과녁'이야.

이것만은 꼭!

뜻 어떤 것을 보고, 듣고, 맛보고, 냄새 맡고, 만지면서 느낀 것을 생생하게 표현한 것.

예 이 시에서 '철썩철썩'은 파도치는 소리를 귀에 들리듯이 나타낸 감각적 표현이다.

'생생하다'는 바로 눈앞에 보는 것처럼 분명하고 또렷하다는 뜻이야.

관련 어휘 감각

눈, 코, 귀, 혀, 피부를 통하여 어떤 자극을 느끼는 것을 '감각'이라고 해.

Tip 감각적 표현은 "날씨가 추워 몸이 덜덜 떨린다."처럼 모양이나 소리를 흉내 내는 말, "입에 불이 난 것처럼 떡볶이의 맛이 맵다."와 같은 비유적 표현 등을 사용하여 대상에 대한 감각이 직접 느껴지도록 표현한 것이에요.

그리다

뜻 마음속에 떠올리거나 상상하다.

예 이 시를 읽고 귀여운 아기가 환하게 웃으며 아장아장 걷는 모습을 마음속으로 그려 보자.

여러 가지 뜻을 가진 낱말 그리다

'그리다'는 "연필이나 붓 등으로 사물의 모양을 나타내다."라는 뜻도 있어.

예 나는 그림 그리는 것을 좋아한다.

생김새

뜻 생긴 모양.

예 귤의 생김새가 둥그런 주먹 같다.

비슷한말 모양

'모양'은 겉으로 나타나는 생김새나 모습을 뜻해.

예 달의 모양이 쟁반 같다.

바삭바삭

뜻 단단하고 부스러지기 쉬운 물건을 계속 깨무는 소리나 모양.

예 튀김을 먹을 때마다 바삭바삭 소리가 난다.

'바삭바삭'보다 조금 센 느낌을 주는 말은 '바싹바싹'이야.

짭조름하다

뜻 조금 짠맛이 있다.

예 과자의 맛이 짭조름하고 고소하다.

관련 어휘 짠맛을 나타내는 우리말

'짭짤하다'는 "맛이 조금 짜다."라는 뜻이고, '짜디짜다'는 "매우 짜다."라는 뜻이야.

복슬복슬하다

뜻 살이 찌고 털이 많아서 귀엽고 보기에 좋다.

예 털이 복슬복슬한 강아지를 만져 보았다.

꼭! 알아야 할 속담

마트에서 사탕 사 먹어야지!
OO마트
나도 마트에 가야지!

문구점에 가야 해!
같이 가자!

설마 화장실까지 따라 오지는 않겠지?

바늘 가는 데 실이 가야지!

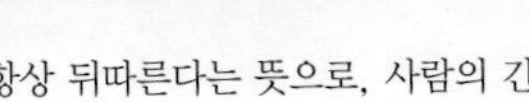

빈칸 채우기 '바늘 가는 데 [실] 간다'는 바늘이 가는 데 실이 항상 뒤따른다는 뜻으로, 사람의 긴밀한 관계를 비유적으로 이르는 말입니다.

1주차 1회

국어 교과서 어휘

수록 교과서 국어 3-1 ㉮
2. 문단의 짜임

다음 중 낱말의 뜻을 잘 알고 있는 것에 ✓ 하세요.

☐ 문단 ☐ 대표하다 ☐ 중심 문장 ☐ 뒷받침 문장 ☐ 첫머리 ☐ 생각그물

낱말을 읽고, ▭ 부분에 밑줄을 그으면서 낱말 공부를 해 보세요.

문단

文 글월 문 + 段 구분 단
'단(段)'의 대표 뜻은 '층계'야.

Tip 문단은 몇 개의 문장이 모여 하나의 생각을 나타내는 덩어리를 말해요.

뜻 문장이 몇 개 모여 한 가지 생각을 나타내는 것.

문장 + 문장 → 문단

예 이 글은 장승의 역할을 설명한 문단과 장승의 모습을 설명한 문단으로 이루어져 있다.

관련 어휘 문장

'문장'은 말하고 싶은 내용을 몇 개의 낱말을 사용하여 마무리 지은 글이야.

예 나는 학생이다. / 토끼가 뛰어간다.

대표하다

代 대신할 대 + 表 겉 표 + 하다

뜻 전체를 하나로 잘 나타내다.

예 문단 전체의 내용을 가장 잘 나타낸 문장이 문단을 대표하는 문장이다.

우리나라를 대표하는 옷은?

한복이지.

중심 문장

中 가운데 중 + 心 마음 심 + 文 글월 문 + 章 글 장

이것만은 꼭!

뜻 문단 내용을 대표하는 문장.

예 "우리나라는 명절마다 먹는 음식이 다르다."가 문단의 중심 문장이다.

중심 문장: 우리나라는 명절마다 먹는 음식이 다르다. 설날에는 떡국을 먹는다. 추석에는 송편을 먹는다.

중심 문장은 문단에서 가장 중요한 내용을 담고 있는 문장이야.

뒷받침 문장

뒷받침 + 文 글월 문 + 章 글 장

뜻 덧붙여 설명하거나 예를 드는 방법으로 중심 문장을 도와주는 문장.

예 한 문단은 하나의 중심 문장과 여러 개의 뒷받침 문장으로 이루어진다.

Tip 뒷받침 문장은 중심 문장을 자세하게 설명하는 문장 또는 중심 문장의 예에 해당하는 문장이에요. "내가 좋아하는 음식은 불고기이다. 불고기는 고기에 맛있는 양념을 넣어 달콤하다."에서 뒤 문장이 중심 문장을 자세하게 설명하는 뒷받침 문장이에요.

첫머리

뜻 어떤 것이 시작되는 부분.

예 중심 문장이 늘 문단 첫머리에 나오는 것은 아니다.

반대말 끝머리

'끝머리'는 일의 순서나 위치의 끝이 되는 부분을 뜻해.

예 복도 끝머리에 계단이 있다.

생각그물

뜻 어떤 것에 대해 떠오르는 것을 이어서 써 나가는 방법.

예 직업에 대해 글로 쓸 내용을 생각그물로 정리했다.

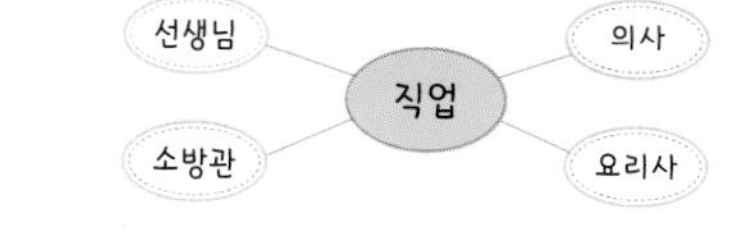

직업
선생님
소방관
의사
요리사

꼭! 알아야 할 관용어

제일 용감한 내가 고양이 목에 방울을 달고 오지!
내 목에 방울을 단다고?
도망가자!

휴! 간 떨어질 뻔했네.

○표 하기 '(간 크다 , 간 떨어지다)'는 "몹시 놀라다."라는 뜻입니다.

확인 문제

12~13쪽에서 공부한 낱말을 떠올리며 문제를 풀어 보세요.

1 뜻에 알맞은 낱말을 글자판에서 찾아 묶으세요. (낱말은 가로(ㅡ), 세로(ㅣ) 방향에 숨어 있어요.)

❶바	삭	바	삭	현
❷생	실	도	기	주
김	보	리	차	경
새	약	지	강	한
❸짭	조	름	하	다

❶ 단단하고 부스러지기 쉬운 물건을 계속 깨무는 소리나 모양.
❷ 생긴 모양.
❸ 조금 짠맛이 있다.

해설 | ❶ 단단하고 부스러지기 쉬운 물건을 계속 깨무는 소리나 모양을 뜻하는 낱말은 '바삭바삭'입니다. ❷ 생긴 모양을 뜻하는 낱말은 '생김새'입니다. ❸ "조금 짠맛이 있다."라는 뜻을 가진 낱말은 '짭조름하다'입니다.

2 다음 뜻을 가진 말은 무엇인지 빈칸에 알맞은 낱말을 쓰세요.

어떤 것을 보고, 듣고, 맛보고, 냄새 맡고, 만지면서 느낀 것을 생생하게 표현한 것.

감	각	적	표현

해설 | 어떤 것을 보고, 듣고, 맛보고, 냄새 맡고, 만지면서 느낀 것을 생생하게 표현한 것을 뜻하는 말은 '감각적 표현'입니다.

3 밑줄 친 낱말이 보기의 뜻으로 쓰인 것에 ○표 하세요.

보기
그리다: 마음속에 떠올리거나 상상하다.

(1) 땅바닥에 자동차와 로봇을 그렸다. (　　)
(2) 우리 가족의 모습을 도화지에 그리고 크레파스로 색칠했다. (　　)
(3) 시를 읽고 아이가 엄마를 기다리는 모습을 마음속으로 그려 보았다. (○)

해설 | (1)과 (2)의 '그리다'는 "연필이나 붓 등으로 사물의 모양을 나타내다."의 뜻으로 쓰였습니다.

4 밑줄 친 낱말을 바르게 사용한 친구의 이름을 쓰세요.

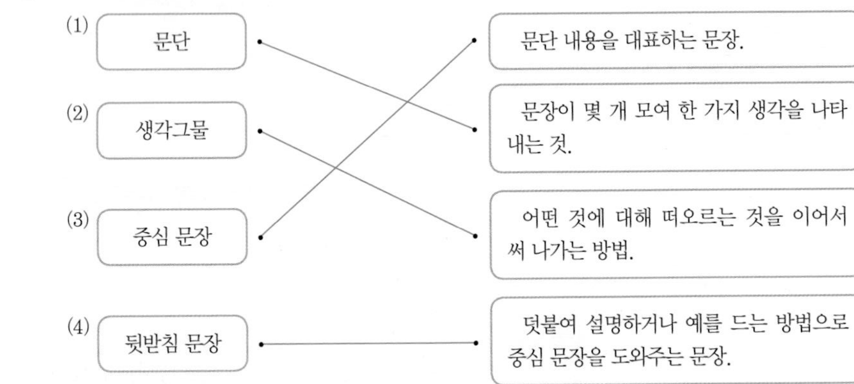

간장을 많이 넣어 음식 맛이 복슬복슬해.
수지
시골집 마당에 있는 강아지는 털이 짭조름해.
진호
동생이 과자를 먹을 때마다 바삭바삭 소리가 나.
주혁

(주혁)

해설 | 수지는 "음식 맛이 짭조름해.", 진호는 "강아지는 털이 복슬복슬해."라고 말해야 합니다.

14~15쪽에서 공부한 낱말을 떠올리며 문제를 풀어 보세요.

5 낱말의 뜻을 찾아 선으로 이으세요.

(1) 문단 • — • 문장이 몇 개 모여 한 가지 생각을 나타내는 것.
(2) 생각그물 • — • 어떤 것에 대해 떠오르는 것을 이어서 써 나가는 방법.
(3) 중심 문장 • — • 문단 내용을 대표하는 문장.
(4) 뒷받침 문장 • — • 덧붙여 설명하거나 예를 드는 방법으로 중심 문장을 도와주는 문장.

해설 | '문단'은 문장이 몇 개 모여 한 가지 생각을 나타내는 것, '생각그물'은 어떤 것에 대해 떠오르는 것을 이어서 써 나가는 방법, '중심 문장'은 문단 내용을 대표하는 문장, '뒷받침 문장'은 덧붙여 설명하거나 예를 드는 방법으로 중심 문장을 도와주는 문장을 뜻하는 낱말입니다.

6 낱말의 뜻에 맞게 ( ) 안에서 알맞은 말을 골라 ○표 하세요.

(1) 첫머리 — 어떤 것이 ((시작되는), 끝나는) 부분.
(2) 대표하다 — 전체를 ((하나로), 여러 가지로) 잘 나타내다.

해설 | '첫머리'는 어떤 것이 시작되는 부분이라는 뜻이고, '대표하다'는 "전체를 하나로 잘 나타내다."라는 뜻입니다.

7 (1)~(3)에 들어갈 낱말을 완성하세요.

바다에서 얻는 것에 대해 한 문단으로 글을 썼다. 먼저 바다에서 무엇을 얻을 수 있는지 떠오르는 것을 (1) [생 각 그 물]로 정리했다. 그런 다음 문단의 (2) [첫 머 리]를 "우리는 바다에서 많은 것을 얻습니다."라는 중심 문장으로 시작했다. 그리고 중심 문장을 덧붙여 설명하기 위해 바다에서 얻는 것의 예를 (3) [뒷 받 침] 문장으로 썼다.

해설 | (1) 떠오르는 것을 정리했다고 하였으므로 '생각그물'이 들어가야 합니다. (2) 문단을 중심 문장으로 시작했다는 내용으로, '첫머리'가 들어가야 합니다. (3) 중심 문장을 덧붙여 설명하기 위한 문장을 썼다는 내용으로, '뒷받침'이 들어가야 합니다.

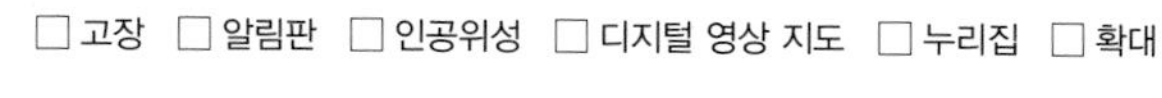

사회 교과서 어휘

수록 교과서 사회 3-1
1. 우리 고장의 모습

다음 중 낱말의 뜻을 잘 알고 있는 것에 ✓ 하세요.

□ 고장 □ 알림판 □ 인공위성 □ 디지털 영상 지도 □ 누리집 □ 확대

같은 고장에 사는 두 아이가 고장의 모습을 그리고 있는데 그림이 서로 다르지? 이렇게 사람마다 생각하는 고장의 모습은 달라. 고장의 모습을 공부할 때 나오는 낱말에는 무엇이 있을까?

낱말을 읽고, 부분에 밑줄을 그으면서 낱말 공부를 해 보세요.

이것만은 꼭!

고장

뜻 사람들이 모여 사는 곳.

예 우리 고장에 있는 공원은 많은 사람이 이용한다.

비슷한말 마을

'마을'은 여러 집이 모여 사는 곳을 뜻해.

예 우리 마을은 공기가 맑고 깨끗하다.

알림판

알림 + 板 널빤지 판

뜻 여러 사람에게 알리는 내용을 적은 것을 붙이는 판.

예 고장의 모습을 그린 그림을 알림판에 붙였다.

비슷한말 게시판

'게시판'은 알릴 내용을 여러 사람이 볼 수 있도록 붙이는 판을 뜻해.

예 아파트 게시판에 광고물을 붙였다.

인공위성

人 사람 인 + 工 장인 공 + 衛 지킬 위 + 星 별 성

뜻 지구, 달 등을 돌면서 관찰할 수 있도록 사람들이 만들어 쏘아 올린 물체.

예 인공위성이 지구를 돌면서 찍은 사진을 보았다.

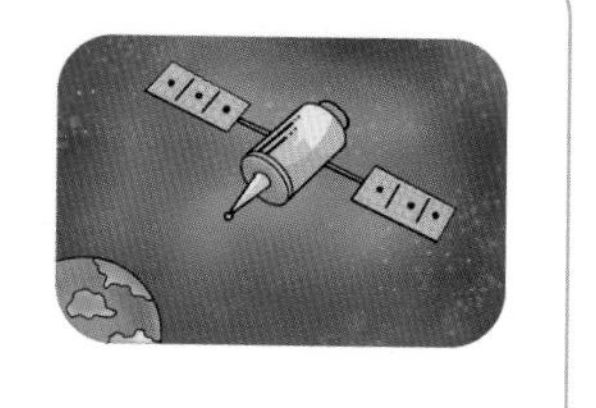

디지털 영상 지도

디지털 + 映 비칠 영 + 像 모양 상 + 地 땅 지 + 圖 그림 도

뜻 인공위성에서 찍은 사진을 이용해 만든 지도.

예 디지털 영상 지도를 보면 고장의 모습을 하늘에서 내려다본 것처럼 살펴볼 수 있다.

Tip 디지털 영상 지도는 인공위성 사진을 지도 형식으로 바꾸고 컴퓨터나 스마트폰 등에서 이용할 수 있도록 만든 지도예요.

누리집

뜻 사람들이 인터넷에 연결해서 볼 수 있도록 만든 문서.

예 인터넷으로 국토 지리 정보원 누리집에 들어가면 다양한 종류의 지도를 볼 수 있다.

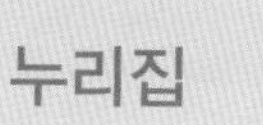

확대

擴 넓힐 확 + 大 클 대

뜻 모양이나 크기 등을 원래보다 더 크게 함.

예 디지털 영상 지도를 확대하면 주변을 자세히 볼 수 있다.

반대말 축소

'축소'는 모양이나 크기 등을 줄여서 작게 하는 것을 뜻해.

예 디지털 영상 지도를 축소하면 고장의 전체적인 모습을 볼 수 있다.

사회 교과서 어휘

수록 교과서 사회 3-1
1. 우리 고장의 모습

다음 중 낱말의 뜻을 잘 알고 있는 것에 ✓ 하세요.

☐ 백지도 ☐ 이동하다 ☐ 유명하다 ☐ 유원지 ☐ 생태 공원 ☐ 안내도

왼쪽에 반짝이는 큰 건물은
서울 여의도에 있는 63빌딩이야. 유명한
건물이지. 우리 고장에서 유명한 건물,
장소 등에는 무엇이 있을까 생각하며
관련 있는 낱말들을 공부해 보자.

낱말을 읽고, 부분에 밑줄을 그으면서 낱말 공부를 해 보세요.

백지도
白 흰 백 + 地 땅 지 + 圖 그림 도

이것만은 꼭!

뜻 산, 강, 큰길 등의 밑그림만 그려져 있는 지도.

예 우리 고장의 주요 장소를 백지도에 나타내 보기로 하였다.

Tip 백지도는 여러 가지 정보를 써넣기 위한 기본 지도로, 지도의 테두리와 지역을 나눈 선, 산이나 하천과 같은 주요 시설만 그려져 있는 지도를 말해요.

이동하다
移 옮길 이 + 動 움직일 동 + 하다

뜻 움직여서 옮기다.

예 기차역과 시외버스 터미널은 다른 고장으로 이동할 때 이용하는 곳이다.

비슷한말 움직이다

'움직이다'는 "한 곳에서 다른 곳으로 옮겨 가다."라는 뜻이야.

예 직원들이 가게 안에서 바쁘게 움직이고 있었다.

유명하다
有 있을 유 + 名 이름 명 + 하다

뜻 이름이 많이 알려져 있다.

예 춘천에는 닭갈비를 파는 골목이 있는데 너무나 유명해서 사람들이 언제나 많다.

유원지
遊 놀 유 + 園 동산 원 + 地 땅 지

뜻 많은 사람이 구경하거나 놀 수 있게 여러 가지 시설을 만들어 놓은 곳.

예 우리 고장의 유원지에는 강을 바라보며 걸을 수 있는 길이 있다.

비슷한말 놀이동산

'놀이동산'은 돌아다니며 구경하거나 놀 수 있도록 여러 가지 시설이나 놀이 기구를 갖추어 놓은 곳이라는 뜻이야.

예 가족과 놀이동산에 놀러 갔다.

생태 공원
生 살 생 + 態 모습 태 + 公 공적인 공 + 園 동산 원

'생(生)'의 대표 뜻은 '나다', '공(公)'의 대표 뜻은 '공평하다'야.

뜻 식물이나 동물이 살아가는 모습을 볼 수 있도록 자연 그대로의 모습을 살려 만든 공원.

예 우리 고장에서는 사라져 가는 식물과 동물을 지키기 위해 생태 공원을 만들었다.

관련 어휘 생태

'생태'는 식물이나 동물이 살아가는 모양이나 상태를 말해.

안내도
案 인도할 안 + 內 안 내 + 圖 그림 도

'안(案)'의 대표 뜻은 '책상'이야.

뜻 알려 주려고 하는 내용을 그린 그림.

예 우리 고장의 안내도를 보니 고장의 대표적인 장소가 어디인지 알 수 있었다.

확인 문제

18~19쪽에서 공부한 낱말을 떠올리며 문제를 풀어 보세요.

1 뜻에 알맞은 낱말을 보기에서 찾아 쓰세요.

보기: 확대 누리집 알림판 인공위성

(1) (확대): 모양이나 크기 등을 원래보다 더 크게 함.

(2) (알림판): 여러 사람에게 알리는 내용을 적은 것을 붙이는 판.

(3) (누리집): 사람들이 인터넷에 연결해서 볼 수 있도록 만든 문서.

(4) (인공위성): 지구, 달 등을 돌면서 관찰할 수 있도록 사람들이 만들어 쏘아 올린 물체.

해설 | (1) 모양이나 크기 등을 원래보다 더 크게 하는 것을 뜻하는 낱말은 '확대'입니다. (2) 여러 사람에게 알리는 내용을 적은 것을 붙이는 판을 뜻하는 낱말은 '알림판'입니다. (3) 사람들이 인터넷에 연결해서 볼 수 있도록 만든 문서를 뜻하는 낱말은 '누리집'입니다. (4) 지구, 달 등을 돌면서 관찰할 수 있도록 사람들이 만들어 쏘아 올린 물체를 뜻하는 낱말은 '인공위성'입니다.

2 밑줄 친 낱말과 뜻이 비슷한 낱말에 ○표 하세요.

우리 고장에는 산, 도서관, 전통 시장, 학교 등이 있다.

(집 , (마을), 고향)

해설 | '고장'과 뜻이 비슷한 낱말은 여러 집이 모여 사는 곳이란 뜻을 가진 '마을'입니다.

3 빈칸에 들어갈 알맞은 낱말을 글자 카드를 이용하여 만들어 쓰세요.

해설 | (1) 지구를 돌고 있다고 하였으므로 '인공위성'이 들어가야 합니다. (2) 디지털 영상 지도를 이용하면 고장의 위치를 쉽게 알 수 있습니다. (3) 인터넷에 연결해서 학교에 대한 여러 가지 자료를 보았다고 하였으므로, '누리집'이 들어가야 합니다. (4) 카드에 공원을 그리고 설명을 써서 붙였다고 하였으므로, '알림판'이 들어가야 합니다.

(1) 지구를 돌고 있는 [인 공 위 성]은 위치와 날씨 등을 알려 준다.
글자 카드: 인 공 별 위 성

(2) 디지털 영상 [지 도]를 이용하면 우리 고장의 위치를 쉽게 알 수 있다.
글자 카드: 기 지 사 도 요

(3) 인터넷으로 우리 학교 [누 리 집]에 들어가서 학교에 대한 여러 가지 자료를 보았다.
글자 카드: 교 누 리 소 집

(4) 고장에 있는 공원을 알리기 위해 카드에 공원을 그리고 설명을 써서 [알 림 판]에 붙였다.
글자 카드: 알 전 림 기 판

20~21쪽에서 공부한 낱말을 떠올리며 문제를 풀어 보세요.

4 뜻에 알맞은 낱말을 빈칸에 쓰세요.

(1) 가로 ❶ 안내도 / 세로 ❷ 백지도

가로 열쇠 ❶ 알려 주려고 하는 내용을 그린 그림.
세로 열쇠 ❷ 산, 강, 큰길 등의 밑그림만 그려져 있는 지도.

(2) 가로 ❶ 유원지 / 세로 ❶ 유명하다

가로 열쇠 ❶ 많은 사람이 구경하거나 놀 수 있게 여러 가지 시설을 만들어 놓은 곳.
세로 열쇠 ❶ 이름이 많이 알려져 있다.

해설 | (1) 알려 주려고 하는 내용을 그린 그림을 뜻하는 낱말은 '안내도'이고 산, 강, 큰길 등의 밑그림만 그려져 있는 지도를 뜻하는 낱말은 '백지도'입니다. (2) 많은 사람이 구경하거나 놀 수 있게 여러 가지 시설을 만들어 놓은 곳을 뜻하는 낱말은 '유원지', "이름이 많이 알려져 있다."라는 뜻의 낱말은 '유명하다'입니다.

5 두 친구가 설명하는 내용의 빈칸에 공통으로 들어갈 알맞은 낱말은 무엇인가요? (④)

식물이나 동물이 살아가는 모양이나 상태를 ○○(이)라고 해.
그래서 식물이나 동물이 살아가는 모습을 볼 수 있도록 자연 그대로의 모습을 살려 만든 공원을 ○○ 공원이라고 하는구나!

① 숲속 ② 놀이 ③ 바다 ④ 생태 ⑤ 자연

해설 | 식물이나 동물이 살아가는 모양이나 상태를 뜻하는 낱말은 '생태'. 식물이나 동물이 살아가는 모습을 볼 수 있도록 자연 그대로의 모습을 살려 만든 공원을 '생태 공원'이라고 합니다.

6 밑줄 친 낱말의 쓰임이 알맞으면 ○표, 알맞지 않으면 ×표 하세요.

(1) 다른 고장으로 이동할 때 버스 터미널을 많이 이용한다. (○)

(2) 고장을 소개하는 책에 그 고장의 유명한 장소가 많이 소개되어 있었다. (○)

(3) 우리 모둠은 고장에 있는 대표적인 장소를 유원지에 그려 넣고 그 장소의 이름도 썼다. (×)

해설 | (3) '유원지'는 많은 사람이 구경하거나 놀 수 있게 여러 가지 시설을 만들어 놓은 곳을 뜻하는 낱말이므로, 고장의 대표적인 장소를 유원지에 그려 넣었다는 내용은 어색합니다.

1주차 3회

수학 교과서 어휘

수록 교과서 수학 3-1
1. 덧셈과 뺄셈~2. 평면도형

다음 중 낱말의 뜻을 잘 알고 있는 것에 ✓ 하세요.

□ 어림하다 □ 계산하다 □ 평면도형 □ 선분 □ 반직선 □ 직선

남자아이는 덧셈식의 계산 결과를 어림하고 있고, 여자아이는 평면도형을 그리고 있네! 덧셈과 뺄셈, 평면도형에 대해 좀 더 알아볼까?

116 + 129를 어림하면?

낱말을 읽고, ▭ 부분에 밑줄을 그으면서 낱말 공부를 해 보세요.

어림하다

뜻 짐작하여 대강 수량을 세다.

예 기차에 몇 명이 탈 수 있는지 어림해 보았다.

'짐작하다'는 사정이나 형편 등을 어림잡아 생각한다는 뜻이야.

계산하다

計 셀 계 + 算 셈 산 + 하다

뜻 수를 세거나 더하기, 빼기, 곱하기, 나누기 등의 셈을 하다.

예 324 + 173을 백의 자리부터 계산해 보자.

여러 가지 뜻을 가진 낱말 **계산하다**

'계산하다'는 "돈을 내다."라는 뜻도 있어.

예 오늘 음식값은 내가 계산할게.

정답과 해설 ▶ 8쪽

이것만은 꼭!

평면도형

平 평평할 평 + 面 표면 면 + 圖 그림 도 + 形 모양 형

'면(面)'의 대표 뜻은 '낯'이야.

뜻 평평한 면에 그려진 도형.

예 놀이 기구에서 평면도형을 찾아보니 미끄럼틀 지붕에 삼각형이 있다.

선분

線 선 선 + 分 나눌 분

뜻 두 점을 곧게 이은 선.

예 자를 대고 점 ㄱ과 점 ㄴ을 잇는 선분을 그렸다.

ㄱ ㄴ

'곧다'는 "굽거나 비뚤어지지 않고 똑바르다."라는 뜻이야.

반직선

半 반 반 + 直 곧을 직 + 線 선 선

뜻 한 점에서 시작하여 한쪽으로 끝없이 늘인 곧은 선.

예 반직선은 한쪽 방향으로만 늘어난다.

ㄱ ㄴ

ㄱ ㄴ

직선

直 곧을 직 + 線 선 선

뜻 선분을 양쪽으로 끝없이 늘인 곧은 선.

예 직선은 양쪽 방향으로 늘어난다.

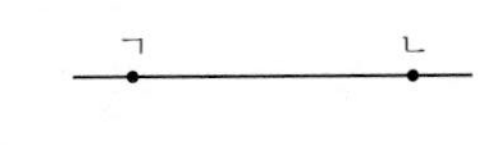

1주차 3회 수학 교과서 어휘

수록 교과서 수학 3-1
2. 평면도형

다음 중 낱말의 뜻을 잘 알고 있는 것에 ✓ 하세요.

□ 각 □ 직각 □ 직각삼각형 □ 직사각형 □ 정사각형 □ 본뜨다

텔레비전은 직사각형, 액자는 정사각형 모양이야. 또 시계의 긴바늘과 짧은바늘은 직각을 이루고 있네. 이번 회에서는 평면도형과 관련된 낱말에 대해 공부해 볼 거야.

낱말을 읽고, ▭ 부분에 밑줄을 그으면서 낱말 공부를 해 보세요.

이것만은 꼭!

각

角 모 각

'각(角)'의 대표 뜻은 '뿔'이야.

Tip '모'는 선과 선의 끝이 만난 곳을 뜻하는 낱말이에요.

뜻 한 점에서 그은 두 반직선으로 이루어진 도형.

예 각 ㄱㄴㄷ을 그려 보자.

관련 어휘 꼭짓점, 변

- 꼭짓점: 각을 이루는 두 반직선이 만나는 점.
- 변: 도형에서 각을 만드는 직선.

직각

直 곧을 직 + 角 모 각

뜻 종이를 반듯하게 두 번 접었을 때 생기는 각.

예 3시가 되면 시곗바늘의 짧은바늘과 긴바늘이 직각을 이룬다.

직각삼각형

直 곧을 직 + 角 모 각 + 三 석 삼 + 角 모 각 + 形 모양 형

뜻 한 각이 직각인 삼각형.

예 삼각자는 직각삼각형 모양이다.

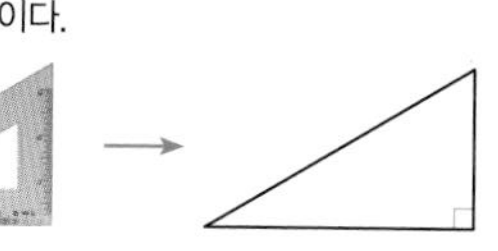

직사각형

直 곧을 직 + 四 넉 사 + 角 모 각 + 形 모양 형

뜻 네 각이 모두 직각인 사각형.

예 색종이를 반으로 접으면 직사각형이 된다.

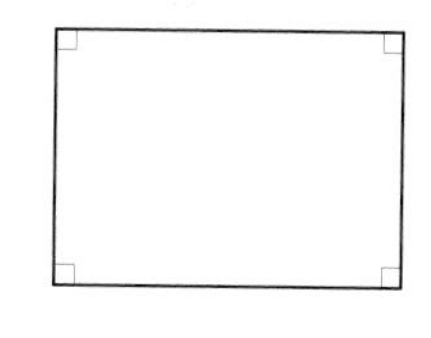

정사각형

正 바를 정 + 四 넉 사 + 角 모 각 + 形 모양 형

뜻 네 각이 모두 직각이고 네 변의 길이가 모두 같은 사각형.

예 모눈종이에 그려진 한 칸은 정사각형 모양이다.

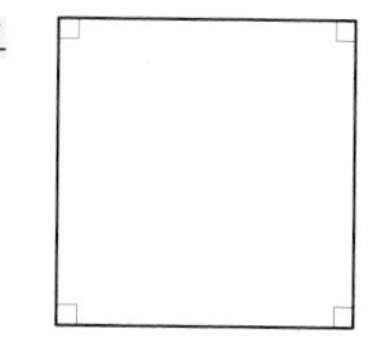

본뜨다

本 근본 본 + 뜨다

뜻 이미 있는 것을 그대로 따라서 만들다.

예 자를 이용해 만든 여러 가지 각을 종이에 본떠 그렸다.

비슷한말 모방하다

'모방하다'는 "다른 것을 본뜨거나 남의 행동을 흉내 내다."라는 뜻이야.

예 거북선은 거북의 딱딱한 등 껍데기를 모방하여 만들었다.

확인 문제

24~25쪽에서 공부한 낱말을 떠올리며 문제를 풀어 보세요.

1 보기에 있는 글자 카드로 뜻에 알맞은 낱말을 만들어 쓰세요.

보기: 림 면 어 계 평 산

(1) 평평한 면에 그려진 도형. → 평 면 도형

(2) 짐작하여 대강 수량을 세다. → 어 림 하다

(3) 수를 세거나 더하기, 빼기, 곱하기, 나누기 등의 셈을 하다. → 계 산 하다

해설 | (1) 평평한 면에 그려진 도형을 뜻하는 낱말은 '평면도형'입니다. (2) "짐작하여 대강 수량을 세다."라는 뜻의 낱말은 '어림하다'입니다. (3) "수를 세거나 더하기, 빼기, 곱하기, 나누기 등의 셈을 하다."라는 뜻의 낱말은 '계산하다'입니다.

2 낱말의 뜻에 맞게 (   ) 안에서 알맞은 말을 골라 ○표 하세요.

(1) 선분: 두 점을 ((곧게), 둥글게) 이은 선.

(2) 직선: 선분을 (한쪽 , (양쪽))으로 끝없이 늘인 곧은 선.

(3) 반직선: 한 점에서 시작하여 ((한쪽), 양쪽)으로 끝없이 늘인 곧은 선.

해설 | '선분'은 두 점을 곧게 이은 선을 말하고, '직선'은 선분을 양쪽으로 끝없이 늘인 곧은 선을 말하며, '반직선'은 한 점에서 시작하여 한쪽으로 끝없이 늘인 곧은 선을 말합니다.

3 빈칸에 들어갈 알맞은 낱말을 찾아 선으로 이으세요.

(1) 576−124에서 일의 자리를 [   ]하면 2이다. — 계산

(2) [   ]은 양쪽으로 끝이 있는 선이다. — 선분

(3) [   ]은 한쪽으로만 선이 계속 이어진다는 점에서 직선과 다르다. — 반직선

(4) 우리 주변에 어떤 [   ]이 있나 찾아보니 정글짐에 사각형이 있다. — 평면도형

해설 | (1) 576−124에서 일의 자리를 빼는 셈을 하면 2이므로, 빼기 등의 셈을 한다는 뜻의 '계산'이 들어가야 합니다. (2) 양쪽으로 끝이 있는 선이라는 내용으로 보아 '선분'이 들어가야 합니다. (3) 한쪽으로만 선이 계속 이어진다는 내용으로 보아 '반직선'이 들어가야 합니다. (4) 정글짐에 사각형이 있다는 내용으로 보아 '평면도형'이 들어가야 합니다.

26~27쪽에서 공부한 낱말을 떠올리며 문제를 풀어 보세요.

4 낱말의 뜻에 맞게 (   ) 안에서 알맞은 말을 골라 ○표 하세요.

(1) 직각삼각형: ((한), 두) 각이 직각인 삼각형.

(2) 각: 한 점에서 그은 두 (꼭짓점 , (반직선))으로 이루어진 도형.

(3) 본뜨다: 이미 있는 것을 ((그대로 따라서), 자유롭게 바꾸어서) 만들다.

(4) 정사각형: 네 각이 모두 직각이고 네 변의 길이가 모두 ((같은), 다른) 사각형.

해설 | (1) '직각삼각형'은 한 각이 직각인 삼각형을 말합니다. (2) '각'은 한 점에서 그은 두 반직선으로 이루어진 도형을 말합니다. (3) '본뜨다'는 "이미 있는 것을 그대로 따라서 만들다."라는 뜻입니다. (4) '정사각형'은 네 각이 모두 직각이고 네 변의 길이가 모두 같은 사각형을 말합니다.

5 두 친구가 설명하는 '이것'은 무엇인가요? (③)

보라: 이것은 종이를 반듯하게 두 번 접었을 때 생기는 각을 말해.
경민: 짧은 시곗바늘이 3을 가리키고 긴 시곗바늘이 12를 가리킬 때 이것이 만들어져.

① 직선 ② 시각 ③ 직각 ④ 사각형 ⑤ 오각형

해설 | 종이를 반듯하게 두 번 접었을 때 생기는 각을 '직각'이라고 합니다.

해설 | '본뜨다'와 뜻이 비슷한 낱말은 "다른 것을 본뜨거나 남의 행동을 흉내 내다."라는 뜻의 '모방하다'입니다.

6 '본뜨다'와 뜻이 비슷한 낱말에 ○표 하세요.

(1) 만들다 (   ) (2) 모방하다 (○) (3) 추방하다 (   )

해설 | (1) 각을 이루는 두 반직선이 만나는 점이라는 뜻을 가진 '꼭짓점'이 들어가야 합니다. (2) 종이를 반듯하게 두 번 접었을 때 생기는 각인 '직각'이 들어가야 합니다. (3) 네 각이 모두 직각인 사각형인 '직사각형'이 들어가야 합니다. (4) 네 각이 모두 직각이고 네 변의 길이가 모두 같은 사각형인 '정사각형'이 들어가야 합니다.

7 빈칸에 들어갈 낱말을 완성하세요.

(1) 점 ㄴ을 [꼭 짓 점]으로 하는 각 ㄱㄴㄷ을 그렸다.

(2) 철봉의 기둥과 쇠막대가 만나는 곳에 [직 각]이 있다.

(3) 늑목에서는 네 각이 모두 직각인 [직 사 각 형]을 찾을 수 있다.

(4) 네 각이 모두 직각이고 네 변의 길이가 모두 같은 [정 사 각 형]을 사용해 정글짐을 만들었다.

1주차 4회

과학 교과서 어휘

수록 교과서 과학 3-1
1. 과학자는 어떻게 탐구할까요?

다음 중 낱말의 뜻을 잘 알고 있는 것에 ✓ 하세요.

□ 탐구 □ 관찰 □ 측정 □ 예상 □ 분류 □ 의사소통

아이들이 나무에 붙어 있는 곤충을 관찰하고 있네! 꼭 과학자들이 탐구하는 모습 같아. 과학자들이 탐구할 때 어떤 활동을 하는지 알아보자.

낱말을 읽고, ▭ 부분에 밑줄을 그으면서 낱말 공부를 해 보세요.

탐구

探 찾을 탐 + 究 연구할 구

뜻 어떤 것을 알아내려고 자세히 조사하고 깊이 연구하는 것.

예 한 과학자가 오랫동안 땅콩을 탐구하여 새로운 사실들을 발견했다.

비슷한말 연구

'연구'는 물건이나 일에 관련된 사실을 밝히기 위해 자세히 조사하고 생각하여 따져 보는 일을 뜻해.

예 파브르는 평생을 곤충 연구에 힘썼다.

관찰

觀 볼 관 + 察 살필 찰

Tip '관찰'은 눈, 코, 귀, 혀, 피부의 다섯 가지 감각 기관으로 정보를 얻는 과정을 말해요.

뜻 탐구하고자 하는 것의 특징을 자세히 살펴보는 것.

예 현미경이나 돋보기, 청진기와 같은 도구를 사용하면 대상을 더 자세히 관찰할 수 있다.

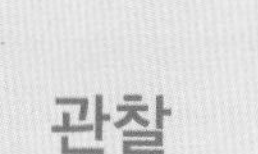

▲ 현미경으로 대상을 관찰하는 모습

정답과 해설 ▶ 11쪽

측정

測 잴 측 + 定 정할 정

'측(測)'의 대표 뜻은 '헤아리다'야.

뜻 탐구하고자 하는 것의 길이, 무게, 시간, 온도 등을 재는 것.

예 자로 땅콩의 길이를 측정했다.

측정할 때 사용하는 도구도 각각 달라. 길이는 자, 무게는 저울, 시간은 시계, 온도는 온도계를 사용하지.

예상

豫 미리 예 + 想 생각 상

뜻 앞으로 일어날 수 있는 일을 생각하는 것.

예 쌀과 콩을 통에 함께 넣고 흔들면 어떻게 될지 예상해 보자.

관련 어휘 추리

관찰 결과, 경험, 이미 알고 있는 것 등을 바탕으로 하여 무슨 일이 일어났는지 생각하는 것을 '추리'라고 해.

분류

分 나눌 분 + 類 무리 류

뜻 탐구하고자 하는 것을 같은 점과 다른 점을 바탕으로 나누는 것.

예 공룡을 날개가 있는 것과 날개가 없는 것으로 분류했다.

어법 받침 'ㄴ'을 'ㄹ'로 발음하기

'분류'는 [불류]로 발음해. 받침 'ㄴ'이 뒤 글자의 첫 자음자 'ㄹ'과 만나면 'ㄴ'이 'ㄹ'로 소리 나거든.

예 난로[날로], 전래[절래]

의사소통

意 뜻 의 + 思 생각 사 + 疏 소통할 소 + 通 통할 통

뜻 다른 사람과 생각, 지식이나 자료를 주고받는 것.

예 다른 사람과 의사소통을 할 때 몸짓을 사용하면 내용을 더 정확하게 전달할 수 있다.

1주차 4회

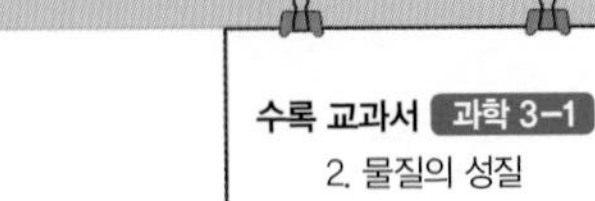

과학 교과서 어휘

수록 교과서 과학 3–1
2. 물질의 성질

다음 중 낱말의 뜻을 잘 알고 있는 것에 ☑ 하세요.

☐ 물체 ☐ 물질 ☐ 성질 ☐ 금속 ☐ 광택 ☐ 설계

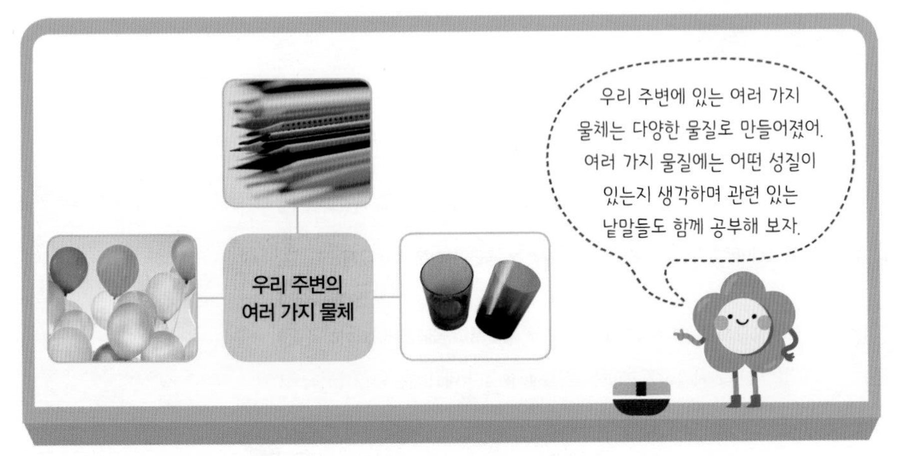

우리 주변의 여러 가지 물체
우리 주변에 있는 여러 가지 물체는 다양한 물질로 만들어졌어. 여러 가지 물질에는 어떤 성질이 있는지 생각하며 관련 있는 낱말들도 함께 공부해 보자.

낱말을 읽고, ▭ 부분에 밑줄을 그으면서 낱말 공부를 해 보세요.

물체
物 물건 물 + 體 몸 체

뜻 모양이 있고 자리를 차지하고 있는 것.

예 우리 주변에는 연필, 의자, 클립, 풍선, 바구니 등 여러 가지 물체가 있다.

비슷한말 물건

'물건'은 모양을 갖춘 모든 것을 뜻하는 낱말이야.

예 바닥에 떨어져 있는 물건은 바로 내 필통이었다.

물질
物 물건 물 + 質 바탕 질

이것만은 꼭!

뜻 물체를 만드는 재료.

예 풍선은 고무라는 물질로 만들어졌다.

'물질'은 [물찔]이라고 발음해.

성질
性 성품 성 + 質 바탕 질

Tip 물질의 성질에는 색깔, 냄새, 맛, 단단한 정도 등이 있어요.

뜻 물건이나 현상이 원래부터 가지고 있는 특징.

예 고무는 쉽게 늘어났다가 다시 돌아오는 성질이 있다.

'현상'은 현재 나타나 보이는 상태를 뜻해.

금속
金 쇠 금 + 屬 무리 속

뜻 쇠, 금, 은처럼 전기와 열을 잘 전달하고 빛이 나는 단단한 물질.

예 클립은 금속으로 만들어졌다.

▲ 금속으로 만든 컵과 클립

광택
光 빛 광 + 澤 윤 택

'택(澤)'의 대표 뜻은 '못'이야.

Tip '못'은 연못과 비슷한말이에요.

뜻 물체가 빛을 받아 반짝거리는 것.

예 미끄럼틀은 금속으로 만들어 햇빛을 받으면 반짝반짝 광택이 난다.

비슷한말 광

'광'은 물체가 빛을 받아 매끈거리며 반짝이는 것을 뜻해.

예 구두를 닦았더니 반짝반짝 광이 났다.

설계
設 세울 설 + 計 계획할 계

'설(設)'의 대표 뜻은 '베풀다', '계(計)'의 대표 뜻은 '(수를) 세다'야.

뜻 어떤 것을 만들려고 계획을 세우거나 그 계획을 그림으로 나타내는 것.

예 연필꽂이를 만들려고 연필꽂이를 설계한 것을 그림으로 그렸다.

확인 문제

30~31쪽에서 공부한 낱말을 떠올리며 문제를 풀어 보세요.

1 뜻에 알맞은 낱말을 보기에서 찾아 쓰세요.

보기: 관찰 분류 예상 측정 탐구

(1) 앞으로 일어날 수 있는 일을 생각하는 것. — 예상

(2) 탐구하고자 하는 것의 특징을 자세히 살펴보는 것. — 관찰

(3) 어떤 것을 알아내려고 자세히 조사하고 깊이 연구하는 것. — 탐구

(4) 탐구하고자 하는 것의 길이, 무게, 시간, 온도 등을 재는 것. — 측정

(5) 탐구하고자 하는 것을 같은 점과 다른 점을 바탕으로 나누는 것. — 분류

해설 | (1)은 '예상', (2)는 '관찰', (3)은 '탐구', (4)는 '측정', (5)는 '분류'의 뜻입니다.

2 받침 'ㄴ'이 안의 낱말처럼 발음되지 않는 것에 ×표 하세요.

분류[불류] (1) 난로 ( ) (2) 만남 (×) (3) 전래 ( )

해설 | '난로'와 '전래'는 '분류'처럼 받침 'ㄴ'이 뒤 글자의 첫 자음자 'ㄹ'과 만나 'ㄹ'로 발음되는 낱말입니다. '난로'는 [날로], '전래'는 [절래]로 발음됩니다.

3 밑줄 친 낱말을 문장의 내용에 맞게 고치려고 합니다. 알맞은 낱말에 ○표 하세요.

(1) 온도를 분류할 때에는 온도계를 사용한다.
→ (예상 , (측정))

(2) 겨울잠을 자는 동물과 겨울잠을 자지 않는 동물로 의사소통하였다.
→ ((분류), 측정)

(3) 요즈음에는 측정 방법이 발달하여 전자 우편, 문자 메시지 등으로도 다른 사람과 생각을 주고받는다.
→ (관찰 , (의사소통))

해설 | (1) 온도를 잴 때에는 온도계를 사용한다는 내용이므로, '측정'으로 고쳐야 합니다. (2) 겨울잠을 자는지를 기준으로 동물을 나누었다는 내용이므로, '분류'로 고쳐야 합니다. (3) 전자 우편, 문자 메시지 등으로 다른 사람과 생각을 주고받는다는 내용이므로, '의사소통'으로 고쳐야 합니다.

32~33쪽에서 공부한 낱말을 떠올리며 문제를 풀어 보세요.

4 낱말의 뜻을 보기에서 찾아 사다리를 타고 내려간 곳에 기호를 쓰세요.

보기:
㉠ 물체를 만드는 재료. – 물질
㉡ 모양이 있고 자리를 차지하고 있는 것. – 물체
㉢ 어떤 것을 만들려고 계획을 세우거나 그 계획을 그림으로 나타내는 것. – 설계

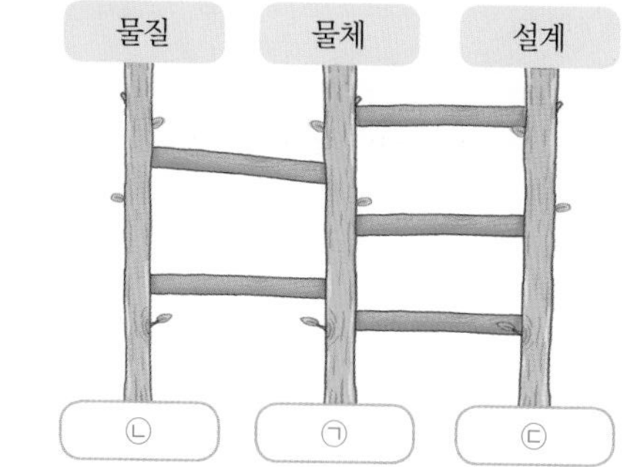

해설 | 물체를 만드는 재료를 뜻하는 낱말은 '물질', 모양이 있고 자리를 차지하고 있는 것을 뜻하는 낱말은 '물체', 어떤 것을 만들려고 계획을 세우거나 그 계획을 그림으로 나타내는 것을 뜻하는 낱말은 '설계'입니다.

5 낱말의 뜻에 맞게 ( ) 안에서 알맞은 말을 골라 ○표 하세요.

(1) 성질 — 물건이나 현상이 원래부터 가지고 있는 (이름 , (특징)).

(2) 광택 — 물체가 빛을 받아 ((반짝거리는), 기우뚱거리는) 것.

(3) 금속 — 쇠, 금, 은처럼 전기와 열을 잘 전달하고 빛이 나는 ((단단한), 물렁한) 물질.

해설 | '성질'은 물건이나 현상이 원래부터 가지고 있는 특징, '광택'은 물체가 빛을 받아 반짝거리는 것, '금속'은 쇠, 금, 은처럼 전기와 열을 잘 전달하고 빛이 나는 단단한 물질을 뜻하는 낱말입니다.

6 밑줄 친 낱말을 바르게 사용하지 못한 친구의 이름을 쓰세요.

서연: 금속 컵은 금속이라는 광택으로 만들어졌어.
정민: 플라스틱은 가벼우면서도 튼튼한 성질이 있어.
성하: 물질의 성질을 이용해 다양한 물체를 설계해 보았어.

(서연)

해설 | 서연이는 "금속 컵은 금속이라는 물질로 만들어졌어."라고 말해야 합니다.

1주차 5회

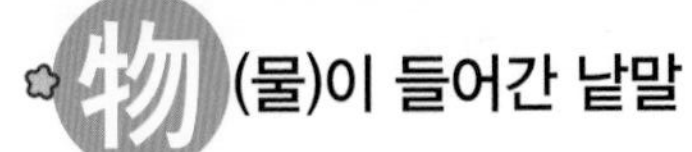

物(물)이 들어간 낱말

'物(물)'이 들어간 낱말을 읽고, ▭ 부분에 밑줄을 그으면서 낱말 공부를 해 보세요.

物

물건 물

'물(物)'은 소와 무언가를 칼로 내리치는 모습을 표현한 글자를 합쳐 만들었어. '물(物)'이 다양한 가축의 종류나 등급과 관계된 뜻으로 쓰이면서 '물건'이라는 뜻을 갖게 되었지. '물(物)'은 '사람', '일'의 뜻으로 쓰이기도 해.

물건 物

견물생심

見 볼 **견** + 物 물건 **물** + 生 날 **생** + 心 마음 **심**

뜻 물건을 실제로 보게 되면 가지고 싶은 욕심이 생김.

예 견물생심이라고 인형을 자꾸 보니까 갖고 싶은 마음이 든다.

보물

寶 보배 **보** + 物 물건 **물**

뜻 매우 귀하고 소중한 물건.

예 엄마는 할머니께서 물려주신 항아리를 보물처럼 아끼셨다.

비슷한말 **보배**

'보배'는 아주 귀하고 소중한 물건을 뜻해.

예 여왕은 보배로 장식된 왕관을 쓰고 있었다.

사람·일 物

거물

巨 클 **거** + 物 사람 **물**

뜻 어떤 분야에서 큰 영향을 주는 사람.

예 요리 분야에서 거물로 손꼽히는 사람이 텔레비전에 나와서 쉬운 요리법을 소개하였다.

금물

禁 금할 **금** + 物 일 **물**

뜻 해서는 안 되는 일.

예 우리 집에서 식사 시간에 스마트폰을 사용하는 것은 금물이다.

정답과 해설 ▶ 14쪽

體(체)가 들어간 낱말

'體(체)'가 들어간 낱말을 읽고, ▭ 부분에 밑줄을 그으면서 낱말 공부를 해 보세요.

體

몸 체

'체(體)'는 뼈와 그릇에 곡식을 풍성하게 담아 놓은 모습을 뜻하는 글자를 합쳐 만들었어. 뼈를 포함한 모든 것이 갖추어졌다는 것에서 '몸'을 뜻하게 되었지. '체(體)'는 '물체'라는 뜻도 있어.

몸 體

일심동체

一 하나 **일** + 心 마음 **심** + 同 같을 **동** + 體 몸 **체**

뜻 한마음 한 몸이라는 뜻으로, 서로 굳게 결합함을 이르는 말.

예 운동회 때 우리 반 친구들은 일심동체가 되어 열심히 응원을 하였다.

체육

體 몸 **체** + 育 기를 **육**

뜻 운동으로 몸을 튼튼하게 만드는 일이나 그런 목적으로 하는 운동.

예 공원에 체육 시설이 갖추어져 있다.

비슷한말 **운동**

'운동'은 몸을 튼튼하게 하거나 건강을 위하여 몸을 움직이는 일을 뜻해. 예 운동을 하면 건강해진다.

물체 體

매체

媒 매개 **매** + 體 물체 **체**

'매(媒)'의 대표 뜻은 '중매'야.

뜻 어떤 사실을 널리 전달하는 물체나 수단.

예 버스나 지하철 등이 광고 매체로 이용되기도 한다.

Tip '중매'는 결혼이 이루어지게 중간에서 소개하는 일이나 그런 사람을 뜻하는 낱말이에요.

실체

實 참으로 **실** + 體 물체 **체**

'실(實)'의 대표 뜻은 '열매'야.

뜻 현실에 있는 물체.

예 방 안이 너무 캄캄해서 아무런 실체도 볼 수가 없었다.

확인 문제

36쪽에서 공부한 낱말을 떠올리며 문제를 풀어 보세요.

1 보기에 있는 글자 카드로 뜻에 알맞은 낱말을 만들어 쓰세요.

보기: 보 금 견 농 심 생 산

(1) 해서는 안 되는 일. → 금 물

(2) 매우 귀하고 소중한 물건. → 보 물

(3) 물건을 실제로 보게 되면 가지고 싶은 욕심이 생김. → 견 물 생 심

해설 | (1) 해서는 안 되는 일을 뜻하는 낱말은 '금물'입니다. (2) 매우 귀하고 소중한 물건을 뜻하는 낱말은 '보물'입니다. (3) 물건을 실제로 보게 되면 가지고 싶은 욕심이 생기는 것을 뜻하는 낱말은 '견물생심'입니다.

2 밑줄 친 '물'이 '사람'의 뜻으로 쓰인 것에 ○표 하세요.

(1) 거물 (○)　(2) 금물 (　　)　(3) 견물생심 (　　)

해설 | (1) '거물'은 어떤 분야에서 큰 영향을 주는 사람을 뜻하는 낱말로, '물'이 '사람'의 뜻으로 쓰였습니다. (2)에 쓰인 '물'은 '일', (3)에 쓰인 '물'은 '물건'의 뜻으로 쓰였습니다.

3 '보물'과 뜻이 비슷한 낱말은 무엇인가요? (②)

① 보관　② 보배　③ 보상　④ 보약　⑤ 보호

해설 | '보물'과 뜻이 비슷한 낱말은 아주 귀하고 소중한 물건을 뜻하는 '보배'입니다.

4 밑줄 친 낱말을 바르게 사용한 친구의 이름을 쓰세요.

흥부는 제비 다리를 고쳐 주고 온갖 거물을 얻었어.
영아
선생님께서 수업 시간에 떠드는 것은 절대 보물이라고 하셨어.
석훈
돈을 주웠는데 견물생심에 그냥 가졌다가 후회한 적이 있어.
세미

(세미)

해설 | 영아는 "온갖 보물을 얻었어.", 석훈이는 "절대 금물이라고 하셨어."라고 말해야 합니다.

37쪽에서 공부한 낱말을 떠올리며 문제를 풀어 보세요.

5 뜻에 알맞은 낱말을 빈칸에 쓰세요.

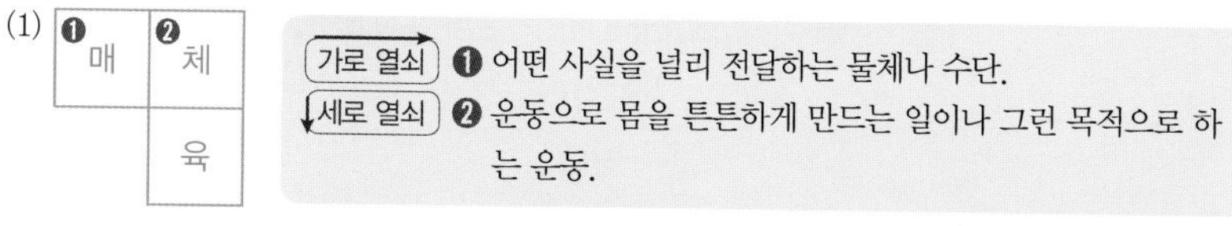

(1) ❶매 ❷체 / 육

가로 열쇠 ❶ 어떤 사실을 널리 전달하는 물체나 수단.
세로 열쇠 ❷ 운동으로 몸을 튼튼하게 만드는 일이나 그런 목적으로 하는 운동.

(2) ❶일 심 동 체 / ❷실

가로 열쇠 ❶ 한마음 한 몸이라는 뜻으로, 서로 굳게 결합함을 이르는 말.
세로 열쇠 ❷ 현실에 있는 물체.

해설 | (1) 어떤 사실을 널리 전달하는 물체나 수단을 뜻하는 낱말은 '매체', 운동으로 몸을 튼튼하게 만드는 일이나 그런 목적으로 하는 운동을 뜻하는 낱말은 '체육'입니다. (2) 한마음 한 몸이라는 뜻으로, 서로 굳게 결합함을 이르는 말은 '일심동체', 현실에 있는 물체를 뜻하는 낱말은 '실체'입니다.

6 안에 있는 낱말과 뜻이 비슷한 낱말에 ○표 하세요.

체육　|　체온　(운동)　운반

해설 | '체육'과 뜻이 비슷한 낱말은 몸을 튼튼하게 하거나 건강을 위하여 몸을 움직이는 일을 뜻하는 '운동'입니다.

해설 | (1)은 우리 가족이 한마음 한 몸이 되어 청소를 하였다는 내용으로, '일심동체'가 들어가야 합니다. (2)에는 운동으로 몸을 튼튼하게 만드는 일이나 그런 목적으로 하는 운동을 뜻하는 '체육'이 들어가야 합니다. (3)은 다양한 물체나 수단을 통해 외국 문화를 쉽게 접할 수 있다는 내용으로, '매체'가 들어가야 합니다.

7 빈칸에 들어갈 알맞은 낱말을 찾아 선으로 이으세요.

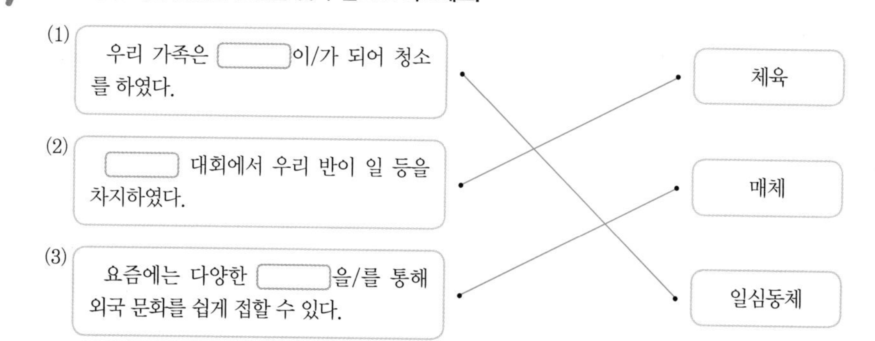

(1) 우리 가족은 (　　)이/가 되어 청소를 하였다.
(2) (　　) 대회에서 우리 반이 일 등을 차지하였다.
(3) 요즘에는 다양한 (　　)을/를 통해 외국 문화를 쉽게 접할 수 있다.

체육　매체　일심동체

1주차 어휘력 테스트

앞에서 공부한 낱말을 떠올리며 문제를 풀어 보세요.

낱말 뜻

1 낱말과 그 뜻이 바르게 짝 지어진 것은 무엇인가요? (②)

① 거물 – 해서는 안 되는 일.
② 백지도 – 산, 강, 큰길 등의 밑그림만 그려져 있는 지도.
③ 선분 – 한 점에서 시작하여 한쪽으로 끝없이 늘인 곧은 선.
④ 유원지 – 사람들이 인터넷에 연결해서 볼 수 있도록 만든 문서.
⑤ 의사소통 – 어떤 것을 만들려고 계획을 세우거나 그 계획을 그림으로 나타내는 것.

해설 | '거물'은 어떤 분야에서 큰 영향을 주는 사람, '선분'은 두 점을 곧게 이은 선, '유원지'는 많은 사람이 구경하거나 놀 수 있게 여러 가지 시설을 만들어 놓은 곳, '의사소통'은 다른 사람과 생각, 지식이나 자료를 주고받는 것을 뜻합니다.

낱말 뜻

2 ~ 3 낱말의 뜻에 맞게 ( ) 안에서 알맞은 말을 골라 ○표 하세요.

2 알림판 | 여러 사람에게 (알리는(○), 뿌리는) 내용을 적은 것을 붙이는 판.

해설 | '알림판'은 여러 사람에게 알리는 내용을 적은 것을 붙이는 판입니다.

3 관찰 | 탐구하고자 하는 것의 특징을 자세히 (살펴보는(○), 상상하는) 것.

해설 | '관찰'은 탐구하고자 하는 것의 특징을 자세히 살펴보는 것을 뜻합니다.

우리말

4 다음 중 가장 짠맛을 나타내는 우리말에 ○표 하세요.

짭짤하다　　짜디짜다(○)　　짭조름하다

해설 | '짭짤하다'는 "맛이 조금 짜다."라는 뜻이고, '짭조름하다'는 "조금 짠맛이 있다."라는 뜻이며, '짜디짜다'는 "매우 짜다."라는 뜻입니다. 따라서 가장 짠맛을 나타내는 우리말은 '짜디짜다'입니다.

비슷한말

5 비슷한말끼리 짝 지어진 것을 두 가지 고르세요. (①, ④)

① 고장 – 마을　　② 확대 – 축소　　③ 물체 – 물질
④ 생김새 – 모양　　⑤ 첫머리 – 끝머리

해설 | '고장'과 뜻이 비슷한 낱말은 여러 집이 모여 사는 곳을 뜻하는 '마을'이고, '생김새'와 뜻이 비슷한 낱말은 겉으로 나타나는 생김새나 모습을 뜻하는 '모양'입니다.

여러 가지 뜻을 가진 낱말

6 밑줄 친 '그리다'의 뜻을 찾아 선으로 이으세요.

(1) 종이에 연필로 동그라미를 그렸다. — 연필이나 붓 등으로 사물의 모양을 나타내다.
(2) 미래의 나의 모습을 마음속으로 그려 보았다. — 마음속에 떠올리거나 상상하다.

해설 | (1)은 연필로 동그라미의 모양을 나타냈다는 뜻의 문장이고, (2)는 미래의 나의 모습을 마음속으로 상상해 보았다는 뜻의 문장입니다.

한자 성어

7 ( ) 안에서 알맞은 낱말을 골라 ○표 하세요.

(1) 부부는 (견물생심 , 일심동체(○))(이)라더니 엄마는 계속 아빠 편만 드셨다.
(2) 친구의 머리띠를 보니 (견물생심(○), 일심동체)(이)라고 나도 갖고 싶은 마음이 들었다.

해설 | '견물생심'은 물건을 실제로 보게 되면 가지고 싶은 욕심이 생기는 것을 뜻하고, '일심동체'는 서로 굳게 결합함을 이르는 말입니다.

낱말 활용

8 ~ 10 ( ) 안에 들어갈 알맞은 낱말을 보기에서 찾아 쓰세요.

보기: 성질　　예상　　누리집

8 내일은 비가 올 것으로 (예상)이 된다.

해설 | 내일 비가 올 것으로 생각된다는 내용으로, '예상'이 들어가기에 알맞습니다.

9 기름은 물과 섞이지 않는 (성질)이 있다.

해설 | 기름이 가지고 있는 특징을 쓴 문장으로, '성질'이 들어가기에 알맞습니다.

10 인터넷으로 기상청 (누리집)에 들어가서 내일 날씨를 확인하였다.

해설 | 인터넷에 연결해서 내일 날씨를 확인하였다고 하였으므로, '누리집'이 들어가기에 알맞습니다.

어휘가

문해력 이다

초등 3학년 1학기

2주차 정답과 해설

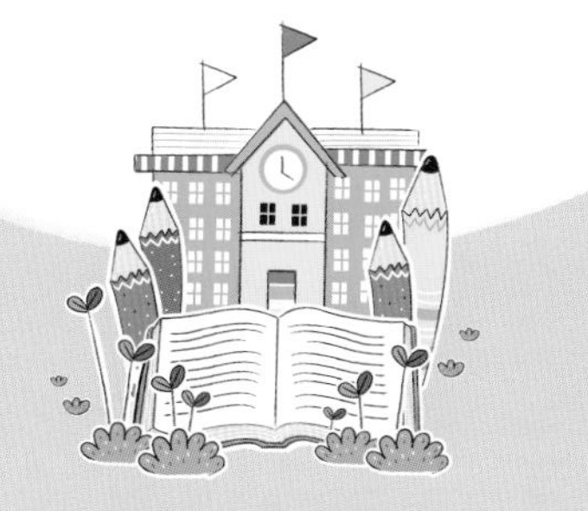

2주차 1회 국어 교과서 어휘

수록 교과서 국어 3-1 ㉮
3. 알맞은 높임 표현

다음 중 낱말의 뜻을 잘 알고 있는 것에 ✔ 하세요.

☐ 높임 표현 ☐ 웃어른 ☐ 공경하다 ☐ 드리다 ☐ 여쭈어보다 ☐ 언어 예절

낱말을 읽고, ▭ 부분에 밑줄을 그으면서 낱말 공부를 해 보세요.

높임 표현

높임 + 表 겉 **표** + 現 나타날 **현**

이것만은 꼭!

뜻 대상을 높이기 위한 표현.

예 할아버지와 대화할 때에는 높임 표현을 사용해야 한다.

관련 어휘 높임의 뜻이 있는 특별한 낱말

- 진지: '밥'의 높임 표현
- 연세: '나이'의 높임 표현
- 계시다: '있다'의 높임 표현
- 모시다: '데리다'의 높임 표현

Tip 높임 표현은 "아빠, 김밥이 맛있을 것 같아요."처럼 듣는 사람이 웃어른일 때, "선생님께서 가신다."처럼 행동하는 사람이 웃어른일 때, "어머니께 드릴 선물이야."처럼 '누구에게'에 해당하는 사람이 웃어른일 때 사용하는 표현이에요.

웃어른

뜻 자기보다 나이가 많거나 높은 자리에 있는 사람.

예 할머니와 같은 웃어른과 대화할 때에는 예의 바르게 말해야 한다.

뜻을 더해 주는 말 '웃-'

'웃-'은 어떤 낱말 앞에 붙어 '위'의 뜻을 더해 줘. 그런데 '웃-'은 위와 아래를 구분 지을 수 없는 낱말에만 붙어. '웃어른'은 있지만 '아래 어른'은 없잖아?

'웃-이' 들어간 낱말에는 '웃돈'이 있어. '웃돈'은 원래의 값보다 더 주는 돈을 뜻해.

Tip '윗마을'이나 '윗니'에 쓰인 '윗'도 '위'의 뜻을 더하는 말이에요. 하지만 '윗'은 위와 아래를 구분 지을 수 있는 낱말에만 붙어요.

공경하다

恭 공손할 **공** + 敬 공경할 **경** + 하다

뜻 웃어른을 공손히 모시다.

예 높임 표현에는 상대방을 공경하는 마음이 담겨 있다.

'공손하다'는 말이나 행동이 예의가 바르다는 뜻이야.

반대말 얕보다

'얕보다'는 "실제보다 낮추어 보다."라는 뜻이야.

예 상대 선수를 얕보다가 경기에서 졌다.

드리다

뜻 '주다'의 높임 표현. 물건 등을 남에게 주어 가지게 하거나 쓰게 하다.

예 엄마께 감사 편지를 써서 드렸다.

여쭈어보다

뜻 '물어보다'의 높임 표현. 무엇을 알아내기 위하여 묻다.

예 선생님께 '짐작하다'의 뜻을 여쭈어보았다.

'여쭈어보다'의 준말은 '여쭤보다'야.

언어 예절

言 말씀 **언** + 語 말씀 **어** + 禮 예도 **예** + 節 예절 **절**

'절(節)'의 대표 뜻은 '마디'야.

뜻 말하기, 듣기, 읽기, 쓰기처럼 언어를 쓰는 생활에서 지켜야 할 바르고 공손한 태도나 행동.

예 다른 사람과 대화할 때 지켜야 할 언어 예절에는 듣는 사람을 바라보며 말하기, 바른 자세로 말하기 등이 있다.

꼭! 알아야 할 속담

새로 나온 장난감이네.

화살을 쏘면 화살이 날아가면서 반짝인다며?

화살만 따로 살 수 있나 봐.

5,000원

×6개 10,000원

뭐야? 배보다 배꼽이 더 크잖아.

화살만 들어 있는 게 더 비싸네.

빈칸 채우기 '배보다 [배꼽]이 더 크다'는 배보다 거기에 있는 배꼽이 더 크다는 뜻으로, 기본이 되는 것보다 덧붙이는 것이 더 많거나 큰 경우를 이르는 말입니다.

국어 교과서 어휘

수록 교과서 국어 3-1 ㉮
4. 내 마음을 편지에 담아 ~
5. 중요한 내용을 적어요

다음 중 낱말의 뜻을 잘 알고 있는 것에 ✓ 하세요.

☐ 전하다 ☐ 편지글 ☐ 형식 ☐ 메모 ☐ 간추리다 ☐ 정보

낱말을 읽고, 　　 부분에 밑줄을 그으면서 낱말 공부를 해 보세요.

전하다

傳 전할 **전** + 하다

뜻 상대에게 소식, 생각 등을 알리다.

예 달리기를 하다가 넘어진 친구에게 위로의 말을 전했다.

속담 **무소식이 희소식**

아무 소식도 전하지 않는 것은 별일이 없다는 뜻이니 기쁜 소식과 같다는 뜻이야.

'무소식'은 소식이나 연락이 없음, '희소식'은 기쁜 소식을 뜻하는 낱말이야.

편지글

便 소식 **편** + 紙 종이 **지** + 글

'편(便)'의 대표 뜻은 '편하다'야.

뜻 다른 사람에게 알리거나 하고 싶은 말을 써서 보내는 글.

예 민재 형은 상을 타지 못한 호준이를 위로하기 위해 편지글을 썼다.

호준이에게 위로하는 마음을 전하는 편지글을 써야지.

형식

形 모양 **형** + 式 법 **식**

뜻 글, 미술, 음악 등에서 내용을 표현하는 방법.

예 할아버지께 쓴 편지글을 읽어 보니 편지글의 형식 중에서 끝인사가 빠져 있었다.

메모

Tip '메모'는 중요한 내용만 짧게 써 놓은 글을 말해요.

뜻 다른 사람에게 말을 전하거나 자신이 기억한 것을 잊지 않으려고 짧게 쓴 글.

예 갑자기 좋은 생각이 날 때 메모를 해 두면 나중에도 기억할 수 있다.

주원이와의 약속
- 날짜: 이번 주 토요일 2시
- 장소: 도서관 앞
- 내용: 주원이와 사회 시간에 발표할 자료를 조사하기로 함.

간추리다

이것만은 꼭!

뜻 글이나 말에서 중요한 내용만 골라 간단하게 정리하다.

예 글을 잘 간추리기 위해서는 문단의 중요한 내용을 정리해야 한다.

비슷한말 **요약하다**

'요약하다'는 "말이나 글에서 중요한 것을 골라 짧게 만들다."라는 뜻이야.

예 동화책을 읽고 내용을 짧게 요약하였다.

정보

情 뜻 **정** + 報 알릴 **보**

'보(報)'의 대표 뜻은 '갚다'야.

뜻 어떤 일에 대한 지식이나 자료.

예 이 글을 읽으면 플랑크톤에 대한 여러 가지 정보를 얻을 수 있다.

꼭! 알아야 할 관용어

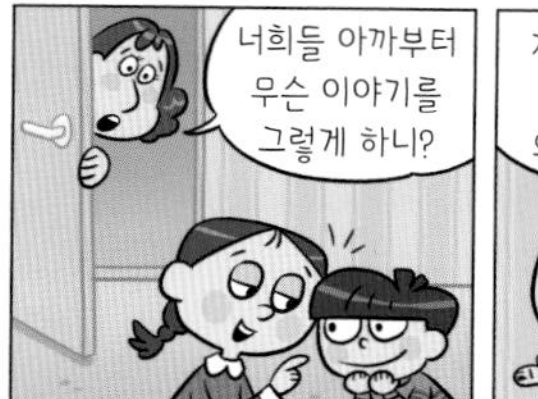

○표 하기 '(머리를 맞대다, 머리를 흔들다)'는 "서로 모여서 어떤 일을 의논하다."라는 뜻입니다.

확인 문제

✎ 44~45쪽에서 공부한 낱말을 떠올리며 문제를 풀어 보세요.

1 뜻에 알맞은 낱말을 글자판에서 찾아 묶으세요. (낱말은 가로(—), 세로(|) 방향에 숨어 있어요.)

바	❶공	경	하	다
❸언	승	부	차	기
어	높	임	말	성
예	약	국	물	건
절	❷드	리	다	요

❶ 웃어른을 공손히 모시다.
❷ '주다'의 높임 표현. 물건 등을 남에게 주어 가지게 하거나 쓰게 하다.
❸ 말하기, 듣기, 읽기, 쓰기처럼 언어를 쓰는 생활에서 지켜야 할 바르고 공손한 태도나 행동.

해설 | ❶ "웃어른을 공손히 모시다."라는 뜻의 낱말은 '공경하다'입니다. ❷ '주다'의 높임 표현으로 "물건 등을 남에게 주어 가지게 하거나 쓰게 하다."라는 뜻을 가진 낱말은 '드리다'입니다. ❸ 말하기, 듣기, 읽기, 쓰기처럼 언어를 쓰는 생활에서 지켜야 할 바르고 공손한 태도나 행동을 뜻하는 낱말은 '언어 예절'입니다.

2 낱말의 뜻에 맞게 (　) 안에서 알맞은 말을 골라 ○표 하세요.

(1) 높임 표현: 대상을 (낮추기 , (높이기)) 위한 표현.

(2) 웃어른: 자기보다 나이가 ((많거나), 적거나) 높은 자리에 있는 사람.

(3) 여쭈어보다: ((물어보다), 바라보다)의 높임 표현. 무엇을 알아내기 위하여 ((묻다), 보다).

해설 | (1) '높임 표현'은 대상을 높이기 위한 표현을 뜻합니다. (2) '웃어른'은 자기보다 나이가 많거나 높은 자리에 있는 사람을 뜻합니다. (3) '여쭈어보다'는 '물어보다'의 높임 표현으로, "무엇을 알아내기 위하여 묻다."라는 뜻입니다.

3 높임 표현을 바르게 사용한 친구에게 ○표 하세요.

(1)
아버지, 진지 잡수세요.
(○)
(2)
할아버지께서는 회사에 있어요.
(　)
(3)
우리 할머니 나이는 70세야.
(　)

해설 | (2)의 친구는 "할아버지께서는 회사에 계세요.", (3)의 친구는 "우리 할머니 연세는 70세야."라고 말해야 합니다.

4 (　) 안에 들어갈 알맞은 낱말을 보기에서 찾아 쓰세요.

보기
공경
높임 표현
언어 예절

(1) 웃어른에게 (공경)하는 마음을 지녀야 한다.

(2) 대화할 때 지켜야 할 (언어 예절)에는 예의 바르게 말하기가 있다.

(3) 듣는 사람이 말하는 사람보다 웃어른일 때 (높임 표현)을 사용한다.

해설 | (1) 웃어른에 대한 마음과 관련된 '공경'이 들어가야 합니다. (2) 언어를 쓰는 생활에서 지켜야 할 바르고 공손한 태도나 행동을 뜻하는 '언어 예절'이 들어가야 합니다. (3) 듣는 사람이 웃어른일 때 사용하는 표현과 관련된 '높임 표현'이 들어가야 합니다.

✎ 46~47쪽에서 공부한 낱말을 떠올리며 문제를 풀어 보세요.

5 낱말의 뜻을 보기에서 찾아 사다리를 타고 내려간 곳에 기호를 쓰세요.

보기
㉠ 상대에게 소식, 생각 등을 알리다. – 전하다
㉡ 글, 미술, 음악 등에서 내용을 표현하는 방법. – 형식
㉢ 다른 사람에게 알리거나 하고 싶은 말을 써서 보내는 글. – 편지글
㉣ 다른 사람에게 말을 전하거나 자신이 기억한 것을 잊지 않으려고 짧게 쓴 글. – 메모

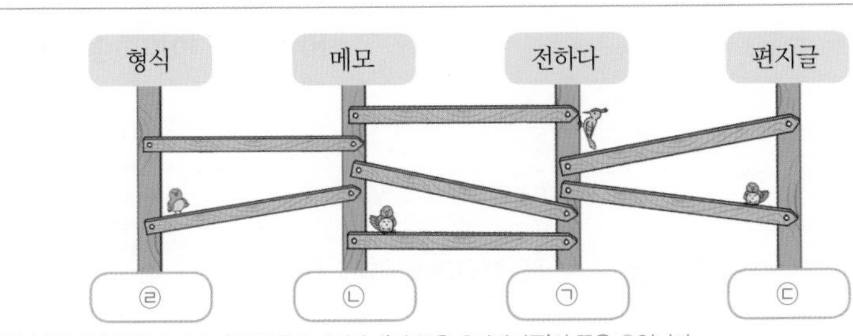

해설 | '형식'의 뜻은 ㉡, '메모'의 뜻은 ㉣, '전하다'의 뜻은 ㉠, '편지글'의 뜻은 ㉢입니다.

6 밑줄 친 낱말과 뜻이 비슷한 낱말은 무엇인가요? (④)

글을 읽고 중요한 내용을 <u>간추려</u> 발표해 보세요.

① 꾸며　② 생략해　③ 예상해　④ 요약해　⑤ 전달해

해설 | '간추리다'와 뜻이 비슷한 낱말은 "말이나 글에서 중요한 것을 골라 짧게 만들다."라는 뜻의 '요약하다'입니다.

7 밑줄 친 낱말을 바르게 사용하지 못한 친구에게 ×표 하세요.

(1)
글의 종류 중에는 반드시 정보를 지켜서 써야 하는 것이 있어.
(×)
(2)
마트에서 사야 할 물건이 많으니 메모를 해야겠네.
(　)

(3)
글을 읽고 줄거리를 간추리려면 일이 일어난 차례를 잘 살펴봐야 해.
(　)

해설 | (1)의 아이는 "글의 종류 중에는 반드시 형식을 지켜서 써야 하는 것이 있어."라고 말해야 합니다.

2주차 2회 사회 교과서 어휘

수록 교과서 사회 3–1
2. 우리가 알아보는 고장 이야기

다음 중 낱말의 뜻을 잘 알고 있는 것에 ✓ 하세요.

□ 자연환경 □ 지명 □ 유래 □ 고사성어 □ 전설 □ 엿보다

옛날에는 사람들에게
종을 쳐서 시각을 알려 줬대.
이 이야기와 관련된 고장은 어디일까?
맞아, 종로야. 고장의 옛이야기와
관련된 낱말을 공부해 보자.

낱말을 읽고, ▭ 부분에 밑줄을 그으면서 낱말 공부를 해 보세요.

자연환경
自 스스로 자 + 然 그럴 연 + 環 두루 미칠 환 + 境 지경 경
'환(環)'의 대표 뜻은 '고리'야.

Tip '자연환경'은 우리를 둘러싸고 있는 환경 중에서 사람이 만들지 않은 자연 그대로의 것들을 말해요.

뜻 산, 바다와 같은 땅의 생김새와 날씨에 영향을 주는 비, 바람 등 자연 그대로의 것.

예 경기도 양평군의 '두물머리'는 두 갈래의 강줄기가 만나는 곳이라 해서 붙은 이름으로, 자연환경과 관계있다.

지명
地 땅 지 + 名 이름 명

이것만은 꼭!

뜻 땅의 이름.

예 '얼음골'이라는 지명은 더운 여름 바위틈에 얼음이 생긴다고 해서 붙은 것이다.

글자는 같지만 뜻이 다른 낱말 지명
'지명'은 "여러 사람 중에서 누구의 이름을 지정하여 가리킴."이라는 전혀 다른 뜻으로도 쓰여.
예 선생님께서 정우를 임시 학급 회장으로 지명하셨다.

유래
由 말미암을 유 + 來 올 래

뜻 물건이나 일이 생겨남.

예 우리 고장에 많이 쓰이는 '계룡'이라는 이름은 착한 닭에 관한 이야기에서 유래되었다.

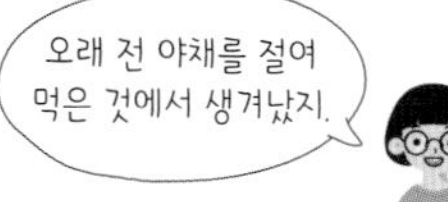

김치의
유래는 뭘까?
오래 전 야채를 절여
먹은 것에서 생겨났지.

고사성어
故 옛날 고 + 事 일 사 + 成 이룰 성 + 語 말씀 어
'고(故)'의 대표 뜻은 '연고'야.

뜻 주로 옛이야기로부터 전해지는, 한자로 된 말.

예 '이심전심'은 마음에서 마음으로 전한다는 뜻의 고사성어이다.

관련 어휘 사자성어
'사자성어'는 한자 네 자로 이루어진 말이야. 고사성어는 두 글자로 된 것도 있고 네 글자가 넘는 것도 있지만, 사자성어는 네 글자로만 이루어진 말이지.

Tip '연고'는 일의 까닭을 뜻하기도 하고, 정이나 핏줄, 법률 등으로 맺어진 관계를 뜻하기도 해요.

전설
傳 전할 전 + 說 말씀 설

뜻 오래전부터 전해 내려오는 이야기로, 어떤 곳이나 물건의 유래 등과 관련된 것을 다룸.

예 우리 고장에 있는 계곡에는 선녀가 하늘에서 내려와 목욕을 했다는 전설이 있다.

엿보다

뜻 어떤 사실을 바탕으로 헤아려 알다.

예 지명의 유래로 고장의 모습을 엿볼 수 있다.

여러 가지 뜻을 가진 낱말 엿보다
'엿보다'는 "남이 알지 못하게 몰래 보다."라는 뜻도 있어.
예 창문으로 방 안을 엿보다.

사회 교과서 어휘

수록 교과서 사회 3-1
2. 우리가 알아보는 고장 이야기

다음 중 낱말의 뜻을 잘 알고 있는 것에 ✓ 하세요.

□ 문화유산 □ 향교 □ 누비 □ 탈춤 □ 문화 관광 해설사 □ 면담

아이들이 문화유산 중 하나인 향교에서 문화 관광 해설사에게 설명을 듣고 있네. 고장에 있는 문화유산에 대해 알아보는 방법을 생각하며 관련 있는 낱말들도 함께 알아보자.

낱말을 읽고, 부분에 밑줄을 그으면서 낱말 공부를 해 보세요.

이것만은 꼭!

문화유산

文 글월 문 + 化 될 화 + 遺 남길 유 + 産 낳을 산

뜻 조상 대대로 전해 내려온 문화 중에서 후손에게 물려줄 만한 가치가 있는 것.

예 다보탑은 불국사에 있는 우리나라의 문화유산이다.

'가치'는 의미나 중요성을 뜻해.

향교

鄕 시골 향 + 校 학교 교

Tip '향교'는 고려 시대부터 조선 시대에 이르기까지 나라에서 지방에 세운 교육 기관을 말해요.

뜻 옛날에 지방의 교육을 맡았던 교육 기관.

예 향교는 서당을 마친 학생들이 공부했던 곳이다.

관련 어휘 서당

'서당'은 옛날에 글공부를 가르치던 교육 기관으로, 오늘날의 초등학교에 해당하는 곳이야.

정답과 해설 ▶ 22쪽

누비

뜻 두 겹의 천 사이에 솜을 넣어 꿰매는 바느질이나 그렇게 만든 물건.

예 누비를 하면 따뜻한 옷을 만들어 입을 수 있다.

▲ 누비저고리

탈춤

뜻 탈을 쓰고 춤추며 노래와 이야기를 하는 놀이 연극.

예 사람들이 신나게 탈춤을 춘다.

문화 관광 해설사

文 글월 문 + 化 될 화 + 觀 볼 관 + 光 경치 광 + 解 풀 해 + 設 말씀 설 + 師 스승 사

'광(光)'의 대표 뜻은 '빛'이야.

뜻 유적지나 관광지에 대해 전문적으로 설명할 수 있는 자격을 가지고 있는 사람.

예 문화유산을 조사할 때 문화 관광 해설사의 설명을 들으면 훨씬 이해하기 쉽다.

관련 어휘 유적지

'유적지'는 역사적인 사건이 일어난 곳을 말해.

면담

面 낯 면 + 談 말씀 담

뜻 서로 만나서 이야기하거나 의견을 나누는 것.

예 고장의 문화유산을 조사하기 위해 전문가에게 면담을 신청했다.

확인 문제

50~51쪽에서 공부한 낱말을 떠올리며 문제를 풀어 보세요.

1 뜻에 알맞은 낱말을 글자판에서 찾아 묶으세요. (낱말은 가로(—), 세로(|) 방향에 숨어 있어요.)

유	래	모	❸전	설
한	❶지	형	봇	짐
차	명	소	대	비
도	❷사	자	성	어
❹자	연	환	경	찰

❶ 땅의 이름.
❷ 한자 네 자로 이루어진 말.
❸ 오래전부터 전해 내려오는 이야기로, 어떤 곳이나 물건의 유래 등과 관련된 것을 다룸.
❹ 산, 바다와 같은 땅의 생김새와 날씨에 영향을 주는 비, 바람 등 자연 그대로의 것.

해설 | 땅의 이름은 '지명', 한자 네 자로 이루어진 말은 '사자성어', 오래전부터 전해 내려오는 이야기로 어떤 곳이나 물건의 유래 등과 관련된 것을 다룬 것은 '전설'입니다. 또 산, 바다와 같은 땅의 생김새와 날씨에 영향을 주는 비, 바람 등 자연 그대로의 것을 뜻하는 낱말은 '자연환경'입니다.

2 밑줄 친 낱말이 보기의 뜻으로 쓰인 것에 ○표 하세요.

보기
엿보다: 어떤 사실을 바탕으로 헤아려 알다.

(1) 적군의 상태를 엿보고 오다. (　　)
(2) 누군가 창문 너머로 엿보고 있는 듯한 느낌이 들었다. (　　)
(3) 이 그림을 통해 옛날 사람들의 생활 모습을 엿볼 수 있다. (○)

해설 | (1)과 (2)에 쓰인 '엿보다'는 "남이 알지 못하게 몰래 보다."라는 뜻입니다.

3 밑줄 친 낱말을 바르게 사용하지 못한 친구의 이름을 쓰세요.

'양천'은 햇볕이 잘 들고 물이 맑은 고사성어를 알 수 있는 이름이야.
수경
독도의 또 다른 이름인 '돌섬'은 섬 전체가 바위로 되어 있다고 해서 붙여진 지명이야.
승호
'안성맞춤'은 안성에서 그릇을 만드는 사람들의 솜씨가 뛰어났다는 이야기에서 유래한 말이야.
정재

(수경)

해설 | 수경이는 "자연환경을 알 수 있는 이름이야."라고 말해야 합니다.

52~53쪽에서 공부한 낱말을 떠올리며 문제를 풀어 보세요.

4 낱말의 뜻을 보기에서 찾아 사다리를 타고 내려간 곳에 기호를 쓰세요.

보기
㉠ 옛날에 지방의 교육을 맡았던 교육 기관. – 향교
㉡ 탈을 쓰고 춤추며 노래와 이야기를 하는 놀이 연극. – 탈춤
㉢ 두 겹의 천 사이에 솜을 넣어 꿰매는 바느질이나 그렇게 만든 물건. – 누비
㉣ 유적지나 관광지에 대해 전문적으로 설명할 수 있는 자격을 가지고 있는 사람. – 문화 관광 해설사

누비 / 탈춤 / 향교 / 문화 관광 해설사

㉣ / ㉡ / ㉢ / ㉠

해설 | '누비'는 두 겹의 천 사이에 솜을 넣어 꿰매는 바느질이나 그렇게 만든 물건, '탈춤'은 탈을 쓰고 춤추며 노래와 이야기를 하는 놀이 연극, '향교'는 옛날에 지방의 교육을 맡았던 교육 기관, '문화 관광 해설사'는 유적지나 관광지에 대해 전문적으로 설명할 수 있는 자격을 가지고 있는 사람을 뜻하는 낱말입니다.

5 낱말의 뜻에 맞게 (　) 안에서 알맞은 말을 골라 ○표 하세요.

(1) 문화유산
조상 대대로 전해 내려온 문화 중에서 후손에게 물려줄 만한 (가치, 장치)가 있는 것.

(2) 면담
서로 (만나서, 떨어져서) 이야기하거나 의견을 나누는 것.

해설 | '문화유산'은 조상 대대로 전해 내려온 문화 중에서 후손에게 물려줄 만한 가치가 있는 것, '면담'은 서로 만나서 이야기하거나 의견을 나누는 것을 말합니다.

6 (　) 안에 들어갈 알맞은 낱말을 보기에서 찾아 쓰세요.

보기
면담
누비
문화유산

(1) 이 옷은 (누비)바지라서 무척 따뜻하다.
(2) 불국사는 조상 대대로 내려온 소중한 (문화유산)(이)다.
(3) 직업에 대해 조사하기 위해 경찰관을 (면담)하기로 했다.

해설 | (1) 따뜻한 바지라는 내용으로 보아, 두 겹의 천 사이에 솜을 넣어 꿰매어 만든 물건인 '누비'가 들어가기에 알맞습니다. (2) 조상 대대로 내려왔다는 내용으로 보아, '문화유산'이 들어가기에 알맞습니다. (3) 경찰관과 만나서 이야기하기로 했다는 내용으로 '면담'이 들어가기에 알맞습니다.

2주차 3회

수학 교과서 어휘

수록 교과서 수학 3-1
3. 나눗셈

다음 중 낱말의 뜻을 잘 알고 있는 것에 ✓ 하세요.

□ 나눗셈 □ 몫 □ 나누어지는 수 □ 나누는 수 □ 똑같다 □ 덜다

식탁 위에 여러 가지 음식이 놓여 있네. 아이들이 똑같이 나누어 먹으려면 한 명이 몇 개씩 먹을 수 있을까? 나누기와 관련하여 꼭 알아야 할 낱말들을 배워 보자.

낱말을 읽고, 부분에 밑줄을 그으면서 낱말 공부를 해 보세요.

나눗셈

Tip 나눗셈은 곱셈과 서로 반대되는 셈이에요.

뜻 어떤 수를 다른 수로 나누는 계산 방법.

예 고무풍선 10개를 두 사람이 똑같이 나누어 가지려고 할 때 나눗셈이 필요하다.

몫

이것만은 꼭!

뜻 어떤 수를 다른 수로 나누어 얻은 수.

$6 \div 3 = 2$ → 몫

예 6을 3으로 나누면 몫은 2이다.

여러 가지 뜻을 가진 낱말 몫

'몫'은 여럿으로 나누어 가지는 각 부분이라는 뜻도 있어.

예 치킨을 시켰는데 형 몫으로 몇 조각 남겨 놓았다.

나누어지는 수

나누어지는 + 數 셈 수

뜻 '몇÷몇'에서 앞에 있는 '몇'에 해당하는 수.

예 10÷2=5에서 10은 나누어지는 수이다.

$10 \div 2 = 5$ → 10: 나누어지는 수

나누는 수

나누는 + 數 셈 수

뜻 '몇÷몇'에서 뒤에 있는 '몇'에 해당하는 수.

예 10÷2=5에서 2는 나누는 수이다.

$10 \div 2 = 5$ → 2: 나누는 수

똑같다

뜻 모양, 수나 양, 성질 등이 조금도 다른 데가 없다.

예 과자 8개를 2명이 똑같이 나누어 먹으려고 한다.

비슷한말 동일하다

'동일하다'는 어떤 것과 비교하여 똑같다는 뜻이야.

예 정삼각형은 세 변의 길이가 모두 동일하다.

덜다

뜻 얼마를 빼내어 줄이거나 적게 하다.

예 밤 8개 중에서 4개를 덜어 언니에게 주었다.

반대말 더하다

'더하다'는 "더 보태어 늘리거나 많게 하다."라는 뜻이야.

예 지금까지 모은 용돈을 모두 더하면 오만 원이다.

2주차 3회 수학 교과서 어휘

수록 교과서 수학 3-1
4. 곱셈

다음 중 낱말의 뜻을 잘 알고 있는 것에 ✓ 하세요.

□ -씩 □ 뛰어 세기 □ 올림하는 수 □ 얼마 □ 넘다 □ 포장

사과가 한 상자에 14개씩 들어 있네. 사과 20개가 필요하니 두 상자 사야겠다.
엄마와 아이가 사과를 사고 있어. 엄마가 사과 두 상자를 사면 사과는 모두 몇 개일까? 이 문제의 답을 알려면 곱셈과 관련된 낱말들에 대해 알아야겠지?

낱말을 읽고, ▭ 부분에 밑줄을 그으면서 낱말 공부를 해 보세요.

이것만은 꼭!

-씩

뜻 '그 수나 양만큼'의 뜻을 더하는 말.

예 풍선을 10개씩 3묶음 사려고 한다.

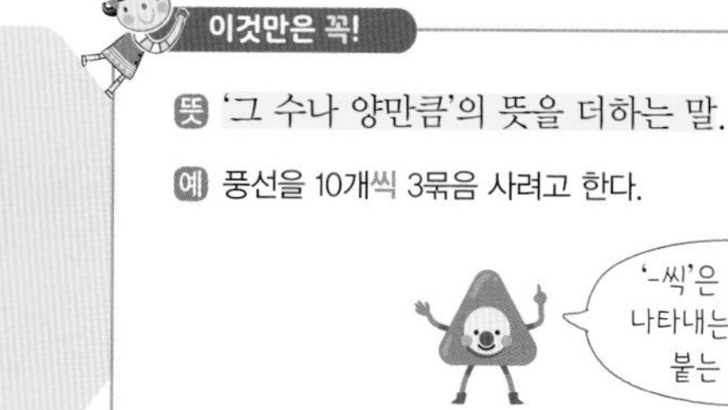

'-씩'은 수나 양을 나타내는 낱말 뒤에 붙는 말이야.

뛰어 세기

뜻 수를 꼭 같게 커지거나 작아지도록 건너서 세는 것.

예 3씩 뛰어 세기를 하면 '3, 6, 9, 12……'와 같이 수가 커진다.

올림하는 수

올림하는 + 數 셈 수

뜻 계산 결과가 10보다 커서 윗자리로 올려 줘야 하는 수.

예 13×4를 계산할 때, 3×4의 계산에서 십의 자리 숫자 1을 작게 적어 올림하는 수를 표시할 수 있다.

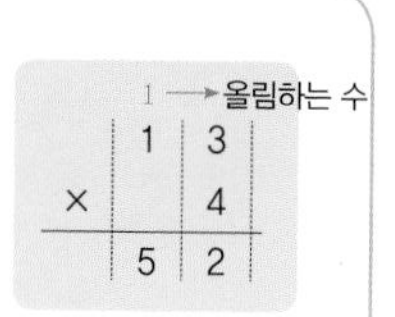

얼마

뜻 잘 모르는 수나 양, 값, 정도.

예 20×2는 얼마라고 생각하나요?

넘다

뜻 시간, 때, 범위 등에서 벗어나게 되다.

예 계산해 보니 일 모형은 모두 12개로 10개를 넘었다.

여러 가지 뜻을 가진 낱말 넘다

'넘다'는 "높은 부분의 위를 지나가다."라는 뜻도 있어.

예 도둑이 담을 넘었다.

포장

包 쌀 포 + 裝 꾸밀 장

뜻 물건을 싸거나 꾸리는 것 또는 싸거나 꾸리는 데 쓰는 천이나 종이.

예 복숭아를 낱개로 사지 않고 포장되어 있는 상자로 샀다.

'꾸리다'는 "짐이나 물건 등을 싸서 묶다."라는 뜻이야.

정답과 해설 ▶ 25쪽

확인 문제

56~57쪽에서 공부한 낱말을 떠올리며 문제를 풀어 보세요.

1 보기에 있는 글자 카드로 뜻에 알맞은 낱말을 만들어 쓰세요. (같은 글자 카드를 여러 번 쓸 수 있어요.)

보기: 눗, 셈, 누, 나, 는, 수, 어, 지

(1) 어떤 수를 다른 수로 나누는 계산 방법. → 나 눗 셈

(2) '몇÷몇'에서 뒤에 있는 '몇'에 해당하는 수. → 나 누 는 수

(3) '몇÷몇'에서 앞에 있는 '몇'에 해당하는 수. → 나 누 어 지 는 수

해설 | (1) 어떤 수를 다른 수로 나누는 계산 방법이라는 뜻의 낱말은 '나눗셈'입니다. (2) '몇÷몇'에서 뒤에 있는 '몇'에 해당하는 수를 뜻하는 말은 '나누는 수'입니다. (3) '몇÷몇'에서 앞에 있는 '몇'에 해당하는 수를 뜻하는 말은 '나누어지는 수'입니다.

2 낱말의 뜻에 맞게 ( ) 안에서 알맞은 말을 골라 ○표 하세요.

(1) 몫 — 어떤 수를 다른 수로 (곱하여 , (나누어)) 얻은 수.

(2) 똑같다 — 모양, 수나 양, 성질 등이 조금도 ((다른), 비슷한) 데가 없다.

해설 | (1) '몫'은 어떤 수를 다른 수로 나누어 얻은 수를 말합니다. (2) '똑같다'는 모양, 수나 양, 성질 등이 조금도 다른 데가 없다는 뜻의 낱말입니다.

해설 | '덜다'와 '더하다'는 뜻이 서로 반대이고, '똑같다'와 '동일하다'는 뜻이 서로 비슷합니다.

3 두 낱말의 뜻이 비슷하면 '비', 반대이면 '반'이라고 쓰세요.

(1) 덜다 – 더하다 (반)

(2) 똑같다 – 동일하다 (비)

해설 | (1) 6을 3으로 나누어 얻은 수는 2이므로, '몫'이 들어가야 합니다. (2) 정사각형은 네 변의 길이가 조금도 다른 데가 없는 사각형이므로, '똑같은'이 들어가야 합니다. (3) 포도를 몇 송이 빼내어 오빠에게 주었다는 내용으로, '덜어'가 들어가야 합니다.

4 ( ) 안에 들어갈 알맞은 낱말을 보기에서 찾아 쓰세요.

보기: 몫, 덜어, 똑같은

(1) 6 나누기 3의 (몫)은/는 2이다.

(2) 정사각형은 네 변의 길이가 (똑같은) 사각형이다.

(3) 상자에서 포도를 몇 송이 (덜어) 오빠에게 주었다.

58~59쪽에서 공부한 낱말을 떠올리며 문제를 풀어 보세요.

5 다음 뜻을 가진 낱말을 완성하세요.

(1) 잘 모르는 수나 양, 값, 정도. — 얼 마

(2) 물건을 싸거나 꾸리는 것 또는 싸거나 꾸리는 데 쓰는 천이나 종이. — 포 장

(3) 수를 꼭 같게 커지거나 작아지도록 건너서 세는 것. — 뛰 어 세 기

(4) 계산 결과가 10보다 커서 윗자리로 올려 줘야 하는 수. — 올 림 하 는 수

해설 | 잘 모르는 수나 양, 값, 정도를 뜻하는 낱말은 '얼마', 물건을 싸거나 꾸리는 것 또는 싸거나 꾸리는 데 쓰는 천이나 종이를 뜻하는 낱말은 '포장', 수를 꼭 같게 커지거나 작아지도록 건너서 세는 것을 뜻하는 말은 '뛰어 세기', 계산 결과가 10보다 커서 윗자리로 올려 줘야 하는 수를 뜻하는 말은 '올림하는 수'입니다.

6 낱말의 뜻을 바르게 말한 친구의 이름을 쓰세요.

'-씩'은 기간이나 시기의 뜻을 더하는 말이야.
은우
'넘다'는 "시간, 때, 범위 등에서 벗어나게 되다."라는 뜻이야.
정재

(정재)

해설 | '-씩'은 '그 수나 양만큼'의 뜻을 더하는 말입니다.

해설 | (1) 빵이 비닐로 싸여 있었다는 내용으로, '포장'이 알맞습니다. (2) 세 시가 지나서 약속 장소에 도착했다는 내용으로, '넘어'가 알맞습니다. (3) 각자에게 공책을 세 권 나누어 주었다는 내용으로, '세 권씩'이 알맞습니다.

7 ( ) 안에서 알맞은 낱말을 골라 ○표 하세요.

(1) 빵은 모두 비닐로 (과장 , (포장))되어 있었다.

(2) 영호는 세 시가 ((넘어), 남아) 약속 장소에 도착했다.

(3) 한 사람마다 공책을 ((세 권씩), 세 권끼리) 나누어 주었다.

2주차 4회 과학 교과서 어휘

수록 교과서 과학 3-1
3. 동물의 한살이

다음 중 낱말의 뜻을 잘 알고 있는 것에 ✓ 하세요.

□ 동물의 한살이 □ 부화 □ 암수 □ 돌보다 □ 역할 □ 허물

아래 갈기가 없는 사자가 암컷이고 위에 갈기가 있는 사자가 수컷이야. 생김새가 달라서 확실히 구별할 수 있지. 오늘은 동물의 생김새, 역할, 한살이와 관계있는 낱말들에 대해 배워 볼 거야.

낱말을 읽고, 부분에 밑줄을 그으면서 낱말 공부를 해 보세요.

이것만은 꼭!

동물의 한살이

動 움직일 동 + 物 만물 물 + 의 한살이

'물(物)'의 대표 뜻은 '물건'이야.

뜻 동물이 태어나 자라면서 자식을 남기는 과정.

예 달걀이 닭이 되는 과정을 통하여 알을 낳는 동물의 한살이를 알아보자.

관련 어휘 한살이

'한살이'는 동물이나 식물이 태어나서 죽을 때까지의 과정을 말해. 비슷한말로는 '일생'이 있어.

부화

孵 알 깔 부 + 化 될 화

뜻 동물의 알에서 애벌레나 새끼가 알껍데기를 뚫고 밖으로 나오는 것.

예 알에서 부화한 병아리는 모이를 먹고 자라면서 큰 병아리가 된다.

'애벌레'는 알에서 나와 아직 다 자라지 않은 벌레를 말해.

암수

뜻 암컷과 수컷을 함께 이르는 말.

예 꿩은 암수의 생김새가 다르다. 암컷은 깃털이 황갈색에 검은색 무늬가 있지만 수컷은 깃털의 색깔이 화려하다.

암컷 수컷

▲ 꿩의 암수

돌보다

뜻 관심을 가지고 보호하며 살피다.

예 황제펭귄은 암수가 함께 새끼를 돌보는 동물로, 암컷과 수컷이 서로 바꿔 가며 알을 품고 먹이를 물어 온다.

비슷한말 보살피다

'보살피다'는 "정성껏 보호하며 돕다."라는 뜻이야.

예 강아지를 하루만 보살펴 달라고 친구에게 부탁을 하였다.

역할

役 일할 역 + 割 나눌 할

'역(役)'의 대표 뜻은 '부리다', '할(割)'의 대표 뜻은 '베다'야.

뜻 맡은 일 또는 해야 하는 일.

예 동물마다 암수의 역할이 다양한데, 어떤 동물은 새끼를 돌보는 일을 암컷이 하고, 어떤 동물은 수컷이 한다.

맞춤법 역할

'역할'을 '역활'이라고 잘못 쓰는 경우가 있는데, '역할'이 맞춤법에 맞는 표현이야.

Tip 허물은 뱀과 같은 파충류나 나비와 같은 곤충류가 자라면서 벗는 껍질을 말해요. 그리고 이렇게 허물을 벗는 것을 '탈피'라고 해요.

허물

뜻 뱀, 나비 같은 것이 자라면서 벗는 껍질.

예 배추흰나비 애벌레는 자라면서 네 번 허물을 벗는다.

글자는 같지만 뜻이 다른 낱말 허물

'허물'은 잘못 저지른 실수라는 전혀 다른 뜻도 있어.

예 친구의 허물을 덮어 주었다.

과학 교과서 어휘

수록 교과서 과학 3-1
3. 동물의 한살이

다음 중 낱말의 뜻을 잘 알고 있는 것에 ☑ 하세요.

□ 곤충 □ 어른벌레 □ 날개돋이 □ 완전 탈바꿈 □ 불완전 탈바꿈 □ 동물 사육사

왼쪽 사진은 무당벌레, 오른쪽 사진은 잠자리야. 둘 다 우리 주변에서 흔히 볼 수 있는 곤충이지. 하지만 자라는 과정은 서로 다르단다. 여러 가지 곤충의 한살이를 공부할 때 많이 나오는 낱말들을 공부해 보자.

낱말을 읽고, 부분에 밑줄을 그으면서 낱말 공부를 해 보세요.

곤충

昆 벌레 곤 + 蟲 벌레 충

'곤(昆)'의 대표 뜻은 '맏'이야.

뜻 몸이 머리, 가슴, 배 세 부분으로 되어 있고 다리가 세 쌍인 동물.

예 배추흰나비와 개미, 벌, 사슴벌레는 모두 곤충이다.

'쌍'은 둘을 하나로 묶어 세는 단위를 말해.

어른벌레

뜻 다 자란 곤충.

예 시간이 지나면 번데기 껍질이 벌어지면서 배추흰나비 어른벌레가 나온다.

비슷한말 성충, 어미벌레

'성충'과 '어미벌레'도 다 자란 곤충을 뜻하는 말이야.

정답과 해설 ▶ 28쪽

날개돋이

뜻 번데기에서 날개가 있는 어른벌레가 나오는 것.

예 배추흰나비 번데기는 날개돋이 과정을 거쳐 어른벌레가 된다.

관련 어휘 번데기

애벌레가 어른벌레가 되기 전에 단단한 껍질(고치) 속에 들어가 있는 것을 '번데기'라고 해.

완전 탈바꿈

完 완전할 완 + 全 온전할 전 + 탈바꿈

이것만은 꼭!

뜻 곤충의 한살이에서 번데기 단계를 거치는 것.

예 무당벌레는 번데기 단계를 거쳐 어른벌레가 되는 완전 탈바꿈을 한다.

완전 탈바꿈: 알 → 애벌레 → 번데기 → 어른벌레

관련 어휘 탈바꿈

'탈바꿈'은 곤충이 자라면서 모습을 크게 바꾸는 것을 말해. '변태'라고도 하지.

불완전 탈바꿈

不 아닐 불 + 完 완전할 완 + 全 온전할 전 + 탈바꿈

뜻 곤충의 한살이에서 번데기 단계를 거치지 않는 것.

예 잠자리는 번데기 단계가 없는 불완전 탈바꿈을 하는 곤충이다.

불완전 탈바꿈: 알 → 애벌레 → 어른벌레

동물 사육사

動 움직일 동 + 物 만물 물 + 飼 먹일 사 + 育 기를 육 + 士 일 사

'물(物)'의 대표 뜻은 '물건', '사(士)'의 대표 뜻은 '선비'야.

뜻 동물을 보살피고 훈련시키는 일을 하는 사람.

예 동물 사육사는 동물을 먹이고 동물이 건강하게 자랄 수 있도록 보살피는 역할을 한다.

확인 문제

62~63쪽에서 공부한 낱말을 떠올리며 문제를 풀어 보세요.

1 보기에 있는 글자 카드로 뜻에 알맞은 낱말을 만들어 쓰세요.

보기

살 수 암 역 이 한 할

(1) (역할): 맡은 일 또는 해야 하는 일.

(2) (암수): 암컷과 수컷을 함께 이르는 말.

(3) 동물의 (한살이): 동물이 태어나 자라면서 자식을 남기는 과정.

해설 | 맡은 일 또는 해야 하는 일이란 뜻을 가진 낱말은 '역할', 암컷과 수컷을 함께 이르는 말은 '암수', 동물이 태어나 자라면서 자식을 남기는 과정이란 뜻을 가진 낱말은 '동물의 한살이'입니다.

2 밑줄 친 부분과 관계있는 낱말에 ○표 하세요.

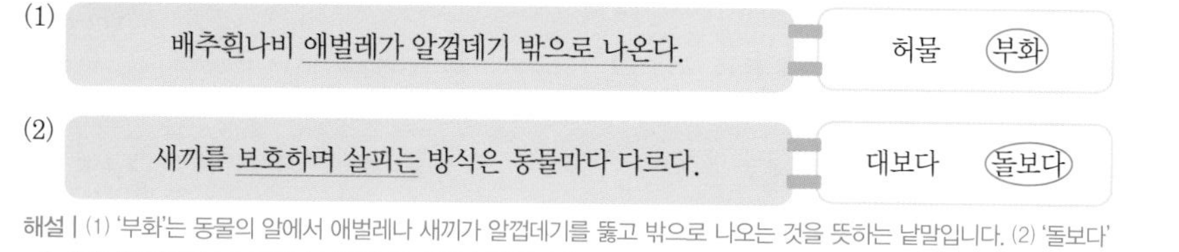

(1) 배추흰나비 애벌레가 알껍데기 밖으로 나온다. — 허물 (부화)

(2) 새끼를 보호하며 살피는 방식은 동물마다 다르다. — 대보다 (돌보다)

해설 | (1) '부화'는 동물의 알에서 애벌레나 새끼가 알껍데기를 뚫고 밖으로 나오는 것을 뜻하는 낱말입니다. (2) '돌보다'는 "관심을 가지고 보호하며 살피다."라는 뜻의 낱말입니다.

3 밑줄 친 낱말의 뜻을 보기에서 찾아 기호를 쓰세요.

보기

㉠ 잘못 저지른 실수. ㉡ 뱀, 나비 같은 것이 자라면서 벗는 껍질.

(1) 다른 사람의 허물을 자꾸 지적하는 것은 좋은 행동이 아니다. (㉠)

(2) 애벌레는 껍질이 단단하기 때문에 더 크게 자라기 위해서는 허물을 벗어야 한다. (㉡)

해설 | (1)의 '허물'은 잘못 저지른 실수라는 뜻입니다. (2)의 '허물'은 뱀, 나비 같은 것이 자라면서 벗는 껍질이라는 뜻입니다.

4 밑줄 친 낱말의 쓰임이 알맞으면 ○표, 알맞지 않으면 ×표 하세요.

(1) 곰은 암컷이 새끼를 돌보는 역할을 한다. (○)

(2) 배추흰나비 애벌레는 부화를 벗으며 점점 자란다. (×)

(3) 할머니는 닭의 생김새를 보고 암수를 쉽게 구별하신다. (○)

해설 | (2) '부화'는 동물의 알에서 애벌레나 새끼가 알껍데기를 뚫고 밖으로 나오는 것이란 뜻의 낱말이므로, 부화를 벗는다는 표현은 어색합니다.

64~65쪽에서 공부한 낱말을 떠올리며 문제를 풀어 보세요.

5 뜻에 알맞은 낱말을 글자판에서 찾아 묶으세요. (낱말은 가로(—), 세로(|) 방향에 숨어 있어요.)

피	하	사	아	날
곤	탈	바	꿈	개
충	지	마	별	돋
어	른	벌	레	이

❶ 다 자란 곤충.
❷ 곤충이 자라면서 모습을 크게 바꾸는 것.
❸ 번데기에서 날개가 있는 어른벌레가 나오는 것.
❹ 몸이 머리, 가슴, 배 세 부분으로 되어 있고 다리가 세 쌍인 동물.

해설 | ❶ 다 자란 곤충을 뜻하는 낱말은 '어른벌레'입니다. ❷ 곤충이 자라면서 모습을 크게 바꾸는 것을 뜻하는 낱말은 '탈바꿈'입니다. ❸ 번데기에서 날개가 있는 어른벌레가 나오는 것을 뜻하는 낱말은 '날개돋이'입니다. ❹ 몸이 머리, 가슴, 배 세 부분으로 되어 있고 다리가 세 쌍인 동물을 뜻하는 낱말은 '곤충'입니다.

6 낱말의 뜻에 맞게 ( ) 안에서 알맞은 말을 골라 ○표 하세요.

(1) 완전 탈바꿈: 곤충의 한살이에서 번데기 단계를 ((거치는), 거치지 않는) 것.

(2) 불완전 탈바꿈: 곤충의 한살이에서 번데기 단계를 (거치는 , (거치지 않는)) 것.

(3) 동물 사육사: 동물을 (구경하고 , (보살피고)) 훈련시키는 일을 하는 사람.

해설 | (1), (2) 곤충의 한살이에서 번데기 단계를 거치는 것을 '완전 탈바꿈', 거치지 않는 것을 '불완전 탈바꿈'이라고 합니다. (3) '동물 사육사'는 동물을 보살피고 훈련시키는 일을 하는 사람을 말합니다.

해설 | (1) 동물의 한살이와 매우 가까운 사람이라는 내용으로 보아 '동물 사육사'가 들어가야 합니다. (2) 몸이 세 부분으로 나뉘지 않고 다리도 세 쌍이 아니라는 내용으로 보아 '곤충'이 들어가야 합니다. (3) 번데기 다음 단계에 해당하는 '어른벌레'가 들어가야 합니다. (4) 번데기에서 날개가 있는 어른벌레가 나오는 것을 뜻하는 '날개돋이'가 들어가야 합니다.

7 ( ) 안에 들어갈 알맞은 낱말을 보기에서 찾아 쓰세요.

보기

곤충 어른벌레 날개돋이 동물 사육사

(1) (동물 사육사)은/는 동물의 한살이와 매우 가까운 사람이다.

(2) 거미는 몸이 세 부분으로 나뉘지 않고 다리도 세 쌍이 아니어서 (곤충)이/가 아니다.

(3) 배추흰나비는 약 한 달 동안 알, 애벌레, 번데기, (어른벌레)의 단계를 거치며 자란다.

(4) 배추흰나비가 (날개돋이)을/를 할 때에는 번데기의 등 부분이 갈라지면서 머리가 나온 다음 몸 전체가 나온다.

한자 어휘

名(명)이 들어간 낱말

'名(명)'이 들어간 낱말을 읽고, 부분에 밑줄을 그으면서 낱말 공부를 해 보세요.

名
이름 명

'명(名)'은 저녁과 입을 표현한 글자를 합쳐 만들었어. 옛날에는 저녁때 어두워지면 멀리서 오는 사람이 누구인지 알기 위해 이름을 불렀는데, 그것에서 '이름'이라는 뜻을 갖게 되었어. '명(名)'은 '훌륭하다'의 뜻으로 쓰이기도 해.

유名무실 / 名단 / 名언 / 名작

Tip '명(名)'은 '소문'이라는 뜻으로도 쓰여요. '명약'은 효력이 뛰어나서 소문난 약을 뜻하는 낱말이에요.

이름 名

유명무실
有 있을 유 + 名 이름 명 + 無 없을 무 + 實 내용 실
'실(實)'의 대표 뜻은 '열매'야.

뜻 이름만 그럴 듯하고 실제로는 아무 내용이 없음.
예 사람들에게 인기가 있지만 효과는 별로 없는 유명무실한 제품이 있다.

명단
名 이름 명 + 單 단자 단
'단(單)'의 대표 뜻은 '홑'이야.

뜻 어떤 일에 관련된 사람들의 이름을 적은 표.
예 합격자 명단에서 내 이름을 찾아보았다.
Tip '단자'는 물건의 목록이나 사실을 죽 벌여 적은 종이를 뜻해요.

훌륭하다 名

명언
名 훌륭할 명 + 言 말씀 언

뜻 널리 알려진 훌륭한 말.
예 '시작이 반이다'라는 명언이 있다.

명작
名 훌륭할 명 + 作 작품 작
'작(作)'의 대표 뜻은 '짓다'야.

뜻 훌륭한 작품.
예 베토벤은 수많은 명작을 남겼다.
비슷한말 걸작
'걸작'은 매우 훌륭한 작품을 뜻하는 낱말이야.
예 이 그림은 걸작으로 불린다.

정답과 해설 ▶ 30쪽

完(완)이 들어간 낱말

'完(완)'이 들어간 낱말을 읽고, 부분에 밑줄을 그으면서 낱말 공부를 해 보세요.

完
완전할 완

'완(完)'은 집과 으뜸이라는 뜻을 가진 글자를 합쳐 만들었어. '완(完)'은 집을 으뜸으로 지었다(완전하게 지었다)는 뜻으로 쓰이면서 '완전하다'라는 뜻을 갖게 되었지. '완(完)'은 '끝내다'라는 뜻으로 쓰이기도 해.

完전무결 / 完치 / 完공 / 完주

완전하다 完

완전무결
完 완전할 완 + 全 온전할 전 + 無 없을 무 + 缺 모자랄 결
'결(缺)'의 대표 뜻은 '이지러지다'야.

뜻 모자람이 없이 완전함.
예 주어진 일을 완전무결하게 해냈다.
Tip '이지러지다'는 "한쪽 모서리가 떨어져 없어지거나 찌그러지다."라는 뜻이에요.

완치
完 완전할 완 + 治 고칠 치
'치(治)'의 대표 뜻은 '다스리다'야.

뜻 병을 완전히 낫게 함.
예 열심히 치료를 받으면 완치가 가능하다.
비슷한말 쾌유
'쾌유'는 병이나 상처가 깨끗이 낫는 것을 뜻해.
예 환자의 쾌유를 빌게요.

끝내다 完

완공
完 끝낼 완 + 工 만들 공
'공(工)'의 대표 뜻은 '장인'이야.

뜻 공사를 끝마침.
예 이 건물은 2년 만에 완공되었다.

완주
完 끝낼 완 + 走 달릴 주

뜻 목표한 곳까지 끝까지 다 달림.
예 마라톤 완주에 성공했다.

확인 문제

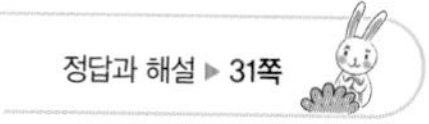

정답과 해설 ▶ 31쪽

68쪽에서 공부한 낱말을 떠올리며 문제를 풀어 보세요.

1 뜻에 알맞은 낱말을 보기에서 찾아 쓰세요.

보기: 명단 명작 유명무실

(1) (명작): 훌륭한 작품.

(2) (명단): 어떤 일에 관련된 사람들의 이름을 적은 표.

(3) (유명무실): 이름만 그럴 듯하고 실제로는 아무 내용이 없음.

해설 | (1) 훌륭한 작품을 뜻하는 낱말은 '명작'입니다. (2) 어떤 일에 관련된 사람들의 이름을 적은 표라는 뜻을 가진 낱말은 '명단'입니다. (3) 이름만 그럴 듯하고 실제로는 아무 내용이 없다는 뜻의 말은 '유명무실'입니다.

2 밑줄 친 '명'의 뜻으로 알맞은 것을 골라 ○표 하세요.

명언 — 말 이름 (훌륭하다)

해설 | '명언'의 '명'은 '훌륭하다'의 뜻으로 쓰였습니다.

3 안의 낱말과 뜻이 비슷한 낱말은 무엇인가요? (④)

명작 ① 명예 ② 명칭 ③ 작품 ④ 걸작 ⑤ 졸작

해설 | '명작'과 뜻이 비슷한 낱말은 매우 훌륭한 작품을 뜻하는 '걸작'입니다.

4 밑줄 친 낱말이 알맞게 쓰였는지 ○, ×를 따라가며 선을 긋고 몇 번으로 나오는지 쓰세요.

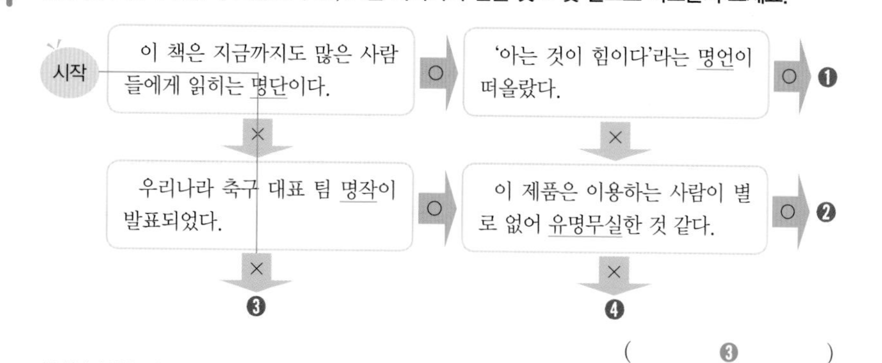

시작
이 책은 지금까지도 많은 사람들에게 읽히는 명단이다.
'아는 것이 힘이다'라는 명언이 떠올랐다.
우리나라 축구 대표 팀 명작이 발표되었다.
이 제품은 이용하는 사람이 별로 없어 유명무실한 것 같다.
○
×
❶
❷
❸
❹

(❸)

해설 | "이 책은 지금까지도 많은 사람들에게 읽히는 명작이다.", "우리나라 축구 대표 팀 명단이 발표되었다."가 바른 문장입니다.

69쪽에서 공부한 낱말을 떠올리며 문제를 풀어 보세요.

5 보기에 있는 글자 카드로 뜻에 알맞은 낱말을 만들어 쓰세요. (같은 글자 카드를 여러 번 쓸 수 있어요.)

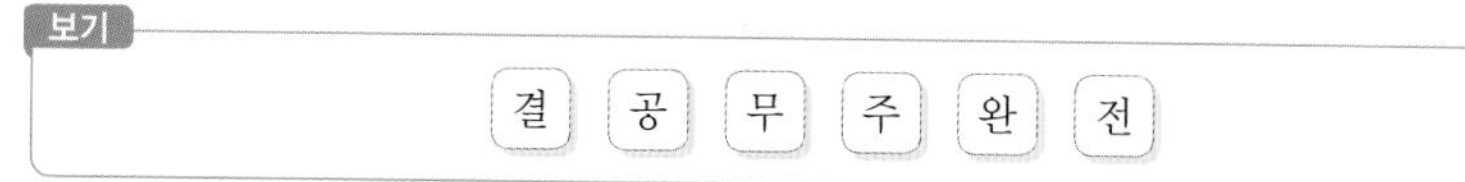

보기: 결 공 무 주 완 전

(1) (완공): 공사를 끝마침.

(2) (완전무결): 모자람이 없이 완전함.

(3) (완주): 목표한 곳까지 끝까지 다 달림.

해설 | (1) 공사를 끝마친 것을 뜻하는 낱말은 '완공'입니다. (2) 모자람이 없이 완전한 것을 뜻하는 낱말은 '완전무결'입니다. (3) 목표한 곳까지 끝까지 다 달린 것을 뜻하는 낱말은 '완주'입니다.

6 밑줄 친 '완'이 '완전하다'의 뜻으로 쓰인 것에 ○표 하세요.

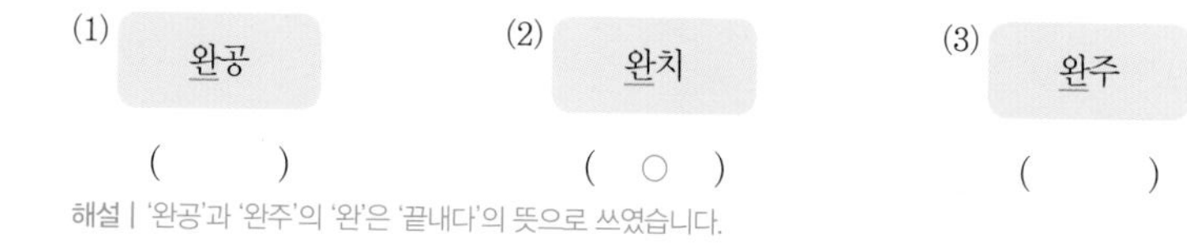

(1) 완공 ( )
(2) 완치 (○)
(3) 완주 ( )

해설 | '완공'과 '완주'의 '완'은 '끝내다'의 뜻으로 쓰였습니다.

7 '완치'와 뜻이 비슷한 낱말에 ○표 하세요.

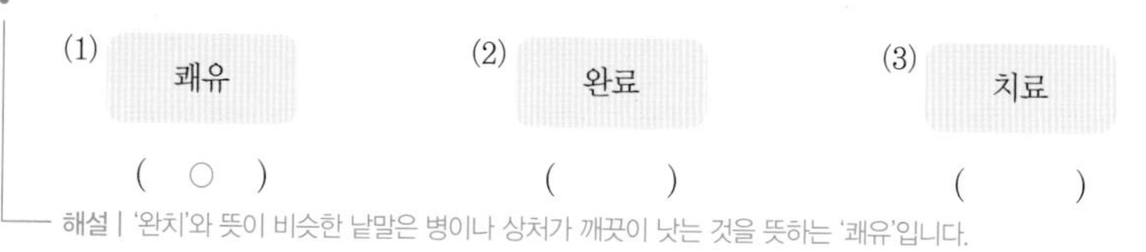

(1) 쾌유 (○)
(2) 완료 ( )
(3) 치료 ( )

해설 | '완치'와 뜻이 비슷한 낱말은 병이나 상처가 깨끗이 낫는 것을 뜻하는 '쾌유'입니다.

해설 | (1) 운동만 열심히 하면 금방 병이 나을 수 있다는 내용으로 '완치'가 들어가야 합니다. (2) 달리기 대회에 참가한 선수들이 목표한 곳까지 다 달렸다는 내용으로, '완주'가 들어가야 합니다. (3) 체육관 공사가 끝나 모든 학생들이 이용할 수 있게 되었다는 내용으로, '완공'이 들어가야 합니다.

8 ( ) 안에 들어갈 알맞은 낱말을 보기에서 찾아 쓰세요.

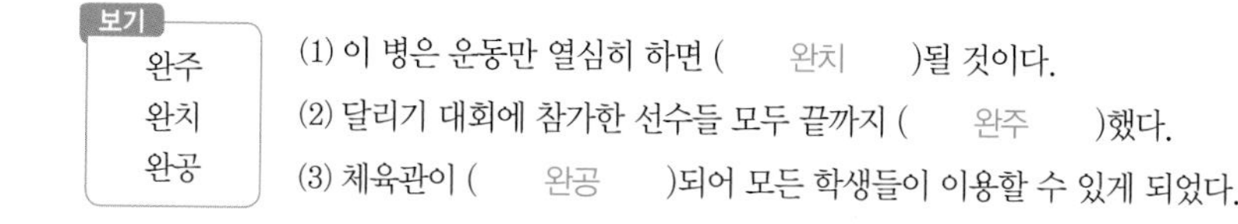

보기: 완주 완치 완공

(1) 이 병은 운동만 열심히 하면 (완치)될 것이다.

(2) 달리기 대회에 참가한 선수들 모두 끝까지 (완주)했다.

(3) 체육관이 (완공)되어 모든 학생들이 이용할 수 있게 되었다.

2주차 어휘력 테스트

앞에서 공부한 낱말을 떠올리며 문제를 풀어 보세요.

낱말 뜻

1 낱말과 그 뜻이 바르게 짝 지어지지 않은 것은 무엇인가요? (⑤)

① 유래 – 물건이나 일이 생겨남.
② 몫 – 어떤 수를 다른 수로 나누어 얻은 수.
③ 유명무실 – 이름만 그럴 듯하고 실제로는 아무 내용이 없음.
④ 부화 – 동물의 알에서 애벌레나 새끼가 알껍데기를 뚫고 밖으로 나오는 것.
⑤ 향교 – 조상 대대로 전해 내려온 문화 중에서 후손에게 물려줄 만한 가치가 있는 것.

해설 | '향교'는 옛날에 지방의 교육을 맡았던 교육 기관입니다. 조상 대대로 전해 내려온 문화 중에서 후손에게 물려줄 만한 가치가 있는 것은 '문화유산'입니다.

낱말 뜻

2 ~ 3 낱말의 뜻에 맞게 ( ) 안에서 알맞은 말을 골라 ○표 하세요.

2

덜다	얼마를 빼내어 (줄이거나 적게(○), 늘리거나 많게) 하다.

해설 | '덜다'는 "얼마를 빼내어 줄이거나 적게 하다."라는 뜻입니다.

3

자연환경	산, 바다와 같은 땅의 (크기 , 생김새(○))와 날씨에 영향을 주는 비, 바람 등 자연 그대로의 것.

해설 | '자연환경'은 산, 바다와 같은 땅의 생김새와 날씨에 영향을 주는 비, 바람 등 자연 그대로의 것을 뜻하는 낱말입니다.

반대말

4 반대말끼리 짝 지어진 것을 찾아 ○표 하세요.

(1) 덜다 – 더하다 (○)
(2) 돌보다 – 보살피다 ( )
(3) 똑같다 – 동일하다 ( )
(4) 간추리다 – 요약하다 ( )

해설 | (2)~(4)는 비슷한말끼리 짝 지어진 것입니다.

높임 표현

5 높임의 뜻이 있는 특별한 낱말이 아닌 것에 ×표 하세요.

계시다 드리다 모시다 물어보다(×)

해설 | '물어보다'의 높임 표현은 '여쭈어보다'입니다.

뜻을 더해 주는 말

6 빈칸에 '웃–'이 들어가기에 알맞은 것은 무엇인가요? (④)

① □니 ② □면 ③ □동네
④ □어른 ⑤ □입술

해설 | '웃–'은 '위'의 뜻을 더해 주는 말로, '웃어른'과 같이 위와 아래를 구분 지을 수 없는 낱말에 붙습니다. ①, ②, ③, ⑤에는 '윗'이 들어가야 합니다.

여러 가지 뜻을 가진 낱말

7 밑줄 친 낱말이 보기의 뜻으로 쓰인 것에 ○표 하세요.

보기
넘다: 시간, 때, 범위 등에서 벗어나게 되다.

(1) 고양이가 창문을 넘었다. ( )
(2) 이 고개만 넘으면 집이 나온다. ( )
(3) 이 일을 끝내는 데 삼 일이 넘게 걸렸다. (○)

해설 | (1)과 (2)에 쓰인 '넘다'는 "높은 부분의 위를 지나가다."라는 뜻입니다.

낱말 활용

8 ~ 10 ( ) 안에 들어갈 알맞은 낱말을 보기에서 찾아 쓰세요.

보기
면담 역할 형식

8 주원이는 연극에서 맡은 (역할)을 열심히 해야겠다고 생각했다.

해설 | 맡은 일 또는 해야 하는 일을 뜻하는 '역할'이 들어가야 합니다.

9 (면담)은 직접 만나서 대화를 주고받으면서 정보를 얻을 수 있다.

해설 | 직접 만나서 대화를 주고받는다는 내용으로 보아 '면담'이 들어가야 합니다.

10 선생님께서는 주제에 맞게 자유로운 (형식)(으)로 글을 쓰라고 하셨다.

해설 | 글, 미술, 음악 등에서 내용을 표현하는 방법이라는 뜻을 가진 '형식'이 들어가야 합니다.

어휘가

문해력 이다

초등 3학년 1학기

3주차 정답과 해설

국어 교과서 어휘

수록 교과서 국어 3-1 ㉯
6. 일이 일어난 까닭

다음 중 낱말의 뜻을 잘 알고 있는 것에 ✓ 하세요.

□ 일어나다 □ 원인 □ 결과 □ 경험하다 □ 이어 주는 말 □ 왜냐하면

낱말을 읽고, [ ] 부분에 밑줄을 그으면서 낱말 공부를 해 보세요.

일어나다

뜻 어떤 일이 생기다.

예 그림을 보고 어떤 일이 일어났는지 짐작해 보자.

여러 가지 뜻을 가진 낱말 **일어나다**

- '일어나다'는 "누웠다가 앉거나 앉았다가 서다."라는 뜻도 있어.
  예 의자에서 일어나다.
- '일어나다'는 "잠에서 깨어나다."라는 뜻도 있지.
  예 아침 일찍 일어났다.

원인

原 근원 **원** + 因 인할 **인**

'원(原)'의 대표 뜻은 '언덕'이야.

이것만은 꼭!

뜻 어떤 일이 일어난 까닭.

예 일어난 일의 원인을 파악하려면 그 일이 왜 일어났는지 생각해 보아야 한다.

'원인'과 비슷한말은 '이유'야. '이유'는 어떠한 결과가 생기게 된 까닭이나 근거를 말해.

속담 **콩 심은 데 콩 나고 팥 심은 데 팥 난다**

모든 일에는 원인에 알맞은 결과가 나타난다는 뜻이야.

결과

結 맺을 **결** + 果 결과 **과**

'과(果)'의 대표 뜻은 '열매'야.

뜻 원인 때문에 일어난 일.

예 경험한 일을 떠올린 뒤 일이 일어난 까닭이 무엇인지, 그 결과 어떤 일이 일어났는지 정리해 보자.

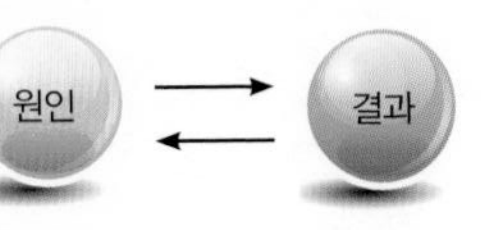

경험하다

經 지날 **경** + 驗 증험 **험** + 하다

'험(驗)'의 대표 뜻은 '시험'이야.

Tip '증험'은 실제로 사실을 경험하는 것을 뜻해요.

뜻 자신이 실제로 해 보거나 겪어 보다.

예 그동안 경험한 일 중에서 기억에 남는 일을 떠올려 보자.

비슷한말 **체험하다**

'체험하다'는 "몸으로 직접 겪다."라는 뜻을 가진 낱말이야.

예 시골에 가서 농촌 생활을 체험해 보았다.

이어 주는 말

뜻 문장과 문장의 내용을 연결하여 주는 말.

예 '그리고'는 서로 비슷한 내용의 두 문장을 이어 주는 말이다.

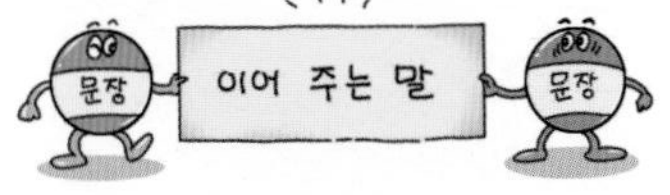

왜냐하면

Tip '왜냐하면'은 뒤 문장이 앞 문장의 원인이 될 때 쓰는 이어 주는 말이에요.

뜻 왜 그러냐 하면.

예 '왜냐하면'과 같은 이어 주는 말을 사용하면 원인과 결과가 잘 드러나게 말할 수 있다.

어법 **'왜냐하면'과 짝을 이루는 말**

문장에서 앞에 '왜냐하면'이 오면 뒤에 '~ 때문이다'가 와야 바른 문장이 돼.

꼭! 알아야 할 속담

어디 가니?
자전거에 채울 자물쇠 사러 가. 자전거를 잃어버렸거든.
소 잃고 외양간 고친다고, 자전거를 잃어버렸는데 자물쇠는 왜 사?
자물쇠를 사 놓으면 엄마가 자전거를 또 사 주시지 않을까?

○표 하기 '(소 잃고 외양간 고친다, 호랑이도 제 말 하면 온다)'는 일이 이미 잘못된 뒤에는 손을 써도 소용이 없음을 이르는 말입니다.

3주차 1회

국어 교과서 어휘

수록 교과서 국어 3-1 ㉯
7. 반갑다, 국어사전

다음 중 낱말의 뜻을 잘 알고 있는 것에 ✓ 하세요.

□ 국어사전 □ 약호 □ 기호 □ 형태 □ 낱자 □ 기본형

낱말을 읽고, ▭ 부분에 밑줄을 그으면서 낱말 공부를 해 보세요.

이것만은 꼭!

국어사전

國 나라 국 + 語 말씀 어 + 辭 말씀 사 + 典 법 전

뜻 국어의 낱말을 모아 일정한 순서대로 늘어놓고 낱말의 뜻과 쓰임새 등을 풀이한 책.

예 낱말의 뜻을 알고 싶을 때에는 국어사전을 찾아보면 된다.

국어사전에는 낱말의 발음, 낱말의 뜻, 낱말이 사용되는 예 등 우리말에 대한 여러 가지 내용이 실려 있어.

약호

略 간략할 약 + 號 부호 호

'호(號)'의 대표 뜻은 '이름'이야.

뜻 간단하고 알기 쉽게 나타낸 부호.

예 국어사전에는 비슷한말을 뜻하는 「비」, 반대말을 뜻하는 「반」과 같은 여러 가지 약호가 있다.

관련 어휘 부호

'부호'는 어떤 뜻을 나타내려고 따로 정하여 쓰는 기호를 말해.

기호

記 표지 기 + 號 부호 호

'기(記)'의 대표 뜻은 '기록하다'야.

Tip '표지'는 표시나 특징으로 다른 것과 구분하는 것을 뜻해요.

뜻 어떤 뜻을 나타내기 위한 문자나 부호.

예 국어사전에서 [ ]는 발음 표시를 나타내는 기호이고, :는 발음을 길게 하라는 기호이다.

글자는 같지만 뜻이 다른 낱말 기호

'기호'는 "즐기고 좋아함."이라는 전혀 다른 뜻도 있어.

예 각자 기호에 따라 먹고 싶은 음식을 주문하자.

형태

形 모양 형 + 態 모습 태

뜻 사물의 생긴 모양.

예 '동생'은 형태가 바뀌지 않는 낱말이고, '작다'는 '작고', '작으니'와 같이 형태가 바뀌는 낱말이다.

비슷한말 생김새

'생김새'는 생긴 모양을 뜻하는 말이야.

예 형제의 생김새가 비슷하다.

낱자

낱 + 字 글자 자

뜻 한 글자를 이루는 하나하나의 글자.

예 사전에서 '친구'를 찾으려면 첫 번째 글자의 낱자 순서인 'ㅊ, ㅣ, ㄴ'의 차례대로 찾아야 한다.

기본형

基 터 기 + 本 근본 본 + 形 모양 형

Tip 기본형은 형태가 바뀌지 않는 부분에 '-다'를 붙여 만든 낱말이에요.

뜻 상황에 따라 형태가 바뀌는 낱말을 대표하는 낱말.

예 '먹으면, 먹고, 먹어서'의 기본형은 '먹다'이다.

비슷한말 으뜸꼴

'으뜸꼴'은 모양이 바뀌는 낱말의 기본이 되는 형태를 뜻하는 낱말이야.

예 '얇고, 얇으니, 얇아서'의 으뜸꼴은 '얇다'이다.

꼭! 알아야 할 관용어

빈칸 채우기 '[귀]가 따갑다'는 너무 여러 번 들어서 듣기가 싫다는 뜻의 말입니다.

확인 문제

76~77쪽에서 공부한 낱말을 떠올리며 문제를 풀어 보세요.

1 다음 뜻을 가진 낱말을 완성하세요.

(1) 왜 그러냐 하면. — 왜 냐 하 면

(2) 자신이 실제로 해 보거나 겪어 보다. — 경 험 하 다

(3) 문장과 문장의 내용을 연결하여 주는 말. — 이 어 주 는 말

해설 | (1) "왜 그러냐 하면."이라는 뜻을 가진 낱말은 '왜냐하면'입니다. (2) "자신이 실제로 해 보거나 겪어 보다."라는 뜻을 가진 낱말은 '경험하다'입니다. (3) 문장과 문장의 내용을 연결하여 주는 말은 '이어 주는 말'입니다.

2 낱말의 뜻에 맞게 빈칸에 들어갈 알맞은 말을 쓰세요.

(1) 원인
어떤 일이 일어난 까 닭.

(2) 결과
원 인 때문에 일어난 일.

해설 | '원인'은 어떤 일이 일어난 까닭을 뜻하고, '결과'는 원인 때문에 일어난 일을 뜻합니다.

3 밑줄 친 낱말이 보기의 뜻으로 쓰인 것에 ○표 하세요.

보기
일어나다: 어떤 일이 생기다.

(1) 어제 학교에서 무슨 일이 일어난 거니? (○)

(2) 내일부터 아침 일찍 일어나 책을 읽기로 했다. ( )

(3) 정현이는 다리가 아파 자리에서 일어나지 못했다. ( )

해설 | (2)의 '일어나다'는 "잠에서 깨어나다.", (3)의 '일어나다'는 "누웠다가 앉거나 앉았다가 서다."라는 뜻입니다.

4 ( ) 안에 들어갈 알맞은 낱말을 보기에서 찾아 쓰세요.

보기
원인
결과
왜냐하면

(1) 양치질을 잘한 (결과) 충치가 하나도 없었다.

(2) 비를 맞았다. (왜냐하면) 우산을 안 가져왔기 때문이다.

(3) 쓰레기 정거장이 생긴 (원인)은/는 사람들이 쓰레기를 아무 곳에나 버렸기 때문이다.

해설 | (1) 양치질을 잘한 일 때문에 일어난 일을 쓴 문장으로, '결과'가 들어가기에 알맞습니다. (2) 뒤 문장이 앞 문장의 원인이 되므로, '왜냐하면'이 들어가기에 알맞습니다. (3) 쓰레기 정거장이 생긴 까닭에 대한 문장으로, '원인'이 들어가기에 알맞습니다.

78~79쪽에서 공부한 낱말을 떠올리며 문제를 풀어 보세요.

5 뜻에 알맞은 낱말을 빈칸에 쓰세요.

❶기	본	❷형
호		태

가로 열쇠 ❶ 상황에 따라 형태가 바뀌는 낱말을 대표하는 낱말.

세로 열쇠 ❶ 어떤 뜻을 나타내기 위한 문자나 부호.
❷ 사물의 생긴 모양.

해설 | 상황에 따라 형태가 바뀌는 낱말을 대표하는 낱말은 '기본형', 어떤 뜻을 나타내기 위한 문자나 부호를 뜻하는 낱말은 '기호', 사물의 생긴 모양을 뜻하는 낱말은 '형태'입니다.

6 낱말의 뜻에 맞게 ( ) 안에 알맞은 말을 골라 ○표 하세요.

(1) 약호 — 간단하고 알기 쉽게 나타낸 (구호 , (부호)).

(2) 국어사전 — 국어의 낱말을 모아 일정한 순서대로 늘어놓고 ((낱말의 뜻), 낱자의 순서) 과/와 쓰임새 등을 풀이한 책.

해설 | '약호'는 간단하고 알기 쉽게 나타낸 부호를 뜻하고, '국어사전'은 국어의 낱말을 모아 일정한 순서대로 늘어놓고 낱말의 뜻과 쓰임새 등을 풀이한 책을 뜻합니다.

7 다음 낱말과 뜻이 비슷한 낱말을 보기에서 찾아 쓰세요.

보기
생김새 쓰임새 닮은꼴 으뜸꼴

(1) 형태: (생김새) (2) 기본형: (으뜸꼴)

해설 | '형태'와 뜻이 비슷한 낱말은 생긴 모양을 뜻하는 '생김새'이고, '기본형'과 뜻이 비슷한 낱말은 모양이 바뀌는 낱말의 기본이 되는 형태를 뜻하는 '으뜸꼴'입니다.

8 밑줄 친 낱말을 바르게 사용하지 못한 친구의 이름을 쓰세요.

정현: 이 건물은 형태가 독특하다.

영규: '사'를 글자 순서대로 늘어놓으면 'ㅅ, ㅏ'야.

민서: 국어사전에 있는 「높」은 높임말을 나타내는 약호야.

(영규)

해설 | 영규는 '글자'가 아닌 '낱자'를 넣어 말해야 합니다.

3주차 2회

사회 교과서 어휘

수록 교과서 사회 3-1
3. 교통과 통신 수단의 변화

다음 중 낱말의 뜻을 잘 알고 있는 것에 ✓ 하세요.

□ 교통수단 □ 가마 □ 뗏목 □ 소달구지 □ 전차 □ 증기선

옛날에는 먼 곳에 갈 때 무엇을 타고 갔을까? 그림을 보니 소달구지도 타고, 가마도 타고, 뗏목도 탔네. 이번 회에서는 옛날 사람들이 이용했던 교통수단의 종류에 대해 알아보자.

낱말을 읽고, ▭ 부분에 밑줄을 그으면서 낱말 공부를 해 보세요.

교통수단

交 오고 갈 교 + 通 통할 통 + 手 수단 수 + 段 방법 단

'교(交)'의 대표 뜻은 '사귀다', '수(手)'의 대표 뜻은 '손', '단(段)'의 대표 뜻은 '층계'야.

이것만은 꼭!

Tip '교통수단'은 비행기와 같은 항공 교통, 자동차나 기차와 같은 육상 교통, 배와 같은 해상 교통으로 나눌 수 있어요.

뜻 사람이 이동하거나 물건을 옮기는 데 쓰는 방법이나 도구.

예 요즈음 사람들이 가장 많이 이용하는 교통수단은 승용차이다.

관련 어휘 교통

'교통'은 자동차, 기차, 배, 비행기 등을 이용해 사람이 오고 가거나 물건을 실어 나르는 일을 말해.

가마

뜻 안에 사람을 태우고 둘 또는 넷이 들거나 메고 이동하는 작은 집 모양의 탈것.

예 옛날 사람들은 가마를 타고 이동하기도 했다.

글자는 같지만 뜻이 다른 낱말 가마

'가마'는 곡식이나 소금, 비료 등이 담긴 주머니의 수를 세는 단위라는 전혀 다른 뜻도 있어. 예 보리 두 가마를 샀다.

정답과 해설 ▶ 37쪽

뗏목

뗏 + 木 나무 목

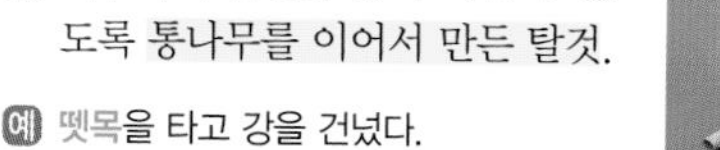

뜻 사람이나 물건을 옮겨 나를 수 있도록 통나무를 이어서 만든 탈것.

예 뗏목을 타고 강을 건넜다.

소달구지

뜻 소가 끄는 수레.

예 소달구지에 무거운 짐을 실었다.

전차

電 전기 전 + 車 수레 차

'전(電)'의 대표 뜻은 '번개'야.

Tip '철길'은 기차나 전차 등이 다니는 쇠로 만든 길이에요.

뜻 전기의 힘으로 철길 위를 다니는 차.

예 전기의 힘을 이용한 전차는 여러 명이 함께 타고 갈 수 있다.

요즈음 사람들이 이용하는 전차 ▶

증기선

蒸 찔 증 + 氣 기운 기 + 船 배 선

뜻 물을 끓일 때 생기는 뜨거운 공기(증기)의 힘으로 나아가는 배.

예 수증기를 이용한 증기선을 타고 먼 나라로 갔다.

3주차 2회 사회 교과서 어휘

수록 교과서 사회 3-1
3. 교통과 통신 수단의 변화

다음 중 낱말의 뜻을 잘 알고 있는 것에 ✓ 하세요.

☐ 모노레일 ☐ 갯배 ☐ 카페리 ☐ 구조 ☐ 자율 주행 자동차 ☐ 전기 자동차

교통수단은 옛날보다 발달했고 다양해졌어. 요즈음에는 고장의 환경에 따라 어떤 교통수단을 이용하는지, 또 미래에는 어떤 교통수단을 이용할지 낱말들을 통해 알아보자.

낱말을 읽고, ▭ 부분에 밑줄을 그으면서 낱말 공부를 해 보세요.

모노레일

Tip '가닥'은 줄이나 줄기를 세는 단위를 말해요.

뜻 선로가 한 가닥인 철도.

예 모노레일이 철길을 따라 움직인다.

'선로'는 기차나 전차 등이 다닐 수 있도록 만들어 놓은 길을 뜻해.

갯배

Tip 갯배는 강이나 바닷가에서 이용하는 교통수단으로, 육지 양쪽에 쇠줄을 묶고 갈고리 모양의 쇠막대기를 이용해서 줄을 당기면 움직일 수 있게 만든 배예요.

뜻 바다로 나누어진 마을을 이어 주는 배.

예 바다를 사이에 두고 떨어진 마을에 가기 위해서 갯배를 탔다.

카페리

뜻 여행하는 사람과 자동차를 실어 나르는 배.

예 카페리에 자동차를 함께 실어 이동했다.

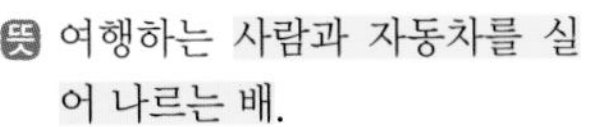

구조

救 구원할 구 + 助 도울 조

뜻 목숨이 위험하거나 어려움에 빠진 사람을 구하는 것.

예 해상 구조 보트는 사람들을 구조할 때 이용하는 교통수단이다.

글자는 같지만 뜻이 다른 낱말 구조

'구조'는 여러 부분들이 서로 어울려 전체를 이루는 것 또는 그 짜임새라는 전혀 다른 뜻으로도 쓰여.

예 글의 구조를 파악하다.

자율 주행 자동차

自 스스로 자 + 律 법칙 율 + 走 달릴 주 + 行 다닐 행 + 自 스스로 자 + 動 움직일 동 + 車 수레 차

뜻 사람이 운전하지 않아도 스스로 움직이는 자동차.

예 자율 주행 자동차를 이용하면 몸이 불편한 사람들도 차를 편리하게 이용할 수 있다.

Tip 자율 주행 자동차는 인공 지능을 갖춘 자동차가 스스로 운전해 목적지까지 이동하는 자동차예요.

전기 자동차

Tip 전기 자동차는 석유와 같은 화석 연료가 아닌 전기의 힘으로 움직이는 자동차를 말해요.

이것만은 꼭!

電 전기 전 + 氣 기운 기 + 自 스스로 자 + 動 움직일 동 + 車 수레 차

'전(電)'의 대표 뜻은 '번개'야.

뜻 전기의 힘으로 움직이는 자동차.

예 전기 자동차는 전기의 힘으로 움직이기 때문에 주유소에서 연료를 넣을 필요가 없다.

확인 문제

82~83쪽에서 공부한 낱말을 떠올리며 문제를 풀어 보세요.

1 **뜻에 알맞은 낱말을 글자판에서 찾아 묶으세요.** (낱말은 가로(—), 세로(|) 방향에 숨어 있어요.)

소 달 구 지
자 율 가 지
전 차 마 표
교 통 수 단

❶ 소가 끄는 수레.
❷ 전기의 힘으로 철길 위를 다니는 차.
❸ 사람이 이동하거나 물건을 옮기는 데 쓰는 방법이나 도구.
❹ 안에 사람을 태우고 둘 또는 넷이 들거나 메고 이동하는 작은 집 모양의 탈것.

해설 | 소가 끄는 수레를 뜻하는 낱말은 '소달구지', 전기의 힘으로 철길 위를 다니는 차를 뜻하는 낱말은 '전차', 사람이 이동하거나 물건을 옮기는 데 쓰는 방법이나 도구를 뜻하는 낱말은 '교통수단', 안에 사람을 태우고 둘 또는 넷이 들거나 메고 이동하는 작은 집 모양의 탈것을 뜻하는 낱말은 '가마'입니다.

2 **낱말의 뜻에 맞게 (　) 안에서 알맞은 말을 골라 ○표 하세요.**

(1) 증기선: 물을 끓일 때 생기는 뜨거운 공기의 힘으로 나아가는 (배, 차).

(2) 뗏목: 사람이나 물건을 옮겨 나를 수 있도록 통나무를 이어서 만든 (탈것, 들것).

해설 | (1) '증기선'은 물을 끓일 때 생기는 뜨거운 공기의 힘으로 나아가는 배를 뜻합니다. (2) '뗏목'은 사람이나 물건을 옮겨 나를 수 있도록 통나무를 이어서 만든 탈것을 뜻하는 낱말입니다.

3 **밑줄 친 낱말과 뜻이 같은 것을 찾아 ○표 하세요.**

민속촌에서 가마를 타 보았다.

(1) 쌀 한 가마에 얼마예요? (　　　)

(2) 가마 안에는 한 여자아이가 타고 있었다. (○)

해설 | (1)에 쓰인 '가마'는 곡식이나 소금, 비료 등이 담긴 주머니의 수를 세는 단위를 뜻합니다.

4 **빈칸에 들어갈 알맞은 낱말을 글자 카드를 이용하여 만들어 쓰세요.**

(1) 뗏 목 을 타고 강을 건넜다.
류 목 장 뗏 형
(2) 나는 교 통 수 단 중에서 지하철을 가장 많이 이용한다.
지 수 통 단 교
(3) 농부는 아이들을 소 달 구 지 에 태웠다.
가 지 달 구 소
(4) 예전에 전 차 가 다녔던 철길을 산책로로 만들었다.
자 차 동 전 세

해설 | (1) 강을 건널 때 이용할 수 있는 교통수단은 뗏목입니다. (2) 지하철은 교통수단 중 하나입니다. (3) 소가 끄는 수레를 뜻하는 '소달구지'가 들어가기에 알맞습니다. (4) 철길을 산책로로 만들었다는 내용으로 '전차'가 들어가기에 알맞습니다.

84~85쪽에서 공부한 낱말을 떠올리며 문제를 풀어 보세요.

5 **낱말의 뜻을 보기 에서 찾아 사다리를 타고 내려간 곳에 기호를 쓰세요.**

보기
㉠ 선로가 한 가닥인 철도. – 모노레일
㉡ 바다로 나누어진 마을을 이어 주는 배. – 갯배
㉢ 여행하는 사람과 자동차를 실어 나르는 배. – 카페리
㉣ 목숨이 위험하거나 어려움에 빠진 사람을 구하는 것. – 구조

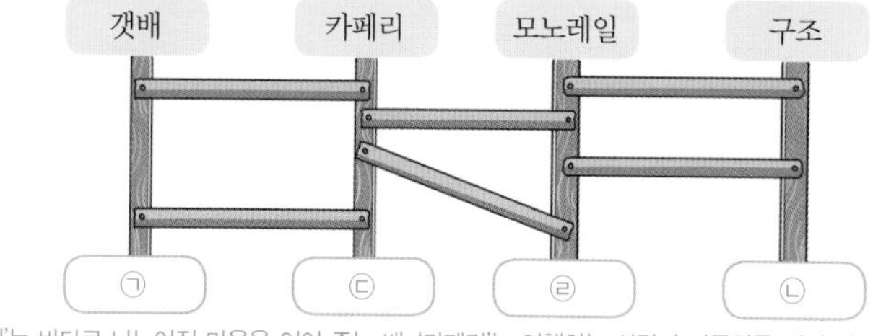

갯배
카페리
모노레일
구조
㉠
㉢
㉣
㉡

해설 | '갯배'는 바다로 나누어진 마을을 이어 주는 배, '카페리'는 여행하는 사람과 자동차를 실어 나르는 배, '모노레일'은 선로가 한 가닥인 철도, '구조'는 목숨이 위험하거나 어려움에 빠진 사람을 구하는 것을 뜻하는 낱말입니다.

6 **두 친구가 설명하는 '이것'에 해당하는 것을 찾아 ○표 하세요.**

병재: 이것은 사람이 운전하지 않아도 스스로 움직이는 자동차를 말해.
윤우: 이것은 장애인처럼 몸이 불편한 사람도 편리하게 이용할 수 있는 교통수단이야.

(전기 자동차 , 자율 주행 자동차)

해설 | '자율 주행 자동차'는 사람이 운전하지 않아도 스스로 움직이는 자동차를 말합니다.

7 **밑줄 친 낱말의 뜻을 보기 에서 찾아 기호를 쓰세요.**

보기
㉠ 목숨이 위험하거나 어려움에 빠진 사람을 구하는 것.
㉡ 여러 부분들이 서로 어울려 전체를 이루는 것 또는 그 짜임새.

(1) 건물의 구조를 바꾸었다. (㉡)　　(2) 물에 빠진 사람을 구조하였다. (㉠)

해설 | (1)은 건물의 짜임새를 바꾸었다는 내용의 문장으로 '구조'의 뜻은 ㉡입니다. (2)는 어려움에 빠진 사람을 구했다는 내용의 문장으로 '구조'의 뜻은 ㉠입니다.

8 **밑줄 친 낱말의 쓰임이 알맞으면 ○표, 알맞지 않으면 ×표 하세요.**

(1) 카페리에서 많은 사람들과 자동차들이 내렸다. (○)

(2) 전기 자동차는 자동차가 스스로 운전해서 목적지까지 이동한다. (×)

(3) 산악 구조 헬리콥터는 사람들의 목숨을 구조할 때 이용하는 교통수단이다. (○)

해설 | (2) 전기 자동차는 전기의 힘으로 움직이는 자동차를 가리키는 말이므로, 자동차가 스스로 운전해서 목적지까지 이동한다는 내용은 어색합니다.

3주차 3회

수학 교과서 어휘

수록 교과서 수학 3-1
5. 길이와 시간

다음 중 낱말의 뜻을 잘 알고 있는 것에 ☑ 하세요.

☐ 밀리미터 ☐ 킬로미터 ☐ 량 ☐ 가로 ☐ 떨어지다 ☐ 경로

엄마 발 치수가 235킬로미터? 235밀리미터?

엄마 발 치수가 235킬로미터? 이상하게 느껴지지? 킬로미터와 밀리미터는 모두 길이를 나타내는 낱말인데 차이가 있어. 길이와 관련된 낱말들을 배워 보고 정확한 표현이 무엇인지 알아보자.

낱말을 읽고, 부분에 밑줄을 그으면서 낱말 공부를 해 보세요.

이것만은 꼭!

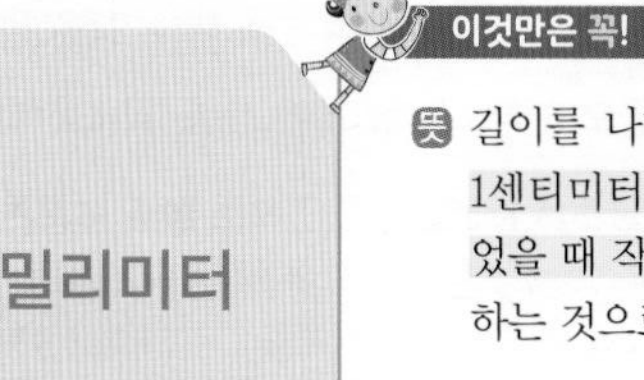

밀리미터

뜻 길이를 나타내는 단위. 1밀리미터는 1센티미터를 10칸으로 똑같이 나누었을 때 작은 눈금 한 칸의 길이를 말하는 것으로, 1mm라고 씀.

예 내 발은 승호의 발보다 5밀리미터 작다.

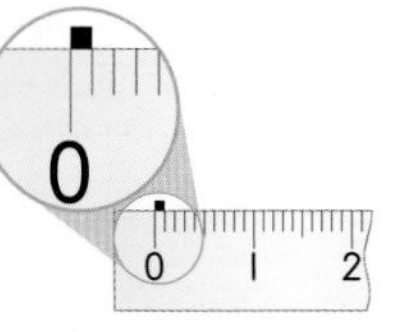
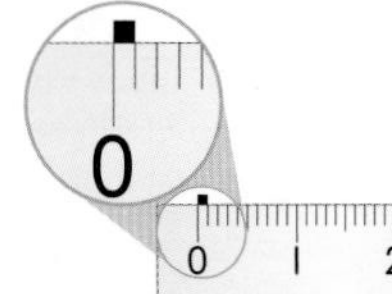

킬로미터

뜻 길이를 나타내는 단위. 1킬로미터는 1000미터로, 1km라고 씀.

예 산 정상까지는 1킬로미터가 남았다.

량

輛 수레 량

뜻 전철이나 열차의 차량을 세는 단위.

예 기차 한 량의 길이는 약 20미터이다.

가로

뜻 왼쪽에서 오른쪽으로 이어지는 방향이나 길이.

예 과자의 가로 길이는 약 15밀리미터이다.

가로
세로

반대말 세로

'세로'는 위에서 아래로 이어지는 방향이나 길이를 뜻하는 말이야.

예 칠판은 가로보다 세로의 길이가 짧다.

떨어지다

뜻 거리를 두고 있다.

예 기차역에서 약 1킬로미터 떨어진 곳에 공원이 있다.

여러 가지 뜻을 가진 낱말 떨어지다

'떨어지다'는 "위에서 아래로 내려지다."라는 뜻도 있어.

예 빨랫줄에 걸려 있던 빨래가 떨어졌다.

경로

經 지날 경 + 路 길 로

뜻 지나가는 길.

예 우리 집에서 호수 공원까지 가는 가장 짧은 경로는 도서관 앞을 지나가는 것이다.

글자는 같지만 뜻이 다른 낱말 경로

'경로'는 노인을 공손히 모시는 것이라는 전혀 다른 뜻도 있어.

예 마을에 경로 잔치가 열렸다.

3주차 3회

수학 교과서 어휘

수록 교과서 수학 3-1
5. 길이와 시간

다음 중 낱말의 뜻을 잘 알고 있는 것에 ✓ 하세요.

□ 걸리다 □ 초 □ 60초 □ 재생 □ 도착 □ 소요 시간

낱말을 읽고, ▭ 부분에 밑줄을 그으면서 낱말 공부를 해 보세요.

걸리다

뜻 시간이 들다.

예 기차를 타고 서울에서 다른 지역까지 이동하는 데 걸리는 시간을 알아보자.

여러 가지 뜻을 가진 낱말 걸리다

- '걸리다'는 "어떤 물체가 떨어지지 않게 어디에 매달리다."라는 뜻도 있어. 예 벽에 액자가 걸리다.
- '걸리다'는 "병이 들다."라는 뜻도 있지. 예 감기에 걸리다.

초

秒 분초 초

이것만은 꼭!

뜻 시간의 길이를 나타내는 단위. 1초는 초바늘이 작은 눈금 한 칸을 가는 동안 걸리는 시간을 말함.

예 김밥을 전자레인지에 20초 데웠다.

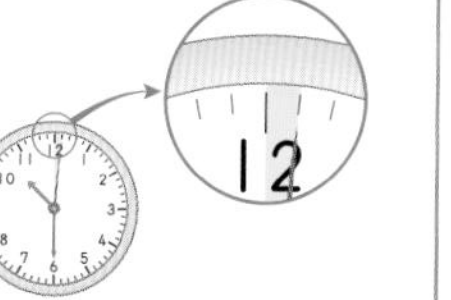

작은 눈금 한 칸 = 1초

60초

60 + 秒 분초 초

뜻 초바늘이 시계를 한 바퀴 도는 데 걸리는 시간.

예 1분은 60초이다.

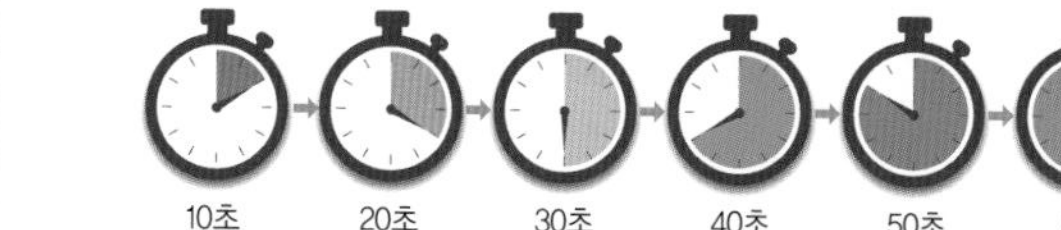

재생

再 다시 재 + 生 날 생

'재(再)'의 대표 뜻은 '두(두 번)'야.

뜻 테이프나 시디 등을 틀어 원래의 음이나 영상을 다시 들려주거나 보여 줌.

예 만화 영화 주제가의 재생 시간은 2분 20초이고, 피아노 연주곡의 재생 시간은 4분 23초이다.

도착

到 이를 도 + 着 다다를 착

'착(着)'의 대표 뜻은 '붙다'야.

뜻 목적한 곳에 이름.

예 버스는 4분 후에 도착한다.

반대말 출발

'출발'은 어떤 곳을 향하여 길을 떠나는 것을 뜻해.

예 자동차가 출발하기 전에 안전벨트를 매야 한다.

소요 시간

所 바 소 + 要 요구할 요 + 時 때 시 + 間 사이 간

'요(要)'의 대표 뜻은 '요긴하다'야.

뜻 어떤 일을 하는 데 걸리는 시간.

예 숙소에서 공연장까지 가는 데 걸리는 소요 시간은 약 1시간이다.

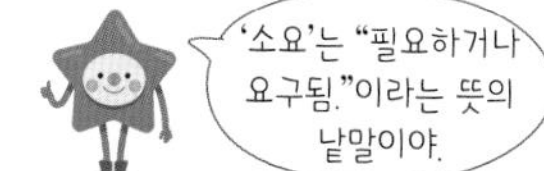

'소요'는 "필요하거나 요구됨."이라는 뜻의 낱말이야.

확인 문제

88~89쪽에서 공부한 낱말을 떠올리며 문제를 풀어 보세요.

1 뜻에 알맞은 낱말에 ○표 하세요.

(1) 전철이나 열차의 차량을 세는 단위. (쪽 , (량))

(2) 지나가는 길. (도로 , (경로))

(3) 왼쪽에서 오른쪽으로 이어지는 방향이나 길이. ((가로), 세로)

(4) 1센티미터를 10칸으로 똑같이 나누었을 때 작은 눈금 한 칸의 길이를 나타내는 단위. ((밀리미터), 킬로미터)

해설 | (1) 전철이나 열차의 차량을 세는 단위는 '량'입니다. (2) 지나가는 길이란 뜻의 낱말은 '경로'입니다. (3) 왼쪽에서 오른쪽으로 이어지는 방향이나 길이를 뜻하는 낱말은 '가로'입니다. (4) 1센티미터를 10칸으로 똑같이 나누었을 때 작은 눈금 한 칸의 길이를 나타내는 단위는 '밀리미터'입니다.

2 밑줄 친 낱말이 보기 의 뜻으로 쓰인 것은 무엇인가요? (⑤)

보기
떨어지다: 거리를 두고 있다.

① 컵이 바닥에 떨어졌다.
② 창밖에 빗방울이 떨어진다.
③ 계단에서 떨어져 다리를 다쳤다.
④ 아이의 두 눈에서 눈물이 뚝뚝 떨어졌다.
⑤ 병원은 우리 집에서 1킬로미터 정도 떨어져 있다.

해설 | ①~④는 "위에서 아래로 내려지다."의 뜻으로 쓰였습니다.

3 밑줄 친 낱말의 쓰임이 알맞으면 ○표, 알맞지 않으면 ×표 하세요.

(1) 이 지하철은 모두 8량입니다. (○)
(2) 제 발 크기는 230킬로미터입니다. (×)
(3) 상자의 경로 길이는 40센티미터입니다. (×)
(4) 우리 집은 바닷가와 조금 떨어져 있는 언덕에 있습니다. (○)

해설 | (2) 1킬로미터는 1000미터이므로, 발 크기가 230킬로미터라는 표현은 어색합니다. (3) '경로'는 지나가는 길이라는 뜻의 낱말이므로, 상자의 경로 길이라는 표현은 어색합니다.

90~91쪽에서 공부한 낱말을 떠올리며 문제를 풀어 보세요.

4 뜻에 알맞은 낱말을 보기 에서 찾아 쓰세요.

보기
도착 재생 60초 소요 시간

(1) (도착): 목적한 곳에 이름.
(2) (소요 시간): 어떤 일을 하는 데 걸리는 시간.
(3) (60초): 초바늘이 시계를 한 바퀴 도는 데 걸리는 시간.
(4) (재생): 테이프나 시디 등을 틀어 원래의 음이나 영상을 다시 들려주거나 보여 줌.

해설 | (1) '도착'은 목적한 곳에 이르는 것을 뜻하는 낱말입니다. (2) 어떤 일을 하는 데 걸리는 시간을 뜻하는 낱말은 '소요 시간'입니다. (3) 초바늘이 시계를 한 바퀴 도는 데 걸리는 시간을 뜻하는 말은 '60초'입니다. (4) 테이프나 시디 등을 틀어 원래의 음이나 영상을 다시 들려주거나 보여 주는 것을 뜻하는 낱말은 '재생'입니다.

5 밑줄 친 낱말이 보기 의 뜻으로 쓰인 것은 무엇인가요? (④)

보기
걸리다: 시간이 들다.

① 멋진 그림이 벽에 걸려 있다.
② 엄마 목에 걸린 목걸이가 예쁘다.
③ 짝이 장염에 걸려 학교에 못 왔다.
④ 차가 막혀서 집에 오는 데 한 시간이나 걸렸다.
⑤ 더운 여름철에는 식중독에 걸리지 않도록 조심해야 한다.

해설 | ①과 ②의 '걸리다'는 "어떤 물체가 떨어지지 않게 어디에 매달리다.", ③과 ⑤의 '걸리다'는 "병이 들다."의 뜻으로 쓰였습니다.

6 밑줄 친 낱말이 알맞게 쓰였는지 ○, ×를 따라가며 선을 긋고 몇 번으로 나오는지 쓰세요.

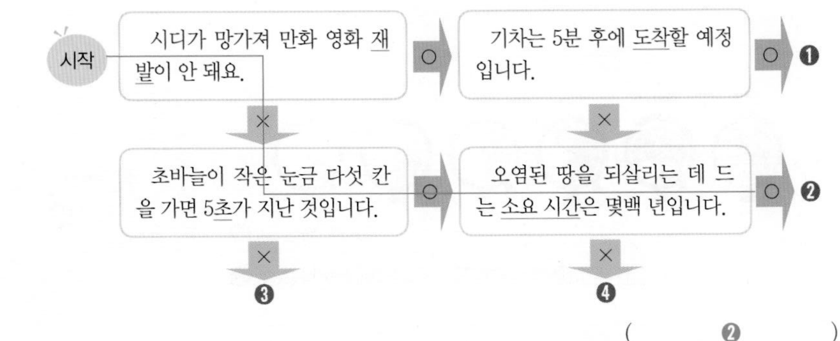

시작
시디가 망가져 만화 영화 재발이 안 돼요.
기차는 5분 후에 도착할 예정입니다.
초바늘이 작은 눈금 다섯 칸을 가면 5초가 지난 것입니다.
오염된 땅을 되살리는 데 드는 소요 시간은 몇백 년입니다.
○
×
❶
❷
❸
❹

(❷)

해설 | "시디가 망가져 만화 영화 재생이 안 돼요."가 바른 문장입니다.

3주차 4회

과학 교과서 어휘

수록 교과서 과학 3-1
4. 자석의 이용

다음 중 낱말의 뜻을 잘 알고 있는 것에 ✓ 하세요.

☐ 자석 ☐ 자석의 극 ☐ 붙이다 ☐ N극 ☐ S극 ☐ 날

자석의 끝에 클립이 붙어 있네. 왜 자석의 가운데에 붙지 않고 끝에 붙어 있을까? 그리고 클립이 붙어 있는 부분을 가리키는 이름이 있을까? 자석과 관련된 낱말들을 배우면서 궁금증을 해결해 보자.

낱말을 읽고, 　 부분에 밑줄을 그으면서 낱말 공부를 해 보세요.

이것만은 꼭!

자석
磁 자석 자 + 石 돌 석

뜻 쇠붙이를 당기는 힘이 있는 물체.

예 철로 된 물체는 자석에 붙는다.

'쇠붙이'는 철, 금, 은과 같은 쇠를 이르는 말이야.

자석의 극
磁 자석 자 + 石 돌 석 + 의 + 極 극 극

'극(極)'의 대표 뜻은 '극진하다'야.

뜻 자석에서 철로 된 물체가 많이 붙는 부분.

예 자석의 극에 클립이 많이 붙는다.

자석의 극

붙이다

뜻 어떤 것에 닿아 떨어지지 않게 하다.

예 색종이로 감싼 막대자석에 눈 모양 붙임딱지를 붙인다.

헷갈리는 말 부치다

'부치다'는 "편지나 물건 등을 보내다."라는 뜻으로 '붙이다'와 구분해서 써야 해.

예 편지를 부치다.

Tip '붙이다'와 '부치다'는 둘 다 [부치다]로 소리 나므로 헷갈리기 쉬워요.

N극
N + 極 극 극

뜻 북쪽을 가리키는 자석의 극.

예 북쪽을 가리키는 머리핀 끝부분에 N극 붙임딱지를 붙였다.

Tip N극은 북쪽을 뜻하는 영어 단어 'North', S극은 남쪽을 뜻하는 영어 단어 'South'의 첫 글자를 따서 붙인 이름이에요.

S극
S + 極 극 극

뜻 남쪽을 가리키는 자석의 극.

예 물에 띄운 자석에서 남쪽을 가리키는 자석의 극이 S극이다.

날

뜻 가위나 칼 등에서 가장 얇고 날카로운 부분.

예 가위의 날 부분은 자석에 붙는다.

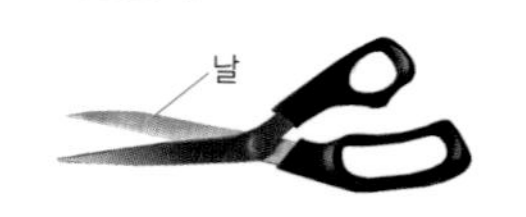

3주차 4회

과학 교과서 어휘

수록 교과서 과학 3-1
4. 자석의 이용

다음 중 낱말의 뜻을 잘 알고 있는 것에 ✓ 하세요.

☐ 방향 ☐ 나침반 ☐ 끌어당기다 ☐ 끌려오다 ☐ 밀다 ☐ 걸고리

두 개의 자석을 같은 극끼리 마주 보게 하면 어떻게 될까? 또 다른 극끼리 마주 보게 하면 어떻게 될까? 이번 회에서는 자석의 성질과 관련 있는 낱말들을 공부해 보자.

낱말을 읽고, ▭ 부분에 밑줄을 그으면서 낱말 공부를 해 보세요.

방향

方 방향 방 + 向 향할 향

'방(方)'의 대표 뜻은 '모'야.

뜻 어떤 쪽.

예 학교와 반대 방향으로 갔다.

포함되는 말 오른쪽, 왼쪽, 위쪽, 아래쪽, 앞, 뒤

'방향'에 포함되는 말에는 '오른쪽, 왼쪽, 위쪽, 아래쪽, 앞, 뒤' 등이 있어.

Tip 나침반은 자석의 성질을 지닌 바늘이 항상 북쪽과 남쪽을 가리키는 원리를 이용해 방향을 알 수 있도록 만든 도구를 말해요.

나침반

羅 벌일 나 + 針 바늘 침 + 盤 받침 반

'반(盤)'의 대표 뜻은 '소반'이야.

이것만은 꼭!

뜻 동, 서, 남, 북 방향을 알려 주는 도구.

예 나침반을 편평한 곳에 놓으면 나침반 바늘은 항상 북쪽과 남쪽을 가리킨다.

'나침반'을 '나침판'이라고 하기도 해.

끌어당기다

뜻 끌어서 가까이 오게 하다.

예 자석은 철로 된 물체를 끌어당길 수 있다.

둘 이상의 낱말이 합쳐진 말 '당기다'가 들어간 말

'끌어당기다'는 "바닥에 댄 채로 잡아당겨 움직이다."라는 뜻의 '끌다'와 "무엇을 잡아 자기 쪽으로 가까이 오게 하다."라는 뜻의 '당기다'가 합쳐진 낱말이야. 이와 마찬가지로 '잡아당기다'도 '잡다'와 '당기다'가 합쳐진 낱말이지.

끌려오다

뜻 억지로 다른 것이 이끄는 대로 따라오다.

예 자석을 대면 바늘이 끌려온다.

'이끌다'는 "가고자 하는 곳으로 같이 가면서 따라오게 하다."라는 뜻이야.

밀다

뜻 무엇을 움직이기 위해 반대쪽에서 힘을 주다.

예 두 자석 사이에는 밀거나 당기는 힘이 있다.

여러 가지 뜻을 가진 낱말 밀다

'밀다'는 "머리카락이나 털 등을 매우 짧게 깎다."라는 뜻도 있어.

예 수염을 밀다.

걸고리

뜻 물건을 매달아 놓거나 떨어져 있는 두 부분을 이어 주는 고리.

예 철로 된 표면에 자석 걸고리를 붙인 뒤에 달력을 걸어 놓았다.

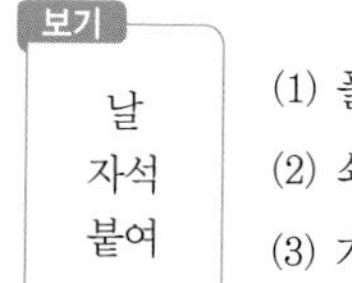

확인 문제

94～95쪽에서 공부한 낱말을 떠올리며 문제를 풀어 보세요.

1 뜻에 알맞은 낱말을 보기에서 찾아 사다리를 타고 내려간 곳에 쓰세요.

보기: 날 자석 자석의 극

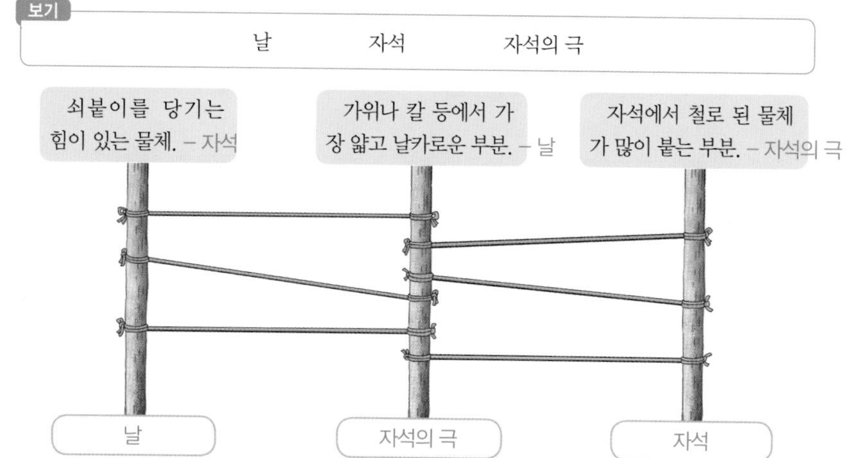

쇠붙이를 당기는 힘이 있는 물체. – 자석
가위나 칼 등에서 가장 얇고 날카로운 부분. – 날
자석에서 철로 된 물체가 많이 붙는 부분. – 자석의 극
날
자석의 극
자석

해설 | 쇠붙이를 당기는 힘이 있는 물체를 뜻하는 낱말은 '자석'이고, 가위나 칼 등에서 가장 얇고 날카로운 부분을 뜻하는 낱말은 '날'이며, 자석에서 철로 된 물체가 많이 붙는 부분을 뜻하는 낱말은 '자석의 극'입니다.

2 낱말의 뜻에 맞게 빈칸에 들어갈 알맞은 말을 쓰세요.

N극은 [북][쪽]을 가리키는 자석의 극을 말하고, S극은 [남][쪽]을 가리키는 자석의 극을 말한다.

해설 | 'N극'은 북쪽을 가리키는 자석의 극, 'S극'은 남쪽을 가리키는 자석의 극을 말합니다.

3 ( ) 안에서 알맞은 낱말을 골라 ○표 하세요.

교실 게시판에 우리가 그린 그림을 (부치고 , (붙이고)) 있다.

해설 | 교실 게시판에 그림을 떨어지지 않게 붙인다는 내용의 문장으로, '붙이고'가 알맞습니다.

4 ( ) 안에 들어갈 알맞은 낱말을 보기에서 찾아 쓰세요.

보기: 날 / 자석 / 붙여

(1) 풀을 바르고 종이 두 장을 (붙여) 보아라.
(2) 쇠구슬이 (자석)에 붙어 떨어지지 않는다.
(3) 가위의 (날) 부분에 손을 베이지 않도록 조심해라.

해설 | (1) 종이 두 장을 떨어지지 않게 해 보라는 문장으로, '붙여'가 들어가야 합니다. (2) 쇠구슬을 당기는 힘이 있는 물체인 '자석'이 들어가야 합니다. (3) 가위에서 가장 얇고 날카로운 부분인 '날'이 들어가야 합니다.

96～97쪽에서 공부한 낱말을 떠올리며 문제를 풀어 보세요.

5 보기에 있는 글자 카드로 뜻에 알맞은 낱말을 만들어 쓰세요.

보기: 걸 고 나 리 반 방 침 향

(1) (방향): 어떤 쪽.
(2) (나침반): 동, 서, 남, 북 방향을 알려 주는 도구.
(3) (걸고리): 물건을 매달아 놓거나 떨어져 있는 두 부분을 이어 주는 고리.

해설 | (1) 어떤 쪽을 뜻하는 낱말은 '방향'입니다. (2) 동, 서, 남, 북 방향을 알려 주는 도구를 뜻하는 낱말은 '나침반'입니다. (3) 물건을 매달아 놓거나 떨어져 있는 두 부분을 이어 주는 고리를 뜻하는 낱말은 '걸고리'입니다.

6 낱말의 뜻에 맞게 ( ) 안에서 알맞은 말을 골라 ○표 하세요.

(1) 끌어당기다 – ((끌어서), 밀어서) 가까이 오게 하다.
(2) 밀다 – 무엇을 움직이기 위해 (양쪽 , (반대쪽))에서 힘을 주다.
(3) 끌려오다 – 억지로 다른 것이 이끄는 대로 ((따라오다), 다녀오다).

해설 | (1) '끌어당기다'는 "끌어서 가까이 오게 하다."라는 뜻의 낱말입니다. (2) '밀다'는 "무엇을 움직이기 위해 반대쪽에서 힘을 주다."라는 뜻의 낱말입니다. (3) '끌려오다'는 "억지로 다른 것이 이끄는 대로 따라오다."라는 뜻의 낱말입니다.

7 다음 두 낱말이 합쳐진 낱말은 무엇인지 쓰세요.

(1) 끌다 + 당기다 → (끌어당기다)
(2) 잡다 + 당기다 → (잡아당기다)

해설 | '끌어당기다'는 '끌다'와 '당기다'가 합쳐진 낱말이고, '잡아당기다'는 '잡다'와 '당기다'가 합쳐진 낱말입니다.

해설 | (1) 좋아하는 반찬을 끌어서 가까이 오게 한 것이므로, '끌어당겼다'가 들어가야 합니다. (2) 반대쪽에서 힘을 주어 그네를 움직이게 한 것이므로 '밀어'가 들어가야 합니다. (3) 소란을 일으킨 남자가 경찰서에 억지로 따라오게 된 것이므로, '끌려왔다'가 들어가야 합니다.

8 ( ) 안에서 알맞은 낱말을 골라 ○표 하세요.

(1) 좋아하는 반찬을 앞으로 (끌려왔다 , (끌어당겼다)).
(2) 친구가 타고 있는 그네를 힘껏 ((밀어), 적어) 주었다.
(3) 소란을 일으킨 남자가 경찰관에게 잡혀 경찰서로 ((끌려왔다), 데려왔다).

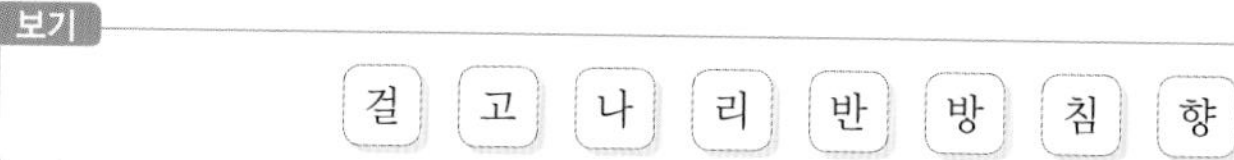

3주차 5회 한자 어휘

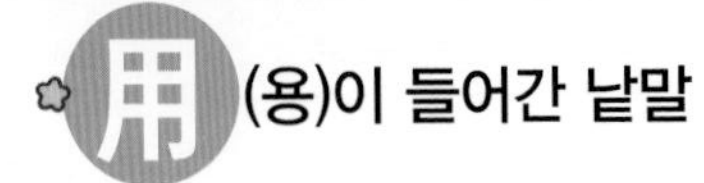(용)이 들어간 낱말

'用(용)'이 들어간 낱말을 읽고, ▭ 부분에 밑줄을 그으면서 낱말 공부를 해 보세요.

用

쓸 용

'용(用)'은 나무로 만든 통을 본떠서 그린 글자야. 그릇으로 쓰는 등 생활에서 쓰임이 많다는 데서 '쓰다'라는 뜻을 갖게 되었어. '용(用)'은 '하다', '부리다(일을 시키다.)'의 뜻으로 쓰이기도 해.

쓰다 用

무용지물

無 없을 무 + 用 쓸 용 + 之 ~는 지 + 物 물건 물

'지(之)'의 대표 뜻은 '가다'야.

뜻 쓸 만한 데가 없는 물건이나 사람.

예 문을 하나 더 만들었지만 아무도 사용하지 않아 무용지물이 되었다.

사용

使 부릴 사 + 用 쓸 용

뜻 무엇을 어떤 일에 맞게 씀.

예 일회용품을 사용하지 않도록 노력하자.

비슷한말 이용

'이용'은 무엇을 필요에 따라 이롭거나 쓸모가 있게 쓰는 것을 뜻해.

예 요즈음에는 플라스틱을 이용하여 옷을 만든다.

하다·부리다 用

용건

用 할 용 + 件 사건 건

'건(件)'의 대표 뜻은 '물건'이야.

뜻 해야 할 일.

예 친구가 용건도 없이 전화를 했다.

고용

雇 품팔 고 + 用 부릴 용

뜻 돈을 주고 사람에게 일을 시킴.

예 농장 주인은 일할 사람이 부족해 추가로 일꾼을 고용하였다.

上(상)이 들어간 낱말

'上(상)'이 들어간 낱말을 읽고, ▭ 부분에 밑줄을 그으면서 낱말 공부를 해 보세요.

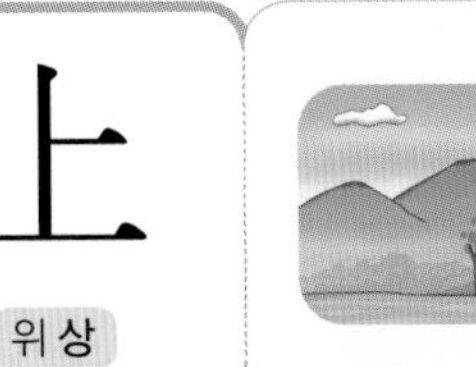

上

위 상

'상(上)'은 하늘을 나타내기 위해 만든 글자야. 그래서 '위'라는 뜻을 나타내지. 낱말에서 '상(上)'은 '위', '오르다', '첫째' 등의 뜻을 나타내.

위 上

금상첨화

錦 비단 금 + 上 위 상 + 添 더할 첨 + 花 꽃 화

뜻 비단 위에 꽃을 더한다는 뜻으로, 좋은 일에 또 좋은 일이 더 일어남.

예 이 옷은 값도 싼데 모양도 예뻐서 금상첨화이다.

지상

地 땅 지 + 上 위 상

뜻 땅의 위.

예 지상에 있는 주차장에 차를 대었다.

반대말 지하

'지하'는 땅속이나 땅을 파고 그 아래에 만든 건물의 공간을 뜻해.

예 건물 지하에는 수영장이 있다.

오르다·첫째 上

상륙

上 오를 상 + 陸 뭍 륙

뜻 배에서 육지로 오름.

예 파도가 심해서 상륙이 어렵다.

상권

上 첫째 상 + 卷 책 권

뜻 두 권이나 세 권으로 된 책의 첫째 권.

예 만화책을 상권부터 보았다.

관련 어휘 중권, 하권

'중권'은 세 권으로 된 책의 가운데 권, '하권'은 두 권이나 세 권으로 된 책의 맨 끝 권을 말해.

확인 문제

100쪽에서 공부한 낱말을 떠올리며 문제를 풀어 보세요.

1 낱말의 뜻을 보기에서 찾아 사다리를 타고 내려간 곳에 기호를 쓰세요.

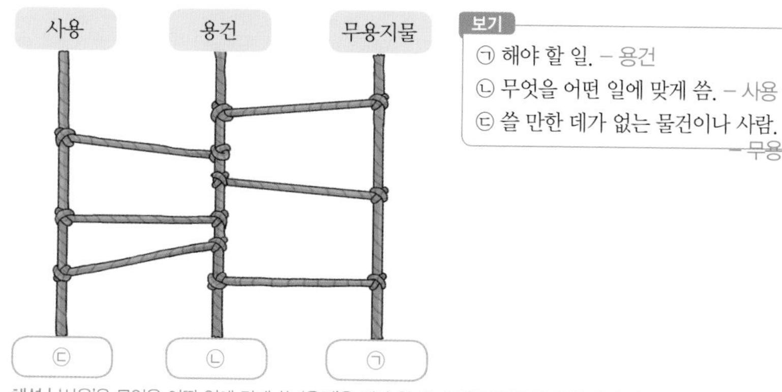

보기
㉠ 해야 할 일. – 용건
㉡ 무엇을 어떤 일에 맞게 씀. – 사용
㉢ 쓸 만한 데가 없는 물건이나 사람. – 무용지물

해설 | '사용'은 무엇을 어떤 일에 맞게 씀, '용건'은 해야 할 일, '무용지물'은 쓸 만한 데가 없는 물건이나 사람을 뜻하는 낱말입니다.

2 밑줄 친 '용'이 '부리다'의 뜻으로 쓰인 것에 ○표 하세요.

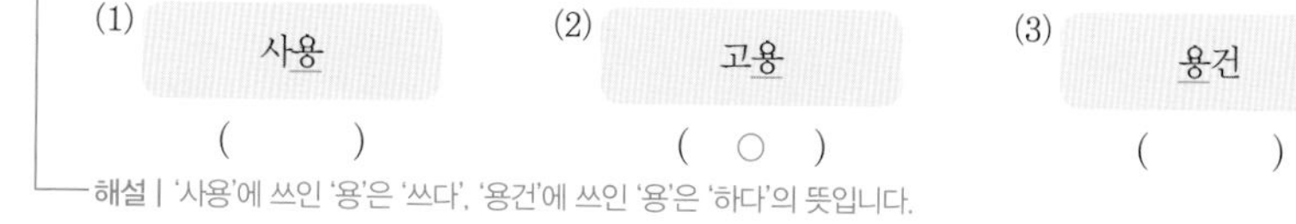

(1) 사용 ( )
(2) 고용 (○)
(3) 용건 ( )

해설 | '사용'에 쓰인 '용'은 '쓰다', '용건'에 쓰인 '용'은 '하다'의 뜻입니다.

해설 | (1) 집을 지을 때 흙을 쓰기도 한다는 뜻의 문장으로 '사용'이 들어가야 합니다. (2) 주인은 새로 일을 시키게 된 일꾼을 무척 아꼈다는 뜻의 문장으로 '고용'이 들어가야 합니다. (3) 비가 오지 않아서 우산은 쓸데가 없는 물건이 되었다는 뜻의 문장으로 '무용지물'이 들어가야 합니다.

3 빈칸에 들어갈 알맞은 낱말을 찾아 선으로 이으세요.

(1) 집을 지을 때 흙을 [ ]하기도 한다. — 사용
(2) 주인은 새로 [ ]한 일꾼을 무척 아꼈다. — 고용
(3) 비가 오지 않아서 가져온 우산은 [ ]이 되었다. — 무용지물

101쪽에서 공부한 낱말을 떠올리며 문제를 풀어 보세요.

4 보기에 있는 글자 카드로 뜻에 알맞은 낱말을 만들어 쓰세요.

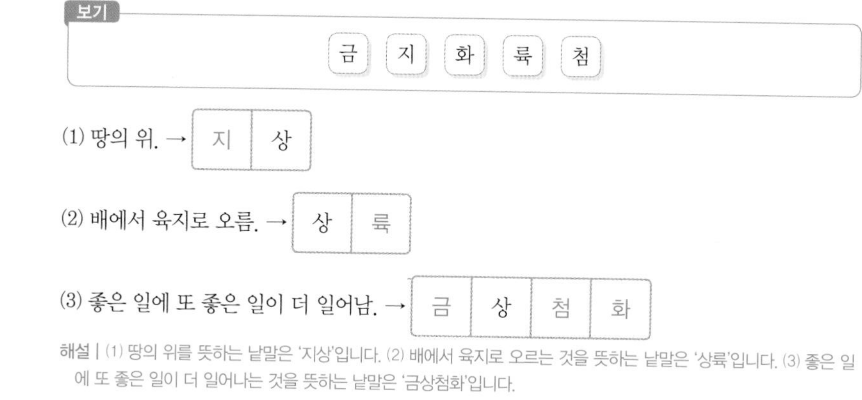

보기
금 지 화 륙 첨

(1) 땅의 위. → 지 상
(2) 배에서 육지로 오름. → 상 륙
(3) 좋은 일에 또 좋은 일이 더 일어남. → 금 상 첨 화

해설 | (1) 땅의 위를 뜻하는 낱말은 '지상'입니다. (2) 배에서 육지로 오르는 것을 뜻하는 낱말은 '상륙'입니다. (3) 좋은 일에 또 좋은 일이 더 일어나는 것을 뜻하는 낱말은 '금상첨화'입니다.

5 빈칸에 들어갈 알맞은 낱말을 쓰세요.

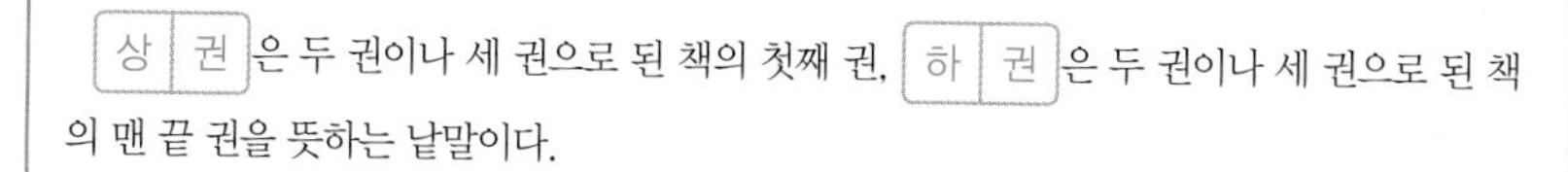

상 권 은 두 권이나 세 권으로 된 책의 첫째 권, 하 권 은 두 권이나 세 권으로 된 책의 맨 끝 권을 뜻하는 낱말이다.

해설 | '상권'과 '하권'의 뜻을 설명하는 문장입니다.

6 [ ] 안에 있는 낱말과 뜻이 반대인 낱말에 ○표 하세요.

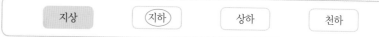

지상 / (지하) / 상하 / 천하

해설 | '지상'의 반대말은 땅속이나 땅을 파고 그 아래에 만든 건물의 공간을 뜻하는 '지하'입니다.

7 밑줄 친 낱말의 쓰임이 알맞으면 ○표, 알맞지 않으면 ×표 하세요.

(1) 잠시 후 비행기가 상륙하겠습니다. (×)
(2) 우리 아파트는 지상 이십 층으로 지어졌습니다. (○)
(3) 어제는 지우개를 잃어버렸는데 오늘은 연필을 잃어버리다니, 금상첨화네. (×)

해설 | (1) '상륙'은 배에서 육지로 오르는 것을 뜻하므로 비행기가 상륙하겠다는 표현은 어색합니다. (3) '금상첨화'는 좋은 일에 또 좋은 일이 더 일어남을 뜻하는 말로, 계속 물건을 잃어버리는 상황에 어울리지 않습니다.

3주차 어휘력 테스트

앞에서 공부한 낱말을 떠올리며 문제를 풀어 보세요.

낱말 뜻

1 낱말과 그 뜻이 바르게 짝 지어지지 않은 것은 무엇인가요? (④)

① 원인 – 어떤 일이 일어난 까닭.
② 량 – 전철이나 열차의 차량을 세는 단위.
③ 기호 – 어떤 뜻을 나타내기 위한 문자나 부호.
④ 전차 – 물을 끓일 때 생기는 뜨거운 공기의 힘으로 나아가는 배.
⑤ 교통수단 – 사람이 이동하거나 물건을 옮기는 데 쓰는 방법이나 도구.

해설 | 물을 끓일 때 생기는 뜨거운 공기의 힘으로 나아가는 배는 '증기선'입니다. '전차'는 전기의 힘으로 철길 위를 다니는 차를 말합니다.

낱말 뜻

2~4 낱말의 뜻에 맞게 ( ) 안에 들어갈 알맞은 말을 보기에서 찾아 쓰세요.

보기: 방향 형태 자동차

2 기본형 | 상황에 따라 (형태)이/가 바뀌는 낱말을 대표하는 낱말.

해설 | '기본형'은 상황에 따라 형태가 바뀌는 낱말을 대표하는 낱말입니다.

3 카페리 | 여행하는 사람과 (자동차)을/를 실어 나르는 배.

해설 | '카페리'는 여행하는 사람과 자동차를 실어 나르는 배를 말합니다.

4 나침반 | 동, 서, 남, 북 (방향)을/를 알려 주는 도구.

해설 | '나침반'은 동, 서, 남, 북 방향을 알려 주는 도구를 뜻하는 낱말입니다.

반대말

5 뜻이 반대인 낱말끼리 짝 지어진 것은 무엇인가요? (①)

① 출발 – 도착　② 이용 – 사용　③ 형태 – 생김새
④ 기본형 – 으뜸꼴　⑤ 경험하다 – 체험하다

해설 | ②~⑤는 뜻이 비슷한 낱말끼리 짝 지어진 것입니다.

속담

6 밑줄 친 속담을 바르게 사용한 친구에게 ○표 하세요.

(1) 콩 심은 데 콩 나고 팥 심은 데 팥 난다고 하잖아. 열심히 연습했더니 이제는 스케이트를 잘 탈 수 있어. (○)

(2) 
무슨 일이든지 시작이
중요해. 콩 심은 데 콩 나고
팥 심은 데 팥 난다는
말도 있잖아?
( )

해설 | (2)의 친구와 같이 시작의 중요성을 말할 때에는 '천 리 길도 한 걸음부터'라는 속담을 사용해야 합니다.

여러 가지 뜻을 가진 낱말

7 밑줄 친 낱말이 보기의 뜻으로 쓰이지 않은 것에 ×표 하세요.

보기: 밀다: 무엇을 움직이기 위해 반대쪽에서 힘을 주다.

(1) 어떤 사람이 가게 문을 밀고 들어왔다. ( )
(2) 더운 여름이 되자 머리를 시원하게 밀었다. (×)
(3) 할아버지가 끄는 수레를 뒤에서 밀어 드렸다. ( )

해설 | (2)에 쓰인 '밀다'는 "머리카락이나 털 등을 매우 짧게 깎다."라는 뜻입니다.

낱말 활용

8~10 ( ) 안에 들어갈 알맞은 낱말을 보기에서 찾아 쓰세요.

보기: 방향 경로 구조

8 소방관들은 큰 불길 속에서도 사람들을 (구조)했다.

해설 | 소방관들이 목숨이 위험한 사람들을 구했다는 뜻의 문장으로, '구조'가 들어가야 합니다.

9 시계 (방향)(으)로 돌아가면서 발표를 하기로 하였다.

해설 | 시계가 가는 쪽으로 돌아가면서 발표를 하기로 하였다는 뜻의 문장으로, '방향'이 들어가야 합니다.

10 서울에서 부산까지 가는 가장 짧은 (경로)을/를 알려 줘.

해설 | 지나가는 길이라는 뜻의 '경로'가 들어가야 합니다.

어휘가 문해력이다

초등 3학년 1학기

4주차 정답과 해설

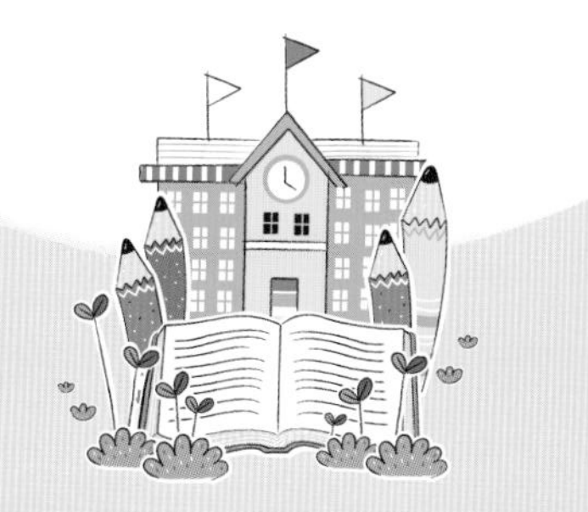

국어 교과서 어휘

수록 교과서 국어 3-1 ㉯
8. 의견이 있어요

다음 중 낱말의 뜻을 잘 알고 있는 것에 ✓ 하세요.

□ 의견 □ 습관 □ 파악하다 □ 제시하다 □ 활동 □ 팻말

낱말을 읽고, ▭ 부분에 밑줄을 그으면서 낱말 공부를 해 보세요.

의견

意 뜻 의 + 見 볼 견

이것만은 꼭!

Tip '의견'은 글쓴이나 인물이 어떤 일이나 사람, 물건에게 가지는 생각을 말해요.

뜻 글쓴이나 인물이 어떤 것에게 가지는 생각.

예 나는 당나귀가 영리하지 않다는 의견을 말했다.

비슷한말 생각

'생각'은 어떤 일에 대한 의견이나 느낌을 뜻해.

예 쓰레기를 함부로 버리지 말자는 생각을 알맞은 까닭을 들어 가며 말했다.

습관

習 익힐 습 + 慣 버릇 관

'관(慣)'의 대표 뜻은 '익숙하다'야.

뜻 어떤 행동을 오랫동안 되풀이하면서 저절로 몸에 익혀진 행동.

예 약속을 잘 지키는 것, 꾸준히 일기를 쓰는 것은 좋은 습관이다.

'익히다'는 자주 경험하여 조금도 서투르지 않게 한다는 뜻이야.

속담 세 살 적 버릇이 여든까지 간다

어릴 때 몸에 밴 습관은 늙어 죽을 때까지 고치기 힘들다는 뜻으로, 어릴 때부터 나쁜 습관이 들지 않도록 잘 가르쳐야 한다는 말이야.

파악하다

把 잡을 파 + 握 쥘 악 + 하다

뜻 내용이나 상황을 확실하게 알다.

예 수찬이는 글을 읽고 지구를 깨끗이 가꾸자는 글쓴이의 의견을 바르게 파악하였다.

비슷한말 이해하다

'이해하다'는 "무엇을 깨달아 알다. 또는 잘 알아서 받아들이다."라는 뜻이야.

예 이 책의 내용은 누구나 쉽게 이해할 수 있다.

제시하다

提 제시할 제 + 示 보일 시 + 하다

'제(提)'의 대표 뜻은 '끌다'야.

뜻 생각을 말이나 글로 나타내어 보이다.

예 고마움을 표현하는 습관을 기르고 싶다는 의견을 친구들에게 제시했다.

비슷한말 내세우다

'내세우다'는 "생각이나 의견들을 앞세우거나 고집하다."라는 뜻이야.

예 동생은 자꾸 자기 말만 옳다고 내세웠다.

활동

活 살 활 + 動 움직일 동

뜻 어떤 일을 힘써서 하는 것.

예 아름답고 즐거운 학교를 가꾸기 위한 알림 활동을 해 봅시다.

팻말

牌 패 패 + 말

Tip '팻말'은 [팬말]이라고 읽어요.

뜻 다른 사람들에게 알리기 위하여 글, 그림 등을 써 놓은, 네모난 조각.

예 팻말에 "복도에서 뛰지 않아요."라는 글을 써서 붙였다.

꼭! 알아야 할 속담

빈칸 채우기 '돌다리도 두들겨 보고 건너라'는 잘 알거나 확실해 보이는 일이라도 한 번 더 확인하고 주의하라는 말입니다.

4주차 1회

국어 교과서 어휘

수록 교과서 국어 3-1 ㊀
9. 어떤 내용일까 ~
10. 문학의 향기

다음 중 낱말의 뜻을 잘 알고 있는 것에 ✓ 하세요.

☐ 단서 ☐ 비슷하다 ☐ 생략되다 ☐ 감동 ☐ 지은이 ☐ 독서

낱말을 읽고, ▭ 부분에 밑줄을 그으면서 낱말 공부를 해 보세요.

단서

端 실마리 단 + 緖 실마리 서

'단(端)'의 대표 뜻은 '끝'이야.

뜻 어떤 일이나 사건이 일어난 까닭을 풀어 나갈 수 있는 실마리.

예 글에서 찾을 수 있는 단서를 확인하면 글에 나타나지 않은 내용을 짐작할 수 있다.

비슷한말 실마리

'실마리'는 일이나 사건을 해결해 나갈 수 있는 시작이 되는 부분을 말해.

예 수수께끼의 실마리가 드디어 풀렸다.

비슷하다

뜻 생김새나 성질 등이 아주 똑같지는 않지만 닮은 점이 많다.

예 '닮다'와 뜻이 비슷한 낱말은 '줄어들다'이다.

비슷한말 유사하다

'유사하다'는 "서로 비슷하다."라는 뜻이야.

예 오징어와 문어는 자신을 보호하는 방법이 유사하다.

'꿩 대신 닭'이라는 속담이 있어. 적당한 것이 없을 때 그와 비슷한 것으로 대신하는 경우를 이르는 말이야.

생략되다

省 덜 생 + 略 간략할 략 + 되다

뜻 간단하게 줄여지거나 빠지게 되다.

예 석주명이 나비를 찾으려고 온 산을 헤매고 다녔다는 내용에는 석주명이 나비를 좋아했다는 내용이 생략되어 있다.

이것만은 꼭!

감동

感 느낄 감 + 動 움직일 동

뜻 크게 느껴 마음이 움직임.

예 이야기를 읽고 평소에 착하지 않던 아이가 착한 행동을 하려고 노력하는 부분에서 감동을 받았다.

비슷한말 감격

'감격'은 마음에 깊이 느끼어 크게 감동하는 것을 뜻해.

예 올림픽에서 메달을 딴 선수는 감격의 눈물을 흘렸다.

지은이

뜻 글이나 곡을 지은 사람.

예 책을 소개할 때에는 책의 지은이도 소개한다.

비슷한말 작자

'작자'도 글이나 곡을 지은 사람을 뜻해.

예 「인어공주」의 작자는 안데르센이다.

독서

讀 읽을 독 + 書 글 서

뜻 책을 읽음.

예 우리가 읽은 책으로 여러 가지 활동을 하는 독서 잔치가 열렸다.

꼭! 알아야 할 관용어

○표 하기 '(눈 깜짝할 사이 , (눈에 넣어도 아프지 않다))'는 매우 귀엽다는 뜻입니다.

확인 문제

108～109쪽에서 공부한 낱말을 떠올리며 문제를 풀어 보세요.

1 뜻에 알맞은 낱말을 글자판에서 찾아 묶으세요. (낱말은 가로(ㅡ), 세로(ㅣ) 방향에 숨어 있어요.)

팻	④습	자	③제
말	관	의	시
①활	동	견	하
②파	악	하	다

❶ 어떤 일을 힘써서 하는 것.
❷ 내용이나 상황을 확실하게 알다.
❸ 생각을 말이나 글로 나타내어 보이다.
❹ 어떤 행동을 오랫동안 되풀이하면서 저절로 몸에 익혀진 행동.

해설 | 어떤 일을 힘써서 하는 것을 뜻하는 낱말은 '활동', "내용이나 상황을 확실하게 알다."라는 뜻을 가진 낱말은 '파악하다', "생각을 말이나 글로 나타내어 보이다."라는 뜻을 가진 낱말은 '제시하다', 어떤 행동을 오랫동안 되풀이하면서 저절로 몸에 익혀진 행동을 뜻하는 낱말은 '습관'입니다.

2 낱말의 뜻에 맞게 빈칸에 들어갈 알맞은 말을 쓰세요.

(1) 의견 | 글쓴이나 인물이 어떤 것에게 가지는 [생각].

(2) 팻말 | 다른 사람들에게 알리기 위하여 [글], [그림] 등을 써 놓은, 네모난 조각.

해설 | '의견'은 글쓴이나 인물이 어떤 것에게 가지는 생각을 말하고, '팻말'은 다른 사람들에게 알리기 위하여 글, 그림 등을 써 놓은, 네모난 조각을 말합니다.

3 밑줄 친 속담을 바르게 사용한 친구의 이름을 쓰세요.

경주: 세 살 적 버릇이 여든까지 간다고 줄임 말을 쓰는 습관은 빨리 고치는 것이 좋아.
준원: 백 원짜리 동전도 모으면 나중에 큰돈이 될 수 있어. 세 살 적 버릇이 여든까지 간다는 말이 맞는 것 같아.

(경주)

해설 | '세 살 적 버릇이 여든까지 간다'라는 속담은 어릴 때부터 나쁜 습관이 들지 않도록 잘 가르쳐야 한다는 뜻입니다. 준원이의 말에는 작은 것이라도 모이고 모이면 나중에 큰 것이 된다는 뜻의 '티끌 모아 태산'이 어울립니다.

4 (　) 안에 들어갈 알맞은 낱말을 보기 에서 찾아 쓰세요.

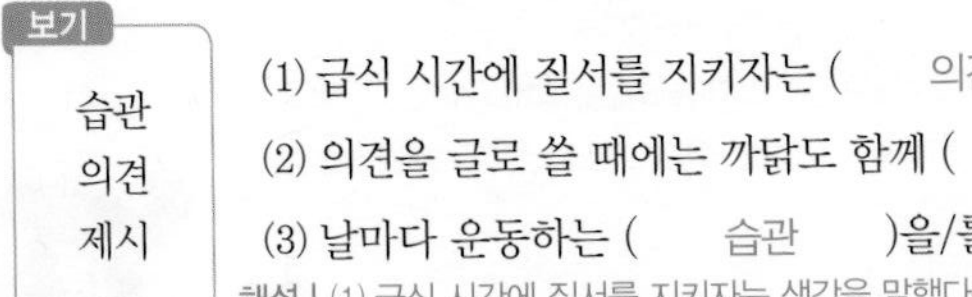

(1) 급식 시간에 질서를 지키자는 (의견)을/를 말했다.
(2) 의견을 글로 쓸 때에는 까닭도 함께 (제시)해야 한다.
(3) 날마다 운동하는 (습관)을/를 기르면 몸과 마음이 건강해진다.

해설 | (1) 급식 시간에 질서를 지키자는 생각을 말했다는 내용으로, '의견'이 들어가야 합니다. (2) 의견을 글로 쓸 때에는 까닭도 함께 나타내어 보여야 한다는 내용으로, '제시'가 들어가야 합니다. (3) 날마다 운동하는 행동이 몸에 익혀지면 몸과 마음이 건강해진다는 내용으로 '습관'이 들어가야 합니다.

110～111쪽에서 공부한 낱말을 떠올리며 문제를 풀어 보세요.

5 보기 에 있는 글자 카드로 뜻에 알맞은 낱말을 만들어 쓰세요. (같은 글자 카드를 여러 번 쓸 수 있어요.)

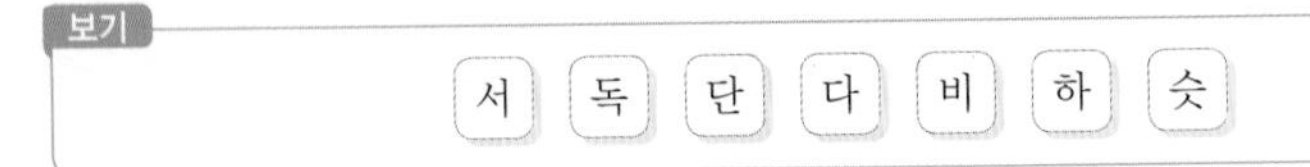

(1) 책을 읽음. → [독][서]
(2) 어떤 일이나 사건이 일어난 까닭을 풀어 나갈 수 있는 실마리. → [단][서]
(3) 생김새나 성질 등이 아주 똑같지는 않지만 닮은 점이 많다. → [비][슷][하][다]

해설 | 책을 읽는 것을 뜻하는 낱말은 '독서', 어떤 일이나 사건이 일어난 까닭을 풀어 나갈 수 있는 실마리를 뜻하는 낱말은 '단서', "생김새나 성질 등이 아주 똑같지는 않지만 닮은 점이 많다."라는 뜻을 가진 낱말은 '비슷하다'입니다.

6 친구들의 물음에 알맞은 답을 쓰세요.

(1)

[감][동]

(2) 글이나 곡을 지은 사람을 뜻하는 낱말은?

[지][은][이]

해설 | '감동'은 크게 느껴 마음이 움직이는 것, '지은이'는 글이나 곡을 지은 사람을 뜻합니다.

7 '단서'와 뜻이 비슷한 낱말은 무엇인가요? (③)

① 단계 ② 조사 ③ 실마리 ④ 마무리 ⑤ 걱정거리

해설 | '단서'와 뜻이 비슷한 낱말은 일이나 사건을 해결해 나갈 수 있는 시작이 되는 부분을 뜻하는 '실마리'입니다.

8 밑줄 친 낱말을 바르게 사용한 친구의 이름을 쓰세요.

영준: 책 속 인물인 지은이에게 하고 싶은 말을 편지로 써 보자.
재호: 시를 읽고 친구를 위하는 마음이 느껴져서 단서를 받았어.
경아: 글을 읽으면서 생략된 내용을 짐작하면 글을 더 잘 이해할 수 있어.

(경아)

해설 | '지은이'는 글이나 곡을 지은 사람, '단서'는 어떤 일이나 사건이 일어난 까닭을 풀어 나갈 수 있는 실마리를 뜻하는 낱말이므로, 영준이와 재호는 낱말을 바르게 쓰지 못하였습니다.

사회 교과서 어휘

수록 교과서 사회 3-1
3. 교통과 통신 수단의 변화

다음 중 낱말의 뜻을 잘 알고 있는 것에 ✓ 하세요.

□ 통신 수단 □ 서찰 □ 파발 □ 방 □ 봉수 □ 위급

옛날에는 소식이나 정보를 전할 때 직접 걸어가거나 말을 타고 가거나 글을 써서 붙였나 봐. 이런 통신 수단을 뭐라고 하는지 알아보자.
과거 시험 합격자
서찰이 왔습니다.
방이 붙었네.
빨리 이 소식을 전하고 오거라!

낱말을 읽고, 　　 부분에 밑줄을 그으면서 낱말 공부를 해 보세요.

이것만은 꼭!

통신 수단

通 통할 통 + 信 정보 신 + 手 수단 수 + 段 방법 단

'신(信)'의 대표 뜻은 '믿다', '수(手)'의 대표 뜻은 '손', '단(段)'의 대표 뜻은 '층계'야.

뜻 정보를 전달하려고 사용하는 방법이나 도구.

예 옛날에는 통신 수단이 발달하지 못해 소식을 알리기 위해 먼 곳까지 직접 찾아갔다.

관련 어휘 통신

'통신'은 편지나 전화 등으로 정보나 소식 등을 전하는 것을 말해.

서찰

書 글 서 + 札 편지 찰

뜻 안부나 소식을 적어 보내는 글.

예 옛날 사람들은 안부를 전할 때 서찰을 이용했다.

'안부'는 어떤 사람이 편안하게 잘 지내는지에 대한 소식 또는 그것을 묻는 인사를 뜻하는 낱말이야.

파발

擺 열 파 + 撥 다스릴 발

뜻 나라의 일과 관련된 소식을 걸어가거나 말을 타고 가서 전하는 방법.

예 장군은 말을 탄 부하를 파발로 보내며 빨리 소식을 전하고 오라고 하였다.

빨리 이 소식을 전하고 오거라!

방

榜 방 붙일 방

뜻 어떤 일을 널리 알리려고 사람들이 많이 모이는 곳에 써 붙이는 글.

예 과거 시험 합격자 명단을 쓴 방이 붙었다.

글자는 같지만 뜻이 다른 낱말 방

'방'은 사람이 살거나 일을 하기 위해 벽을 막아서 만든 칸이라는 전혀 다른 뜻도 있어.

예 방을 청소하였다.

Tip 봉수는 우리나라가 산이 많다는 점을 이용한 통신 수단으로, 산에 봉수대를 설치해 마치 이어달리기 경주를 하는 것처럼 불이나 연기를 올려 서울까지 위급한 소식을 알리는 역할을 했어요.

봉수

烽 봉화 봉 + 燧 부싯돌 수

뜻 낮에는 연기로, 밤에는 횃불로 먼 곳까지 정보를 전달하는 통신 방법.

예 옛날에는 전쟁이 일어날 때 봉수로 소식을 전했는데, 그 까닭은 연기를 피우면 멀리서도 확인할 수 있기 때문이다.

▲ 봉수대

위급

危 위태할 위 + 急 급할 급

뜻 일이나 상태가 몹시 위험하고 급함.

예 옛날에는 전쟁과 같이 위급 상황이 발생했을 때 북을 쳐서 소식을 전하기도 했다.

4주차 2회

사회 교과서 어휘

수록 교과서 사회 3-1
3. 교통과 통신 수단의 변화

다음 중 낱말의 뜻을 잘 알고 있는 것에 ✓ 하세요.

□ 길도우미 □ 화상 통화 □ 무선 □ 수신호 □ 무전기 □ 음성 인식

다른 사람과 소식이나 정보를 주고받을 때 무엇을 이용하니? 오늘날 사람들이 이용하는 통신 수단의 종류에는 무엇이 있는지 공부해 볼까?
기차역에서 신고가 접수되었으니 출동하시기 바랍니다.

낱말을 읽고, ▭ 부분에 밑줄을 그으면서 낱말 공부를 해 보세요.

길도우미

뜻 지도를 보이거나 빠른 길을 찾아 주어 자동차 운전을 도와주는 장치.

예 차를 운전할 때 모르는 길은 길도우미로 찾으면 된다.

길도우미

Tip '길도우미'는 '내비게이션'을 순우리말로 바꾼 것이에요.

화상 통화

畫 그림 화 + 像 모양 상 + 通 통할 통 + 話 말씀 화

이것만은 꼭!

뜻 전화나 컴퓨터 등의 화면을 통해 상대를 보면서 하는 통화.

예 화상 통화로 먼 곳에 있는 사람과 회의를 하였다.

정답과 해설 ▶ 54쪽

무선

無 없을 무 + 線 선 선

Tip '전파'는 라디오 같은 통신에 쓰이는 전자파를 말해요.

뜻 방송이나 통신을 전깃줄 없이 전파로 보내거나 받음.

예 과일 가게 직원이 무선 마이크를 이용해 수박을 팔고 있다.

관련 어휘 유선

'유선'은 미리 설치된 전깃줄을 통한 방송이나 통신 방법을 뜻해.

▲ 무선 마이크를 이용하는 모습

수신호

手 손 수 + 信 정보 신 + 號 부호 호

'신(信)'의 대표 뜻은 '믿다', '호(號)'의 대표 뜻은 '이름'이야.

뜻 손으로 하는 신호.

예 물속에서는 수신호를 사용해 의사소통을 한다.

좋아 | 멈춰 | 위로 가자

▲ 물속에서 사용하는 수신호

무전기

無 없을 무 + 電 전기 전 + 機 틀 기

'전(電)'의 대표 뜻은 '번개'야.

뜻 무선으로 통신하는 데 쓰는 기계.

예 경찰관들은 서로 무전기를 이용하여 출동해야 할 곳을 알려 준다.

음성 인식

音 소리 음 + 聲 소리 성 + 認 알 인 + 識 알 식

뜻 사람이 하는 말의 뜻을 컴퓨터 등을 사용하여 자동적으로 아는 것.

예 이 차는 음성 인식으로 자율 주행을 할 수 있어서 목적지만 말하면 운전하지 않아도 목적지까지 데려다준다.

확인 문제

114～115쪽에서 공부한 낱말을 떠올리며 문제를 풀어 보세요.

1 보기에 있는 글자 카드로 뜻에 알맞은 낱말을 만들어 쓰세요. (같은 글자 카드를 여러 번 쓸 수 있어요.)

보기: 파 통 신 봉 단 수 발

(1) 정보를 전달하려고 사용하는 방법이나 도구. → 통 신 수 단

(2) 나라의 일과 관련된 소식을 걸어가거나 말을 타고 가서 전하는 방법. → 파 발

(3) 낮에는 연기로, 밤에는 횃불로 먼 곳까지 정보를 전달하는 통신 방법. → 봉 수

해설 | (1) 정보를 전달하려고 사용하는 방법이나 도구를 뜻하는 낱말은 '통신 수단'입니다. (2) 나라의 일과 관련된 소식을 걸어가거나 말을 타고 가서 전하는 방법을 뜻하는 낱말은 '파발'입니다. (3) 낮에는 연기로, 밤에는 횃불로 먼 곳까지 정보를 전달하는 통신 방법을 뜻하는 낱말은 '봉수'입니다.

2 두 친구가 설명하는 '이것'에 해당하는 것을 찾아 ○표 하세요.

태현: 이것은 안부나 소식을 적어 보내는 글을 말해.
윤정: 이것은 옛날 통신 수단 중에 하나로 안부를 전할 때 쓰였어.

(방 , (서찰))

해설 | '방'은 어떤 일을 널리 알리려고 사람들이 많이 모이는 곳에 써 붙이는 글을 뜻하는 낱말입니다.

3 밑줄 친 낱말과 뜻이 같은 것을 찾아 ○표 하세요.

이 소식을 많은 사람이 볼 수 있도록 방을 써서 붙여라.

(1) 나는 형과 방을 같이 쓴다. (   )　(2) 범인을 잡는다는 방이 붙었다. (○)

해설 | (1)에 쓰인 '방'은 사람이 살거나 일을 하기 위해 벽을 막아서 만든 칸을 뜻합니다.

4 밑줄 친 낱말의 쓰임이 알맞으면 ○표, 알맞지 않으면 ×표 하세요.

(1) 아이가 대감에게 파발을 요구했다. (×)

(2) 북이나 봉수는 적이 쳐들어올 때 이용했던 통신 수단이다. (○)

(3) 봉수는 상황이 얼마나 위급한지에 따라 횃불의 개수가 달랐다. (○)

해설 | '파발'은 나라의 일과 관련된 소식을 걸어가거나 말을 타고 가서 전하는 방법을 뜻하므로 아이가 파발을 요구했다는 내용은 어색합니다.

116～117쪽에서 공부한 낱말을 떠올리며 문제를 풀어 보세요.

5 뜻에 알맞은 낱말을 보기에서 찾아 쓰세요.

보기: 무선 무전기 길도우미 음성 인식 화상 통화

(1) (무전기): 무선으로 통신하는 데 쓰는 기계.

(2) (무선): 방송이나 통신을 전깃줄 없이 전파로 보내거나 받음.

(3) (화상 통화): 전화나 컴퓨터 등의 화면을 통해 상대를 보면서 하는 통화.

(4) (음성 인식): 사람이 하는 말의 뜻을 컴퓨터 등을 사용하여 자동적으로 아는 것.

(5) (길도우미): 지도를 보이거나 빠른 길을 찾아 주어 자동차 운전을 도와주는 장치.

해설 | 무선으로 통신하는 데 쓰는 기계를 뜻하는 낱말은 '무전기', 방송이나 통신을 전깃줄 없이 전파로 보내거나 받는 것을 뜻하는 낱말은 '무선', 전화나 컴퓨터 등의 화면을 통해 상대를 보면서 하는 통화를 뜻하는 낱말은 '화상 통화', 사람이 하는 말의 뜻을 컴퓨터 등을 사용하여 자동적으로 아는 것을 뜻하는 낱말은 '음성 인식', 지도를 보이거나 빠른 길을 찾아 주어 자동차 운전을 도와주는 장치를 뜻하는 낱말은 '길도우미'입니다.

6 밑줄 친 부분과 관계있는 낱말은 무엇인가요? (③)

심판이 손으로 하는 신호를 보고 선수가 어떤 반칙을 했는지 알았다.

① 악수　② 암호　③ 수신호
④ 신호등　⑤ 교통 신호

해설 | '수신호'는 손으로 하는 신호라는 뜻의 낱말입니다.

7 밑줄 친 낱말이 알맞게 쓰였는지 ○, ×를 따라가며 선을 긋고 몇 번으로 나오는지 쓰세요.

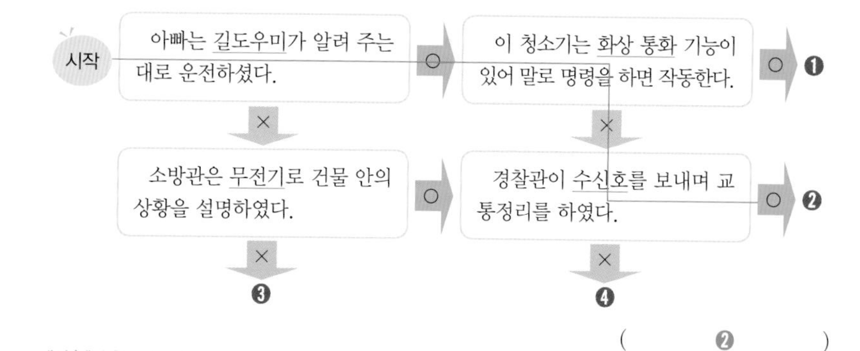

시작
아빠는 길도우미가 알려 주는 대로 운전하셨다.
이 청소기는 화상 통화 기능이 있어 말로 명령을 하면 작동한다.
소방관은 무전기로 건물 안의 상황을 설명하였다.
경찰관이 수신호를 보내며 교통정리를 하였다.
○
×
❶
❷
❸
❹

(❷)

해설 | "이 청소기는 음성 인식 기능이 있어 말로 명령을 하면 작동한다."가 바른 문장입니다.

4주차 3회

수학 교과서 어휘

수록 교과서 수학 3-1
6. 분수와 소수

다음 중 낱말의 뜻을 잘 알고 있는 것에 ☑ 하세요.

☐ 전체 ☐ 부분 ☐ 분수 ☐ 분모 ☐ 분자 ☐ 단위분수

주스의 남은 양을 정확히 표현하려면 뭐라고 말해야 할까?
남자아이는 주스의 남은 양을 표현하고 싶은가 봐. 이렇게 전체에 대한 부분의 크기를 표현할 때에는 분수를 사용하면 돼. 분수와 관련된 낱말들에 대해 알아보자.

낱말을 읽고, ▭ 부분에 밑줄을 그으면서 낱말 공부를 해 보세요.

전체
全 온전할 전 + 體 몸 체

뜻 어떤 것을 이루는 모두.

예 ◐은 전체 ◯의 반을 연두색으로 칠한 것이다.

이 피자는 전체가 6조각이야.

부분
部 나눌 부 + 分 나눌 분
'부(部)'의 대표 뜻은 '떼'야.

뜻 전체를 몇으로 나눈 것의 하나하나.

예 부분 ▮은 전체 ▭를 똑같이 3으로 나눈 것 중의 1을 주황색으로 칠한 것이다.

분수
分 나눌 분 + 數 셈 수

이것만은 꼭!

뜻 전체에 대한 부분을 나타내는 수.

예 전체를 똑같이 2로 나눈 것 중의 1을 분수로 나타내면 $\frac{1}{2}$이다.

글자는 같지만 뜻이 다른 낱말 분수

'분수'는 좁은 구멍을 통해서 물을 위로 내뿜는 시설이나 그 물이라는 전혀 다른 뜻으로도 쓰여.

예 분수에서 물이 나온다.

분모
分 나눌 분 + 母 어머니 모

뜻 분수에서 가로줄 아래에 있는 수.

예 $\frac{2}{5}$, $\frac{3}{5}$, $\frac{4}{5}$는 모두 분모가 5인 분수이다.

$\frac{2}{5}$, $\frac{3}{5}$, $\frac{4}{5}$ — 분모

분자
分 나눌 분 + 子 아들 자

뜻 분수에서 가로줄 위에 있는 수.

예 $\frac{3}{4}$, $\frac{3}{5}$, $\frac{3}{7}$은 모두 분자가 3인 분수이다.

분자 — $\frac{3}{4}$, $\frac{3}{5}$, $\frac{3}{7}$

단위분수
單 홑 단 + 位 자리 위 + 分 나눌 분 + 數 셈 수

뜻 분자가 1인 분수.

예 $\frac{1}{2}$, $\frac{1}{3}$은 모두 단위분수이다.

4주차 3회

수학 교과서 어휘

수록 교과서 수학 3-1
6. 분수와 소수

다음 중 낱말의 뜻을 잘 알고 있는 것에 ✓ 하세요.

☐ 소수 ☐ 소수점 ☐ 수직선 ☐ 정확하다 ☐ 심지 ☐ 크기

연필의 길이는 10.5센티미터구나.
9 10 11
연필의 길이는 10센티미터보다 길고 11센티미터보다 짧은 10.5센티미터야. 10.5는 소수야. 이번 회에서는 소수와 관련된 낱말에 대해 공부해 볼까?

낱말을 읽고, 부분에 밑줄을 그으면서 낱말 공부를 해 보세요.

이것만은 꼭!

소수

小 작을 소 + 數 셈 수

뜻 일의 자리보다 작은 자리의 값을 가진 수.

예 0.1, 0.2, 0.3과 같은 수를 소수라고 한다.

0.1 — 일의 자리 / 일의 자리보다 작은 자리

소수점

小 작을 소 + 數 셈 수 + 點 점 점

뜻 소수를 나타낼 때 사용하는 점.

예 0.5에서 0과 5 사이에 찍은 점이 소수점이다.

0.5 — 소수점

수직선

數 셈 수 + 直 곧을 직 + 線 선 선

뜻 일정한 간격으로 눈금을 표시하고 눈금에 수를 나타낸 직선.

예 종이 개구리가 뛴 거리를 수직선에 나타내어 보자.

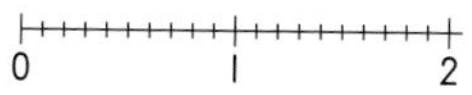

(수직선: 0, 1, 2)

정확하다

正 바를 정 + 確 확실할 확 + 하다

'확(確)'의 대표 뜻은 '굳다'야.

뜻 바르고 틀림없다.

예 지혜의 키를 140센티미터라고 하는 것보다 139.5센티미터라고 하는 것이 더 정확하다.

비슷한말 확실하다

'확실하다'는 "실제와 꼭 같거나 틀림없이 그러하다."라는 뜻이야.

예 이번 일은 확실하게 내가 잘못했다.

심지

心 마음 심 + 지

뜻 초나 등잔 등에 불을 붙이기 위해 실이나 헝겊을 꼬아서 꽂은 것.

예 향초 심지의 길이를 센티미터로 나타내었다.

심지

크기

뜻 넓이, 양 등이 큰 정도.

예 0.3과 0.6의 크기를 비교하면 0.6이 더 크다.

'크기'를 나타내는 말에는 '크다', '작다', '큼지막하다', '조그맣다' 등이 있어.

정답과 해설 ▶ 57쪽

확인 문제

120~121쪽에서 공부한 낱말을 떠올리며 문제를 풀어 보세요.

1 보기에 있는 글자 카드로 뜻에 알맞은 낱말을 만들어 쓰세요. (같은 글자 카드를 여러 번 쓸 수 있어요.)

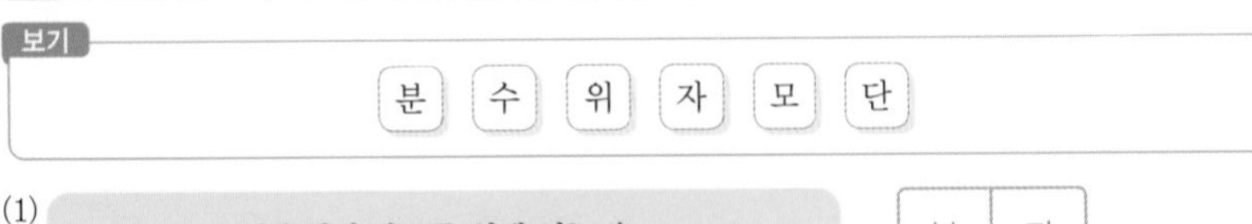

보기: 분 수 위 자 모 단

(1) 분수에서 가로줄 위에 있는 수. → 분 자

(2) 분수에서 가로줄 아래에 있는 수. → 분 모

(3) 분자가 1인 분수. → 단 위 분 수

해설 | (1) 분수에서 가로줄 위에 있는 수를 뜻하는 낱말은 '분자'입니다. (2) 분수에서 가로줄 아래에 있는 수를 뜻하는 낱말은 '분모'입니다. (3) 분자가 1인 분수를 뜻하는 낱말은 '단위분수'입니다.

2 낱말의 뜻에 대해 바르게 말하지 못한 친구의 이름을 쓰세요.

채원: '전체'는 어떤 것을 이루는 일부분을 뜻하는 낱말이야.
지후: '부분'은 전체를 몇으로 나눈 것의 하나하나를 뜻하는 낱말이야.

(채원)

해설 | '전체'는 어떤 것을 이루는 모두를 뜻하는 낱말입니다.

3 밑줄 친 낱말의 뜻으로 알맞은 것에 ○표 하세요.

오늘 배운 <u>분수</u> 계산이 잘 이해되지 않아 선생님께 다시 여쭈어 보았다.

(1) 전체에 대한 부분을 나타내는 수. (○)

(2) 좁은 구멍을 통해서 물을 위로 내뿜는 시설이나 그 물. (   )

해설 | 주어진 문장에 쓰인 '분수'는 전체에 대한 부분을 나타내는 수를 뜻합니다.

4 (   ) 안에 들어갈 알맞은 낱말을 보기에서 찾아 쓰세요.

보기: 전체 부분 분자

(1) $\frac{2}{7}$에서 (분자)은/는 2이다.

(2) 샌드위치를 먹고 남은 (부분)은/는 전체의 $\frac{1}{5}$이다.

(3) 주스를 한 컵 가득 따라 주었는데 지혜는 (전체)의 $\frac{3}{5}$만 마셨다.

해설 | (1) 2는 가로줄의 위에 있는 수이므로, '분자'가 들어가야 합니다. (2) 전체를 몇으로 나눈 것의 하나하나를 뜻하는 '부분'이 들어가야 합니다. (3) 주스 한 컵 중에서 $\frac{3}{5}$만 마셨다는 뜻의 문장으로, '전체'가 들어가야 합니다.

122~123쪽에서 공부한 낱말을 떠올리며 문제를 풀어 보세요.

5 낱말의 뜻을 찾아 선으로 이으세요.

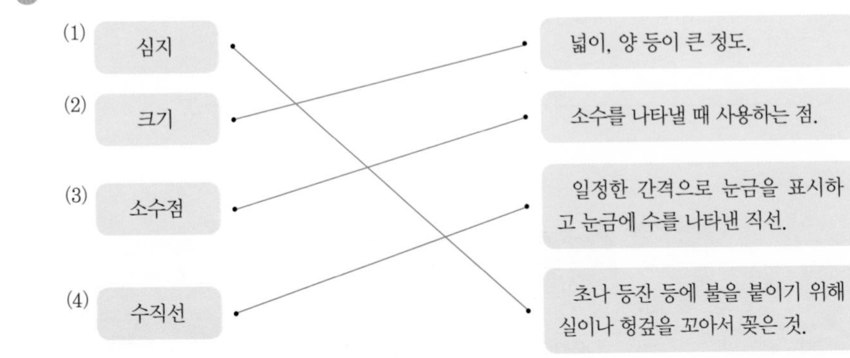

(1) 심지 — 초나 등잔 등에 불을 붙이기 위해 실이나 헝겊을 꼬아서 꽂은 것.

(2) 크기 — 넓이, 양 등이 큰 정도.

(3) 소수점 — 소수를 나타낼 때 사용하는 점.

(4) 수직선 — 일정한 간격으로 눈금을 표시하고 눈금에 수를 나타낸 직선.

해설 | (1) '심지'는 초나 등잔 등에 불을 붙이기 위해 실이나 헝겊을 꼬아서 꽂은 것을 뜻하는 낱말입니다. (2) '크기'는 넓이, 양 등이 큰 정도를 뜻하는 낱말입니다. (3) '소수점'은 소수를 나타낼 때 사용하는 점입니다. (4) '수직선'은 일정한 간격으로 눈금을 표시하고 눈금에 수를 나타낸 직선을 뜻하는 낱말입니다.

6 낱말의 뜻에 맞게 (   ) 안에서 알맞은 말을 골라 ○표 하세요.

(1) 정확하다: 바르고 (관계없다 , (틀림없다)).

(2) 소수: 일의 자리보다 (큰 , (작은)) 자리의 값을 가진 수.

해설 | (1) '정확하다'는 "바르고 틀림없다."라는 뜻의 낱말입니다. (2) '소수'는 일의 자리보다 작은 자리의 값을 가진 수를 뜻하는 낱말입니다.

7 빈칸에 들어갈 알맞은 낱말을 글자 카드를 이용하여 만들어 쓰세요.

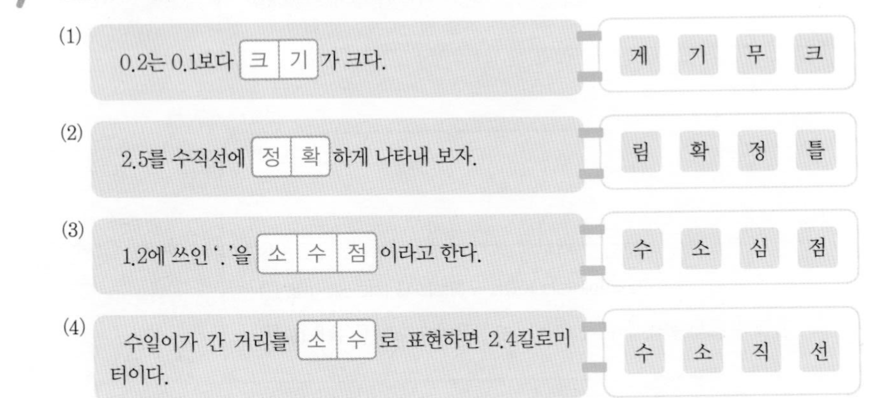

(1) 0.2는 0.1보다 크 기 가 크다. (게 기 무 크)

(2) 2.5를 수직선에 정 확 하게 나타내 보자. (림 확 정 틀)

(3) 1.2에 쓰인 '.'을 소 수 점 이라고 한다. (수 소 심 점)

(4) 수일이가 간 거리를 소 수 로 표현하면 2.4킬로미터이다. (수 소 직 선)

해설 | (1) 넓이, 양 등이 큰 정도를 뜻하는 '크기'가 들어가야 합니다. (2) "바르고 틀림없음."이라는 뜻을 가진 '정확'이 들어가야 합니다. (3) 소수를 나타낼 때 사용하는 점인 '소수점'이 들어가야 합니다. (4) 2.4 킬로미터는 수일이가 간 거리를 소수로 표현한 것이므로, '소수'가 들어가야 합니다.

4주차 4회 과학 교과서 어휘

수록 교과서 과학 3-1
5. 지구의 모습

다음 중 낱말의 뜻을 잘 알고 있는 것에 ✓ 하세요.

☐ 지구 ☐ 표면 ☐ 갯벌 ☐ 육지 ☐ 공기 ☐ 생물

우리가 살고 있는 지구는 어떤 곳일까? 지구에는 무엇이 있을까? 지구와 관계있는 낱말들을 통해 지구에 대해 더 알아보자.

낱말을 읽고, ▭ 부분에 밑줄을 그으면서 낱말 공부를 해 보세요.

지구
地 땅 지 + 球 공 구

이것만은 꼭!

뜻 우리가 살고 있는, 태양에서 세 번째로 가까운 별.

예 우리가 살고 있는 지구는 태양 주위를 돈다.

포함하는 말 행성
'지구'를 포함하는 말은 '행성'이야. '행성'은 태양의 둘레를 도는 별을 뜻해.

표면
表 겉 표 + 面 겉 면
'면(面)'의 대표 뜻은 '낯'이야.

뜻 가장 바깥쪽 또는 가장 윗부분.

예 지구의 표면에는 산, 들, 강 등이 있다.

비슷한말 겉면
'겉면'은 겉에 있거나 보이는 면을 뜻하는 낱말이야.
예 상자 겉면에 이름을 썼다.

갯벌

Tip 바닷물이 빠져나가는 것을 '썰물'이라고 해요.

뜻 바닷물이 빠져나간 자리에 드러난 넓고 평평한 땅.

예 갯벌에는 조개나 낙지 등 다양한 바다 생물들이 산다.

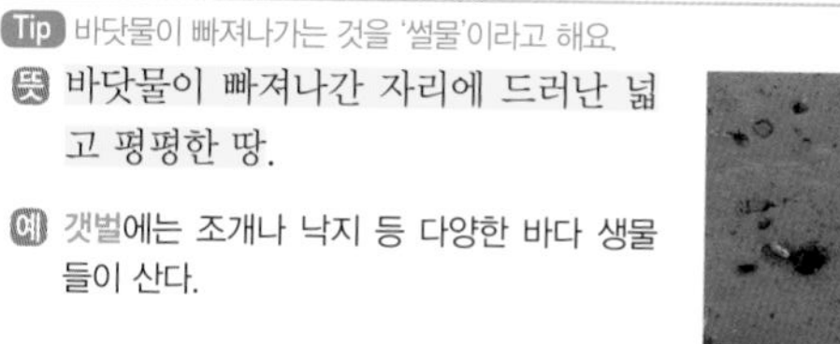

육지
陸 뭍 육 + 地 땅 지

뜻 지구 표면에서 물에 덮이지 않은 부분.

예 지구에서 강이나 바다와 같이 물이 있는 곳을 뺀 곳이 육지이다.

비슷한말 땅
'땅'은 지구에서 물로 된 부분이 아닌 흙이나 돌로 된 부분을 말해.
예 땅을 파고 항아리를 묻었다.

공기
空 빌 공 + 氣 공기 기
'기(氣)'의 대표 뜻은 '기운'이야.

뜻 지구를 둘러싸고 있는, 색과 냄새가 없는 기체. 동물과 식물이 숨을 쉬고 살아가는 데 꼭 필요함.

예 부풀어 오른 풍선 안에는 공기가 있다.

관련 어휘 기체
'기체'는 담는 그릇에 따라 모양과 부피(물질이 차지하는 공간의 크기)가 변하고, 담긴 그릇을 항상 가득 채우는 물질의 상태를 말해.

생물
生 살 생 + 物 만물 물
'생(生)'의 대표 뜻은 '나다'이고, '물(物)'의 대표 뜻은 '물건'이야.

뜻 생명이 있는 동물과 식물.

예 인구 증가와 환경 오염 등 다양한 문제로 지구는 점점 생물이 살기 힘든 곳이 되어 가고 있다.

4주차 4회 과학 교과서 어휘

수록 교과서 과학 3-1
5. 지구의 모습

다음 중 낱말의 뜻을 잘 알고 있는 것에 ✓ 하세요.

□ 지구의 □ 달 □ 달의 바다 □ 충돌 □ 온도 □ 보존하다

밤하늘에 떠 있는 달을 보면 지구처럼 동그랗게 생겼지? 하지만 달은 지구와 달라. 달은 어떤 특징을 가졌는지 오늘 배울 낱말을 통해 알아볼까?

✎ 낱말을 읽고, 　 부분에 밑줄을 그으면서 낱말 공부를 해 보세요.

지구의

地 땅 지 + 球 공 구 + 儀 천문 기계 의

'의(儀)'의 대표 뜻은 '거동'이야.

뜻 지구를 본떠 만든 모형.

예 지구의와 인형을 이용하여 마젤란 탐험대가 세계 일주를 한 뱃길을 따라가 보았다.

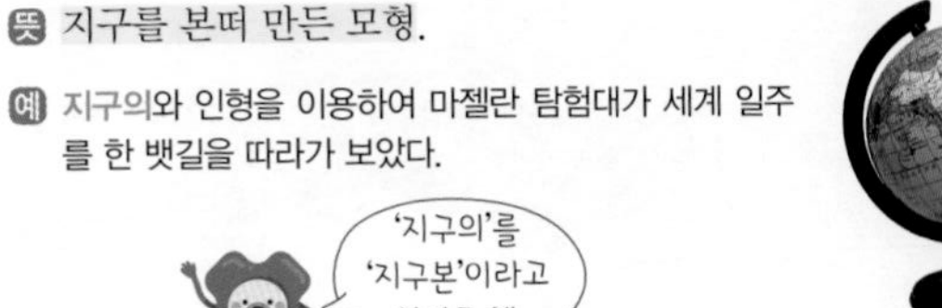

'지구의'를 '지구본'이라고 하기도 해.

달

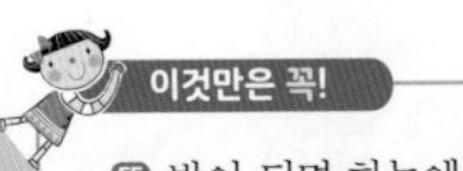

이것만은 꼭!

뜻 밤이 되면 하늘에 뜨는, 지구 주위를 도는 물체.

예 밤하늘에 떠 있는 달을 보면 쟁반이 떠오른다.

여러 가지 뜻을 가진 낱말 **달**

'달'은 일 년을 열둘로 나누어 놓은 기간이라는 뜻도 있어.

예 이번 달에 전학을 간다.

정답과 해설 ▶ 60쪽

Tip '달의 바다'는 옛날 과학자들이 달 표면의 어두운 곳이 물로 가득 차 있을 것이라고 생각해 붙인 이름이에요. 하지만 실제로 달의 바다가 어두운 색깔을 띠는 까닭은 달이 현무암이라는 어두운 색의 돌로 이루어졌기 때문이에요.

달의 바다

뜻 달의 표면에서 어둡게 보이는 곳.

예 달 표면에 있는 달의 바다에 실제로는 물이 없다.

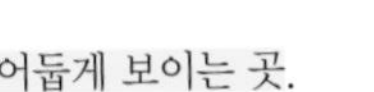
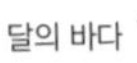
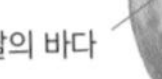

달의 바다

충돌

衝 부딪칠 충 + 突 부딪칠 돌

'충(衝)'의 대표 뜻은 '찌르다', '돌(突)'의 대표 뜻은 '갑자기'야.

뜻 물체가 서로 세게 부딪치는 것.

예 달 표면에 있는 구덩이는 우주를 떠돌던 돌덩이가 달 표면에 충돌하여 만들어졌다.

온도

溫 따뜻할 온 + 度 온도 도

'도(度)'의 대표 뜻은 '법도'야.

뜻 따뜻하고 차가운 정도.

예 달에서 햇빛이 비추는 곳은 온도가 너무 높고, 햇빛이 비추지 않는 곳은 온도가 너무 낮아서 생물이 살기에 알맞지 않다.

보존하다

保 지킬 보 + 存 있을 존 + 하다

뜻 중요한 것을 잘 보호하여 그대로 남기다.

예 갈수록 심각해지는 환경 오염으로부터 지구를 보존하기 위해 '지구의 날'을 만들었다.

비슷한말 **지키다**

'지키다'는 "소중한 것을 잃지 않도록 하다."라는 뜻이야.

예 환경을 지키기 위해 일회용품 사용을 줄이자.

확인 문제

126～127쪽에서 공부한 낱말을 떠올리며 문제를 풀어 보세요.

1 뜻에 알맞은 낱말을 글자판에서 찾아 묶으세요. (낱말은 가로(—), 세로(|) 방향에 숨어 있어요.)

갯	벌	❶생	명
❷표	면	물	질
활	❸지	바	❹공
교	구	다	기

❶ 생명이 있는 동물과 식물.
❷ 가장 바깥쪽 또는 가장 윗부분.
❸ 우리가 살고 있는, 태양에서 세 번째로 가까운 별.
❹ 지구를 둘러싸고 있는, 색과 냄새가 없는 기체. 동물과 식물이 숨을 쉬고 살아가는 데 꼭 필요함.

해설 | ❶ 생명이 있는 동물과 식물이라는 뜻을 가진 낱말은 '생물'입니다. ❷ 가장 바깥쪽 또는 가장 윗부분을 뜻하는 낱말은 '표면'입니다. ❸ 우리가 살고 있는, 태양에서 세 번째로 가까운 별을 뜻하는 낱말은 '지구'입니다. ❹ 지구를 둘러싸고 있는, 색과 냄새가 없는 기체를 뜻하는 낱말은 '공기'입니다.

2 낱말의 뜻에 맞게 ( ) 안에서 알맞은 말을 골라 ○표 하세요.

(1) 육지 — 지구 표면에서 물에 (덮인 , (덮이지 않은)) 부분.

(2) 갯벌 — 바닷물이 (들어온 , (빠져나간)) 자리에 드러난 넓고 평평한 땅.

해설 | '육지'는 지구 표면에서 물에 덮이지 않은 부분을, '갯벌'은 바닷물이 빠져나간 자리에 드러난 넓고 평평한 땅을 뜻하는 낱말입니다.

3 [ ] 안의 낱말과 뜻이 비슷한 낱말은 무엇인가요? (③)

육지 ① 산 ② 강 ③ 땅 ④ 바다 ⑤ 표면

해설 | '육지'와 뜻이 비슷한 낱말은 지구에서 물로 된 부분이 아닌 흙이나 돌로 된 부분을 뜻하는 '땅'입니다.

4 빈칸에 들어갈 알맞은 낱말을 찾아 선으로 이으세요.

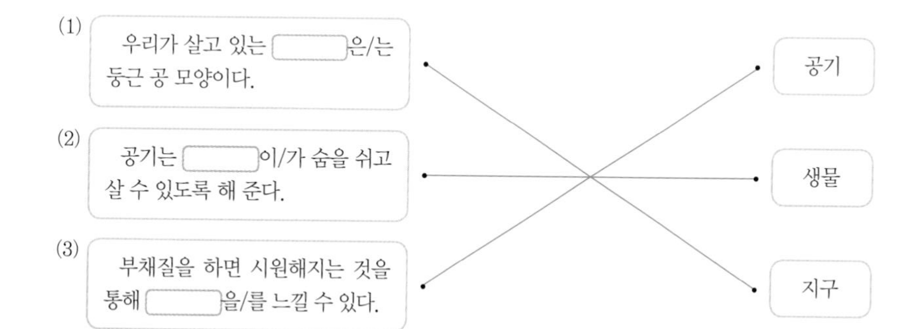

(1) 우리가 살고 있는 [ ]은/는 둥근 공 모양이다. • 공기

(2) 공기는 [ ]이/가 숨을 쉬고 살 수 있도록 해 준다. • 생물

(3) 부채질을 하면 시원해지는 것을 통해 [ ]을/를 느낄 수 있다. • 지구

해설 | (1) 우리가 살고 있는, 태양에서 세 번째로 가까운 별을 뜻하는 '지구'가 들어가야 합니다. (2) 생명이 있는 동물과 식물을 뜻하는 '생물'이 들어가야 합니다. (3) 지구를 둘러싸고 있는, 색과 냄새가 없는 기체를 뜻하는 '공기'가 들어가야 합니다.

128～129쪽에서 공부한 낱말을 떠올리며 문제를 풀어 보세요.

5 뜻에 알맞은 낱말을 보기에서 찾아 사다리를 타고 내려간 곳에 쓰세요.

보기: 온도 충돌 지구의 달의 바다

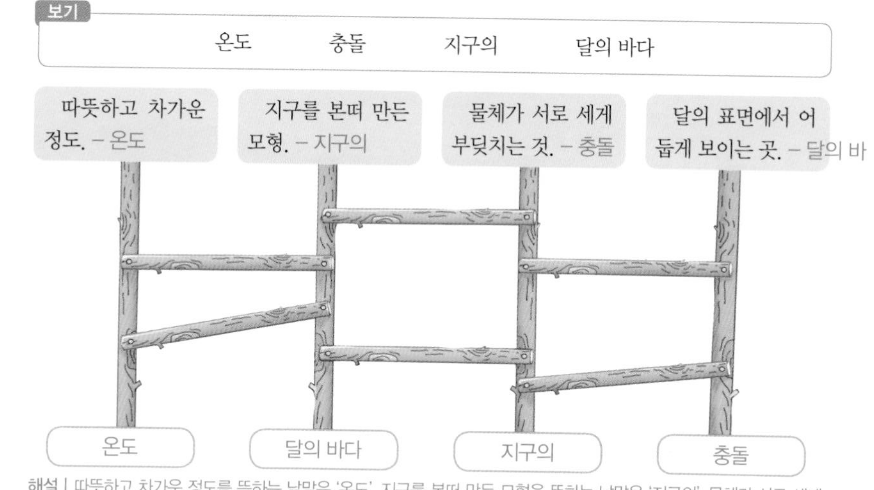

해설 | 따뜻하고 차가운 정도를 뜻하는 낱말은 '온도', 지구를 본떠 만든 모형을 뜻하는 낱말은 '지구의', 물체가 서로 세게 부딪치는 것을 뜻하는 낱말은 '충돌', 달의 표면에서 어둡게 보이는 곳을 뜻하는 말은 '달의 바다'입니다.

6 빈칸에 공통으로 들어갈 알맞은 낱말을 쓰세요.

• [ ]은 지구 주위를 돈다.
• 지윤이는 다음 [ ]부터 영어 학원에 다니기로 했다.

(달)

해설 | 빈칸에는 밤이 되면 하늘에 뜨는, 지구 주위를 도는 물체라는 뜻과 일 년을 열둘로 나누어 놓은 기간이라는 뜻을 가진 '달'이 들어가기에 알맞습니다.

7 밑줄 친 낱말을 바르게 사용하지 못한 친구의 이름을 쓰세요.

찬영: 지구는 생물이 살기에 알맞은 충돌을 가지고 있어.

정인: 바다에 쓰레기를 버리지 않으면 물을 보존할 수 있어.

현지: 지구의를 천천히 돌리며 육지와 바다의 넓이를 비교했어.

(찬영)

해설 | 찬영이는 "지구는 생물이 살기에 알맞은 온도를 가지고 있어."라고 말해야 합니다.

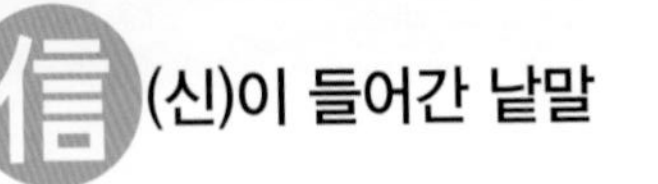

한자 어휘

信(신)이 들어간 낱말

'信(신)'이 들어간 낱말을 읽고, ▭ 부분에 밑줄을 그으면서 낱말 공부를 해 보세요.

信
믿을 신

'신(信)'은 사람과 말씀을 뜻하는 글자를 합쳐 만들었어. 사람의 말은 믿을 수 있어야 한다는 것에서 '믿다'라는 뜻을 갖게 되었지. '신(信)'은 '소식'의 뜻으로 쓰이기도 해.

Tip '믿다'라는 뜻의 '신(信)'이 들어간 한자 성어에는 '교우이신'도 있어요. '교우이신'은 믿음으로 친구를 사귀라는 뜻이에요.

믿다 信

반신반의

半 반 반 + 信 믿을 신 + 半 반 반 + 疑 의심할 의

뜻 반은 믿고 반은 의심함.

예 나는 내일 떡볶이를 사 주겠다는 친구의 말을 반신반의하며 들었다.

확신

確 굳을 확 + 信 믿을 신

뜻 굳게 믿음.

예 내가 한 선택이 옳다는 확신이 든다.

반대말 불신

'불신'은 "믿지 않음 또는 믿지 못함."이라는 뜻이야. 예 서로를 믿지 못하는 불신이 생겼다.

소식 信

통신원

通 통할 통 + 信 소식 신 + 員 인원 원

Tip '지방'은 수도 이외의 지역을 뜻하는 말이에요.

뜻 신문사나 방송국 등에서, 지방이나 외국에 보내져 그곳의 소식을 전하는 사람.

예 미국에 있는 통신원이 소식을 보내왔다.

외신

外 외국 외 + 信 소식 신

'외(外)'의 대표 뜻은 '바깥'이야.

뜻 외국으로부터 들어온 소식.

예 외신에 따르면 한국 영화가 유럽에서 인기가 많다고 한다.

生(생)이 들어간 낱말

'生(생)'이 들어간 낱말을 읽고, ▭ 부분에 밑줄을 그으면서 낱말 공부를 해 보세요.

生
날 생

'생(生)'은 땅 위로 새싹이 돋아나는 모양을 표현한 글자야. 새싹이 돋아나는 것은 새로운 생명이 태어나는 것을 의미하잖아. 그래서 '생(生)'이 '나다(태어나다)'의 뜻을 갖게 되었어. '생(生)'은 '살다', '사람'의 뜻으로 쓰이기도 해.

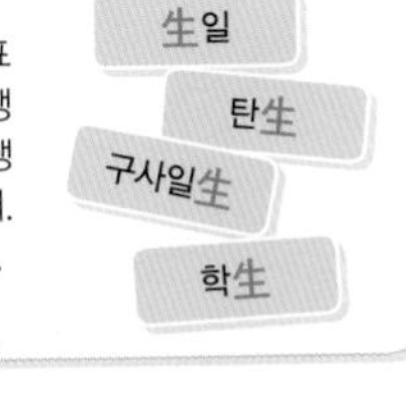

나다 生

생일

生 날 생 + 日 날 일

뜻 세상에 태어난 날.

예 친구들은 내가 태어난 날을 축하한다며 생일 선물을 주었다.

탄생

誕 낳을 탄 + 生 날 생

뜻 사람이 태어남.

예 할아버지, 손자 탄생을 축하드려요.

반대말 사망

'사망'은 사람이 죽는 것을 뜻하는 낱말이야.
예 한 가수가 갑작스럽게 사망하였다.

살다 · 사람 生

구사일생

九 아홉 구 + 死 죽을 사 + 一 하나 일 + 生 살 생

뜻 아홉 번 죽을 뻔하다 한 번 살아난다는 뜻으로, 죽을 뻔한 상황을 여러 번 넘기고 겨우 살아남.

예 물에 빠졌다가 구사일생으로 살아났다.

학생

學 배울 학 + 生 사람 생

뜻 학교에 다니면서 공부하는 사람.

예 선생님께서 나를 보시며 공부를 열심히 하는 학생이라고 칭찬하셨다.

확인 문제

132쪽에서 공부한 낱말을 떠올리며 문제를 풀어 보세요.

1 뜻에 알맞은 낱말을 빈칸에 쓰세요.

(1)

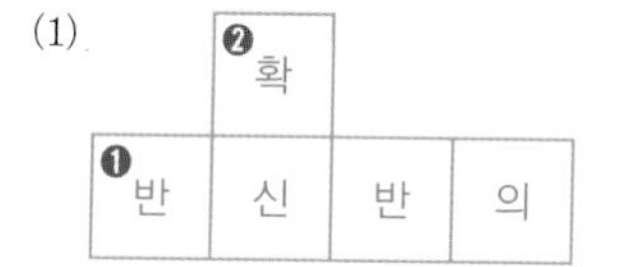

❶반 신 반 의 / ❷확 신

가로 열쇠 ❶ 반은 믿고 반은 의심함.
세로 열쇠 ❷ 굳게 믿음.

(2)

❶불 신 / ❷통 신 원

가로 열쇠 ❶ 믿지 않음 또는 믿지 못함.
세로 열쇠 ❷ 신문사나 방송국 등에서, 지방이나 외국에 보내져 그곳의 소식을 전하는 사람.

해설 | (1) '반신반의'는 반은 믿고 반은 의심하는 것, '확신'은 굳게 믿는 것을 뜻하는 낱말입니다. (2) '불신'은 믿지 않거나 믿지 못하는 것, '통신원'은 신문사나 방송국 등에서, 지방이나 외국에 보내져 그곳의 소식을 전하는 사람을 뜻하는 낱말입니다.

2 밑줄 친 '신'의 뜻으로 알맞은 것은 무엇인가요? (②)

외신

① 외국 ② 소식 ③ 바깥
④ 신문 ⑤ 믿다

해설 | '외신'은 외국으로부터 들어온 소식이라는 뜻을 가진 낱말로, '신'이 소식의 뜻으로 쓰였습니다.

해설 | (1) 외국으로부터 들어온 소식을 뜻하는 '외신', 신문사나 방송국 등에서, 지방이나 외국에 보내져 그곳의 소식을 전하는 사람을 뜻하는 '통신원'이 차례대로 들어가야 합니다. (2) 반은 믿고 반은 의심하는 것을 뜻하는 '반신반의', 굳게 믿는 것을 뜻하는 '확신'이 차례대로 들어가야 합니다.

3 빈칸에 들어갈 낱말을 완성하세요.

(1) [외][신]에 따르면 지금 유럽에 많은 비가 내려 피해가 크다고 합니다. 독일에 있는 [통][신][원]을 연결해 보겠습니다.

(2) 나는 이번 시험에 붙을지 [반][신][반][의]하는 마음이 들었는데 엄마는 반드시 붙을 거라고 [확][신]을 하셨어.

133쪽에서 공부한 낱말을 떠올리며 문제를 풀어 보세요.

4 보기에 있는 글자 카드로 뜻에 알맞은 낱말을 만들어 쓰세요.(같은 글자 카드를 여러 번 쓸 수 있어요.)

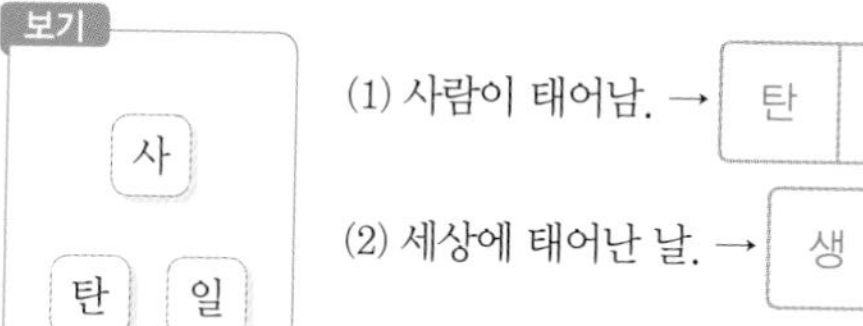

보기: 사, 탄, 일, 생, 구

(1) 사람이 태어남. → [탄][생]

(2) 세상에 태어난 날. → [생][일]

(3) 죽을 뻔한 상황을 여러 번 넘기고 겨우 살아남.
→ [구][사][일][생]

해설 | (1) 사람이 태어남을 뜻하는 낱말은 '탄생'입니다. (2) 세상에 태어난 날을 뜻하는 낱말은 '생일'입니다. (3) 죽을 뻔한 상황을 여러 번 넘기고 겨우 살아남을 뜻하는 낱말은 '구사일생'입니다.

5 밑줄 친 '생'의 뜻으로 알맞은 것을 골라 ○표 하세요.

학생 — 낳다 / (사람) / 살다

해설 | '학생'은 학교에 다니면서 공부하는 사람을 뜻하는 낱말로 '생'이 사람의 뜻으로 쓰였습니다.

6 '탄생'과 뜻이 반대인 낱말에 ○표 하세요.

(1) 출생 ( )
(2) 사망 (○)
(3) 평생 ( )

해설 | 사람이 태어남을 뜻하는 '탄생'과 뜻이 반대인 낱말은 사람이 죽는 것을 뜻하는 '사망'입니다.

7 밑줄 친 낱말의 쓰임이 알맞으면 ○표, 알맞지 않으면 ×표 하세요.

(1) 오늘은 내 탄생이다. (×)
(2) 새로 전학 온 학생은 남자이다. (○)
(3) 비행기가 떨어졌는데 구사일생으로 살아남은 사람들이 있다. (○)

해설 | (1) '탄생'은 사람이 태어남을 뜻하는 낱말이므로, 오늘은 내 탄생이라는 표현은 어색합니다.

4주차 어휘력 테스트

앞에서 공부한 낱말을 떠올리며 문제를 풀어 보세요.

낱말 뜻

1 뜻에 알맞은 낱말을 보기에서 찾아 쓰세요.

보기: 방 / 분수 / 갯벌 / 팻말 / 수신호

(1) (수신호): 손으로 하는 신호.
(2) (분수): 전체에 대한 부분을 나타내는 수.
(3) (갯벌): 바닷물이 빠져나간 자리에 드러난 넓고 평평한 땅.
(4) (방): 어떤 일을 널리 알리려고 사람들이 많이 모이는 곳에 써 붙이는 글.
(5) (팻말): 다른 사람들에게 알리기 위하여 글, 그림 등을 써 놓은, 네모난 조각.

해설 | 손으로 하는 신호를 뜻하는 낱말은 '수신호', 전체에 대한 부분을 나타내는 수를 뜻하는 낱말은 '분수', 바닷물이 빠져나간 자리에 드러난 넓고 평평한 땅을 뜻하는 낱말은 '갯벌', 어떤 일을 널리 알리려고 사람들이 많이 모이는 곳에 써 붙이는 글을 뜻하는 낱말은 '방', 다른 사람들에게 알리기 위하여 글, 그림 등을 써 놓은 네모난 조각을 뜻하는 낱말은 '팻말'입니다.

낱말 뜻

2 ~ 3 다음과 같은 뜻을 가진 낱말을 골라 ○표 하세요.

2 물체가 서로 세게 부딪치는 것. — 위급 / (충돌)

해설 | '위급'은 "일이나 상태가 몹시 위험하고 급함."이라는 뜻의 낱말입니다.

3 생김새나 성질 등이 아주 똑같지는 않지만 닮은 점이 많다. — 파악하다 / (비슷하다)

해설 | '파악하다'는 "내용이나 상황을 확실하게 알다."라는 뜻의 낱말입니다.

비슷한말

4 비슷한말끼리 짝 지어지지 않은 것은 무엇인가요? (⑤)

① 육지 – 땅　② 의견 – 생각　③ 표면 – 겉면
④ 단서 – 실마리　⑤ 정확하다 – 보존하다

해설 | '정확하다'는 "바르고 틀림없다."라는 뜻의 낱말이고, '보존하다'는 "중요한 것을 잘 보호하여 그대로 남기다."라는 뜻의 낱말입니다.

속담

5 다음 말에 어울리는 속담을 찾아 선으로 이으세요.

그는 어려서부터 절약하는 습관이 있다. — 세 살 적 버릇이 여든까지 간다

(꿩 대신 닭)

해설 | 어려서부터 절약하는 습관이 있다는 말에 어울리는 속담은 '세 살 적 버릇이 여든까지 간다'입니다. '세 살 적 버릇이 여든까지 간다'는 어릴 때부터 나쁜 습관이 들지 않도록 잘 가르쳐야 한다는 말입니다.

글자는 같지만 뜻이 다른 낱말

6 빈칸에 공통으로 들어갈 알맞은 낱말은 무엇인가요? (②)

- [　　] 주위에는 더위를 피하려는 사람들이 꽤 많았다.
- 분모가 같은 [　　]의 크기를 비교하려면 분자를 살펴봐야 한다.

① 전체　② 분수　③ 부분
④ 공원　⑤ 단위분수

해설 | 전체에 대한 부분을 나타내는 수라는 뜻과 좁은 구멍을 통해서 물을 위로 내뿜는 시설이나 그 물이라는 뜻을 가진 '분수'가 들어가기에 알맞습니다.

한자 성어

7 ( ) 안에서 알맞은 낱말을 골라 ○표 하세요.

(1) 자꾸 거짓말을 하는 친구의 말은 ((반신반의), 구사일생)하며 듣게 돼.
(2) 교통사고가 났는데 안전띠를 매어서 (반신반의 , (구사일생))(으)로 살았어.

해설 | '반신반의'는 반은 믿고 반은 의심하는 것을 뜻하고, '구사일생'은 죽을 뻔한 상황을 여러 번 넘기고 겨우 살아남을 뜻합니다.

낱말 활용

8 ~ 10 ( ) 안에 들어갈 알맞은 낱말을 보기에서 찾아 쓰세요.

보기: 습관 / 표면 / 감동

8 목수가 나무의 (표면)을 매끈하게 다듬었습니다.

해설 | 가장 바깥쪽 또는 가장 윗부분을 뜻하는 '표면'이 들어가야 합니다.

9 아빠께서 약속을 잘 지키는 (습관)을 가지라고 하셨어요.

해설 | 어떤 행동을 오랫동안 되풀이하면서 저절로 몸에 익혀진 행동을 뜻하는 '습관'이 들어가야 합니다.

10 먼 곳으로 팔려 간 개가 주인을 잊지 못해 집을 찾아가는 장면에서 (감동)을 받았다.

해설 | "크게 느껴 마음이 움직임."이라는 뜻의 '감동'이 들어가야 합니다.

정답과 해설

3주차 어휘 학습 점검

초등 3학년 1학기

3주차에서 학습한 어휘를 잘 알고 있는지 ✓ 해 보고,
잘 모르는 어휘는 해당 쪽으로 가서 다시 한번 확인해 보세요.

국어

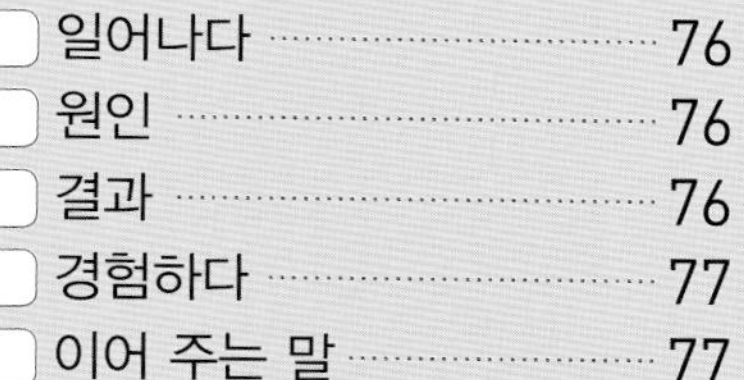
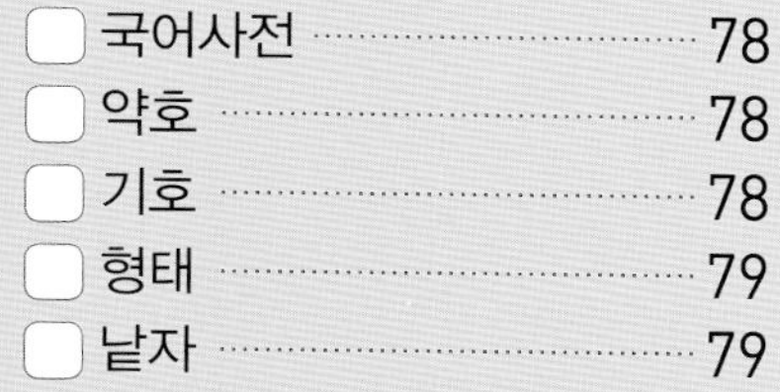

사회

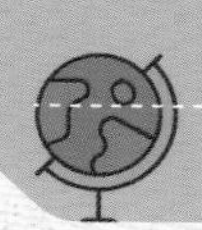

수학

과학

한자

잘라서 책갈피로 활용해 보세요.

4주차 어휘 학습 점검

초등 3학년 1학기

4주차에서 학습한 어휘를 잘 알고 있는지 ✔ 해 보고,
잘 모르는 어휘는 해당 쪽으로 가서 다시 한번 확인해 보세요.

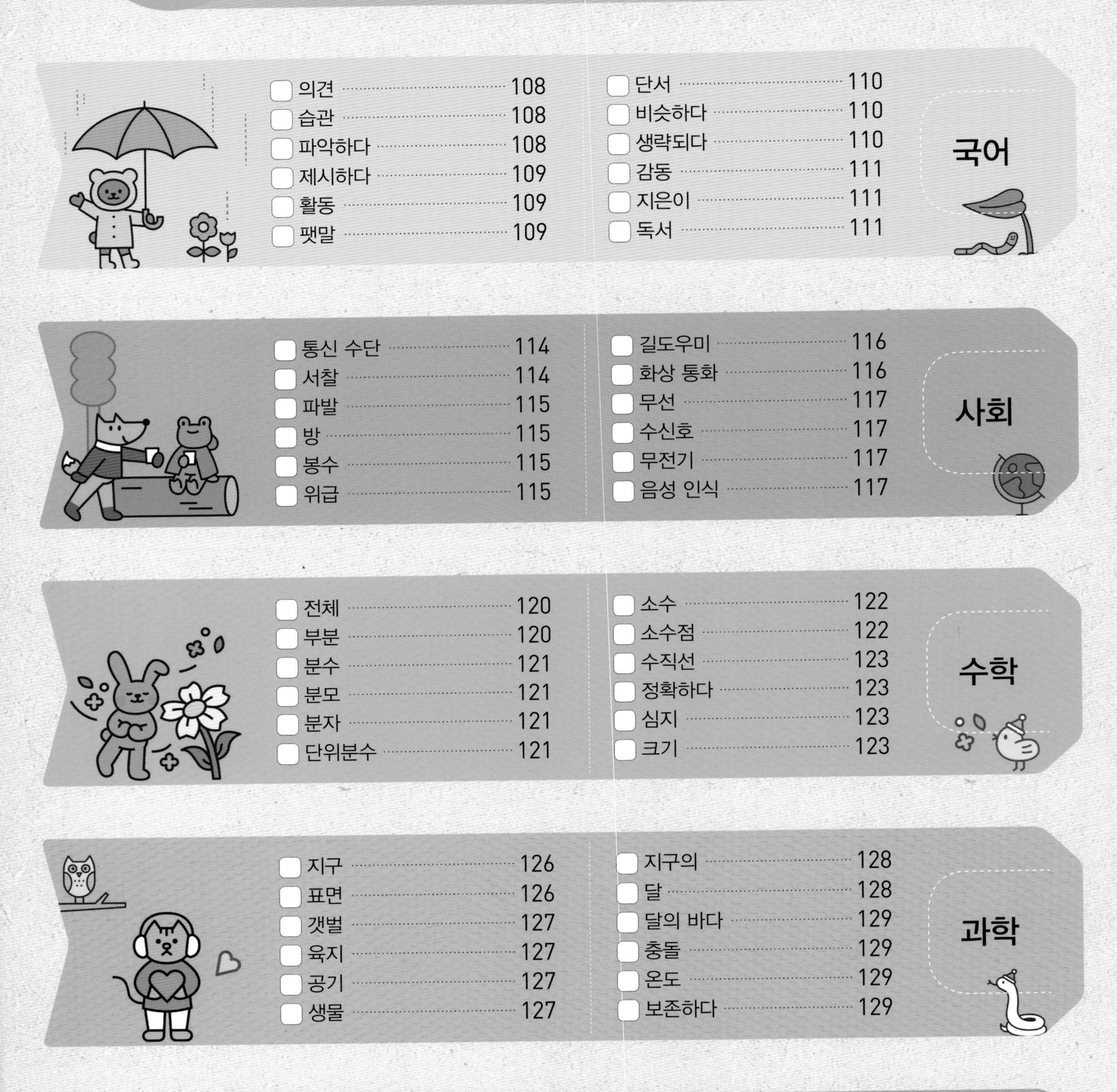

국어

사회

수학

과학

한자